D1488857

UNION GÉNÉRALE D'ÉDITIONS
8, rue Garancière PARIS VIe

DU MÊME AUTEUR

Aux Éditions 10/18

LA SOCIÉTÉ BUREAUCRATIQUE. T. I : LES RAPPORTS DE
PRODUCTION EN RUSSIE (1973).

L'EXPÉRIENCE DU MOUVEMENT OUVRIER. T. I : COMMENT
LUTTER (1974).

L'EXPÉRIENCE DU MOUVEMENT OUVRIER. T. II : PROLÉTA-
RIAT ET ORGANISATION (1974).

CAPITALISME MODERNE ET RÉVOLUTION. T. I : L'IMPÉRIA-
LISME ET LA GUERRE (1979).

CAPITALISME MODERNE ET RÉVOLUTION. T. II : LE MOUVE-
MENT RÉVOLUTIONNAIRE DANS LE CAPITALISME
MODERNE (1979).

LE CONTENU DU SOCIALISME (1979).

LA SOCIÉTÉ FRANÇAISE (1979).

Aux Éditions du Seuil

L'INSTITUTION IMAGINAIRE DE LA SOCIÉTÉ (1975).

LES CARREFOURS DU LABYRINTHE (1978).

LA SOCIETE
BUREAUCRATIQUE 2

La révolution
contre la bureaucratie

PAR

CORNELIUS CASTORIADIS

INEDIT

© Union Générale d'Editions
et Cornelius Castoriadis, 1973.
ISBN 2-264-00259-X

AVERTISSEMENT

Comme pour tous les autres volumes de cette publication, les textes sont reproduits ici sans modification, sauf pour la correction des fautes d'impression et de quelques *lapsus calami* et pour la mise à jour, le cas échéant, des références. Quelques additions sont indiquées par des crochets. Les notes appelées par des lettres sont nouvelles.

Je remercie Georges Dupont, Alain Girard et Claude Lefort qui ont accepté la reproduction des textes que nous avons écrits en collaboration.

Les sigles suivants désignent les volumes déjà parus de cette publication, et les textes auxquels référence est faite plus fréquemment :

Vol. I, 1 : *La Société bureaucratique*, 1 : *Les rapports de production en Russie* (éd. 10/18, n° 751).

Vol. I, 2 : *La Société bureaucratique*, 2 : *La révolution contre la bureaucratie* (éd. 10/18, n° 806).

Vol. III, 1 : *Capitalisme moderne et révolution*, 1 : *L'impérialisme et la guerre* (éd. 10/18, n° 1303).

Vol. III, 2 : *Capitalisme moderne et révolution*, 2 : *Le mouvement révolutionnaire sous le capitalisme moderne* (éd. 10/18, n° 1304)

Vol. IV : *Le Contenu du socialisme* (éd. 10/18, n° 1331).

Vol. V, 1 : *L'Expérience du mouvement ouvrier*, 1 : *Comment lutter* (éd. 10/18, n° 825).

Vol. V, 2 : *L'Expérience du mouvement ouvrier*, 2 : *Prolétariat et organisation* (éd. 10/18, n° 857).

Vol. VII : *La Société française* (éd. 10/18, n° 1332).

I.I.S.   *L'Institution imaginaire de la société* (*Le Seuil*, 1975).

C.F.P.   *Concentration des forces productives* (inédit, mars 1948 ; vol. I, 1, p. 101-114).

Ph. C.P.   *Phénoménologie de la conscience prolétarienne* (inédit, mars 1948 ; vol. I, 1, p. 115-130).

S.B.   *Socialisme ou barbarie* S. ou B., n° 1, mars 1949 ; vol. I, 1, p. 135-184).

R.P.R.   *Les rapports de production en Russie* (S. ou B., n° 2, mai 1949 ; vol. I, 1, p. 205-282).

D.C. I et II   *Sur la dynamique du capitalisme* (S. ou B., n°s 12 et 13, août 1953 et janvier 1954).

S.I.P.P.   *Situation de l'impérialisme et perspectives du prolétariat* (S. ou B., n° 14, avril 1954 ; vol. III, 1, p. 375-435).

C.S. I, C.S. II, C.S. III   *Sur le contenu du socialisme* (S. ou B., n° 17, juillet 1955, n° 22, juillet 1957, n° 23, janvier 1958 ; vol. IV, p. 67-102 et 103-222, vol. I, 2, p. 9-88).

R.P.B.   *La révolution prolétarienne contre la bureaucratie* (S. ou B., n° 20, décembre 1956 ; vol. I, 2, p. 267-338).

P.O. I et II   *Prolétariat et organisation* (S. ou B., n°s 27 et 28, avril et juillet 1959, vol. V, 2, p. 123-248).

M.R.C.M. I, II et III   *Le mouvement révolutionnaire sous le capitalisme moderne* (S. ou B., n°s 31, 32 et 33, décembre 1960, avril et décembre 1961 ; vol. III, 2, p. 47-258).

R.R.   *Recommencer la révolution* (S. ou B., n° 35, janvier 1964, vol. V, 2, p. 307-365).

R.I.B.   *Le rôle de l'idéologie bolchevique dans la naissance de la bureaucratie* (S. ou B., n° 35, janvier 1964 ; vol. V, 2, p. 385-416).

M.I.R. I à V   *Marxisme et théorie révolutionnaire* (S. ou B., n°s 36 à 40, avril 1964 à juin 1965 ; IIS, p. 13 à 230).

I.G.   *Introduction au vol. I, 1* (p.11-61).

H.M.O.   *La question de l'histoire du mouvement ouvrier* (vol. V, 1, p. 11 à 120).

Plan d'ensemble de la publication

DISCUSSION SUR
LES RAPPORTS DE PRODUCTION EN RUSSIE *

Le camarade C... introduisit la discussion en rappelant l'énorme importance de la question de la nature de classe du régime russe pour la reconstruction idéologique et politique du mouvement révolutionnaire. L'obstacle fondamental que rencontre cette reconstruction est, depuis vingt ans, l'emprise écrasante du stalinisme sur la classe ouvrière ; la base politique et idéologique de cette

* Compte rendu d'une réunion publique tenue en juillet 1949, publié dans *S. ou B.*, N° 4 (octobre 1949).

emprise est la présentation de la Russie comme un État « socialiste » ou « ouvrier ». Le fond de l'argumentation des staliniens et de leurs compagnons de route est simple : Il n'y a plus de bourgeoisie en U.R.S.S., donc il n'y a plus d'exploitation. Cette idée est d'autant plus efficace, du point de vue de la propagande stalinienne, qu'il est incontestable que non seulement il n'y a plus de bourgeoisie en Russie mais que partout où le stalinisme prend le pouvoir il détruit, dans des délais plus ou moins courts, la bourgeoisie en tant que classe dominante. Cependant, il est tout aussi incontestable que, dans ces pays, l'exploitation subsiste, au moins aussi lourde – sinon davantage – que dans les pays bourgeois traditionnels. Ce qu'il faut donc, c'est montrer clairement à la classe ouvrière qu'il ne suffit pas de détruire la bourgeoisie pour abolir l'exploitation.

Pour ce faire, il faut définir précisément ce qu'on entend par exploitation. Le premier aspect, le plus frappant, de l'exploitation se trouve dans la répartition du produit social, dans l'expropriation des producteurs d'une part du produit de leur travail et l'appropriation de ce produit par une classe sociale déterminée. L'existence de cet aspect de l'exploitation en Russie est indéniable, et C... rappelle que le jeu des différenciations des revenus en Russie aboutit à ce que 15 % au maximum de la population (la classe bureaucratique) disposent de plus de 50 % du produit consommable, ce qui dépasse vraisemblablement ce que l'on sait des pays capitalistes.

Mais, au-delà de cet aspect de l'exploitation, qui concerne la répartition du produit social, il y a un autre plus profond, qui est l'exploitation dans la production même. Cette exploitation, qui affecte toutes les manifestations de l'être humain, se traduit par l'asservissement complet des producteurs au cours de la production, la subordination complète du travail vivant à la machine, le fait que les ouvriers sont complètement étrangers à la gestion de la production ; la détermination de l'objet, des moyens et des modalités de la production se fait pour et par la classe dominante et ses agents, uniquement en fonction de ses besoins d'accumulation et de consommation improductive. C'est, plus que partout ailleurs, le cas en Russie, où les travailleurs dans l'usine sont asservis autant que dans un pays fasciste, transformés complètement en accessoires des machines et des instruments de production. C'est cet aspect de l'exploitation que Marx appelait l'aliénation (parce qu'il dépossède l'être humain de sa manifestation essentielle : le travail productif libre et créateur) qui est le plus important, et c'est celui-là qui s'est épanoui jusqu'à ses dernières limites dans le régime russe.

Cette exploitation s'exerce par la bureaucratie à son propre profit (en prenant le mot profit dans son sens le plus large). La bureaucratie russe s'est créée et existe sur la base de l'opposition entre les dirigeants et les exécutants dans le processus de la production. Sur cette base économique réelle du pouvoir de la bureaucratie, la propriété étatique universelle n'est que l'expression adéquate du monopole qu'exerce la classe bureaucratique dominante sur les moyens de production.

La durée du travail, son rythme, sont fixés dictatorialement par les agents de la bureaucratie, indépendamment même de la question du travail forcé au sens propre du terme : dans les usines, les travailleurs « libres » sont asservis aux machines car la réglementation de la production, du rythme de travail, etc., par la bureaucratie a comme but constant d'augmenter le rendement indépendamment de toute considération pour le « matériel humain », dont l'usure est indifférente pour la bureaucratie, car cette matière première ne lui coûte pratiquement rien. Mais ainsi, la productivité du travail ne peut à la fin que baisser non seulement à cause de l'attitude négative qu'adopte le prolétariat face à la production, mais aussi parce qu'il est impossible d'établir ainsi un rapport normal optimum entre la machine et l'homme ; celui-ci ne peut plus intervenir dans la production selon l'expérience vivante que seul il possède de la machine et de toute l'activité productive. La bureaucratie essaie de pallier cette baisse de la productivité par un contrôle guépéoutiste renforcé des travailleurs, et les « syndicats » jouent explicitement, et d'après les déclarations officielles, le rôle d'encadrement de la force de travail pour la pousser au rendement.

La fameuse « planification » bureaucratique en Russie n'est que l'expression chiffrée des intérêts de la classe dominante, la planification de l'exploitation. Il ne saurait d'ailleurs en être autrement, puisque c'est la bureaucratie elle-même qui planifie. On a voulu présenter cette planification comme quelque chose de progressif et permettant un développement illimité de l'économie. Il n'en est rien, car tout d'abord, il n'y a pas de développement de l'économie dans l'abstrait ; la bureaucratie russe « planifie » l'économie en l'orientant vers la satisfaction de ses propres besoins, en lui donnant son propre contenu de classe. Le but de la planification russe est, de l'aveu même des apologistes ouverts de la bureaucratie comme Bettelheim, la réalisation du potentiel militaire maximum et aussi la satisfaction des besoins de consommation de la bureaucratie. Cette orientation se retrouve concrètement dans les plans russes, dans lesquels le développement de l'industrie lourde tient la première place et celui des industries d'objets de luxe ou considérés tels en Russie la seconde, cependant que la production d'objets de large consommation reste pratiquement stationnaire. La planification stalinienne réalise à la plus haute perfection l'idéal capitaliste : faire travailler au maximum, rémunérer les travailleurs au minimum (a).

Par ailleurs, l'anarchie de la production capitaliste est remplacée, dans la « planification » bureaucratique, par le gaspillage et l'anarchie bureaucratique, qui ne sont nullement accidentels ni passagers, mais résultent des traits essentiels de la bureaucratie en tant que classe et essentiellement du fait que la bureaucratie, classe parasitaire et extérieure à la production proprement dite, ne peut pas réellement gérer cette production à laquelle elle est étrangère (b).

Quelle est la signification historique de ce régime ? On peut dire qu'il représente la dernière étape du mode de production capitaliste, dans le sens qu'ici la concentration du capital, facteur prédominant du développement du capitalisme, a atteint son ultime limite, puisque tous les moyens de production sont à la disposition et sous la gestion d'un pouvoir central, exprimant les intérêts de la classe exploiteuse. Il est aussi l'ultime étape du mode de production capitaliste en ce sens qu'il réalise l'exploitation la plus poussee du prolétariat. On peut donc le définir comme le régime du capitalisme bureaucratique, à condition de souligner qu'arrivé à cette étape, le capitalisme apparaît comme complètement différent du capitalisme traditionnel e même sur plusieurs points comme son véritable opposé. Ainsi, par exemple, aussi bien la bourgeoisie que la bureaucratie sont classes dominantes en tant que personnification de la domination du capital sur le travail. Mais, tandis que la bourgeoisie dirige la production en fonction de la possession qu'elle exerce sur les moyens de production, la bureaucratie possède collectivement les moyens de production en fonction de la gestion qu'elle exerce sur l'économie.

En terminant, C... souligne que l'expression la plus importante de l'identité entre le capitalisme bureaucratique et le capitalisme traditionnel est que ce dernier, comme le premier, développe les germes de la révolution prolétarienne, tout d'abord, en développant les forces productrices, mais surtout en développant la conscience de classe du prolétariat. Car, malgré les difficultés infiniment plus grandes qui existent pour l'organisation du prolétariat sous un tel régime, il est évident que la suppression totale de la propriété privée et la domination de la société par une classe manifestement parasitaire démontrent clairement au prolétariat que seule sa propre domination peut changer le sort et l'avenir de l'humanité.

Les interventions des camarades, à la suite du rapport, furent diverses et nombreuses. Un camarade insista sur les aspects traditionnels et « privés » de l'exploitation qui semblent subsister en Russie ; ainsi, par exemple, l'endettement de l'Etat (existence d'emprunts étatiques portant intérêt), la spéculation sur le marché « libre », le « fonds du directeur », donnant aux directeurs des usines soviétiques la libre disposition de 4 % du profit « planifié » de l'entreprise et de 50 % du profit supplémentaire, les « bilans noirs », traduisant des tractations plus ou moins « malhonnêtes » entre les directeurs d'usine, pendant lesquelles ceux-ci se comportent comme des entrepreneurs privés, etc. En définitive, il semble à ce camarade qu'il est difficile de dire que le capitalisme privé n'existe plus en Russie.

C... ne nie pas l'existence ou l'importance de ces phénomènes, mais en donne une interprétation différente, en rappelant que toute interprétation de tels phénomènes particuliers doit être subordonnée à une conception cohérente de l'ensemble de l'économie bureaucratique. Ainsi, dans l'« épargne » bureaucratique (sous forme d'emprunts ou de dépôts près des banques) il faut voir la tendance des bureaucrates individuels – et de la bureaucratie en tant que classe – d'assurer un fonds de consommation à ses membres indépendamment des vicissitudes mineures de leur carrière bureaucratique, en même temps qu'un moyen pour l'Etat d'utiliser les surplus non consommables du revenu des couches privilégiées. La dernière réforme monétaire a prouvé que l'Etat reste en définitive toujours maître de ces « capitaux » et qu'il peut les récupérer au moment voulu. De même en ce qui concerne les « fonds du directeur » : dans le capitalisme privé, le profit de chaque capitaliste ou groupe de capitalistes est fonction de la grandeur et de la position du capital que ceux-ci possèdent. Dans le capitalisme bureaucratique, le profit des membres de la classe dominante est indépendant d'un tel rapport spécifique avec le capital. Les « directeurs » ne constituent qu'une catégorie de bureaucrates parmi d'autres et il n'est même pas certain que ce soit le « fonds du directeur » qui soit la source principale de leurs revenus, ne serait-ce que parce qu'un grand nombre d'entreprises russes sont, du point de vue du « plan », déficitaires ; ce fonds joue le rôle de stimulant pour cette catégorie de bureaucrates, étant une sorte de « prime au rendement », et n'altère en rien les bases spécifiques de fonctionnement de l'économie bureaucratique.

Un camarade africain prit ensuite la parole pour souligner combien il est faux de lier la question de l'exploitation à la question de la propriété formelle. Il invoqua l'exemple, opposé et symétrique à celui de la bureaucratie russe qui exploite sans être propriétaire, de l'exploitation de la paysannerie coloniale par le capitalisme métropolitain ou local : le paysan, quoique « propriétaire » aussi bien de son champ que de sa récolte, n'en est pas moins radicalement exploité, étant d'abord obligé de vendre cette récolte aux monopoles capitalistes aux prix que ceux-ci fixent autoritairement, ensuite d'acheter les produits qu'il consomme à ces mêmes monopoles, à des prix également fixés par ceux-ci. Cette exploitation par les monopoles se conjugue avec l'exploitation par une bureaucratie coloniale spécifique.

Le camarade généralise ensuite son intervention, en constatant que le mouvement marxiste a jusqu'ici porté surtout son attention sur l'exploitation du prolétariat et qu'il a plus ou moins négligé les autres formes d'exploitation – par exemple l'exploitation coloniale – en tendant à assimiler le problème de la révolution coloniale au problème de la révolution dans les pays industriels, ce qui est inexact. Il termine en constatant qu'une révolution dans les pays avancés ne résout pas le problème, car une énorme différence de niveau technique subsisterait entre ceux-ci et les pays coloniaux et, sur cette différence de niveau technique, de productivité du travail et d'aptitudes des populations pourraient se greffer à nouveau des différenciations sociales.

Les camarades C... et G... ont répondu au camarade africain en reconnaissant la réalité et l'importance extrême du problème qu'il posait. En effet, malgré l'énorme développement du capitalisme, la grande majorité de la population de la terre vit encore dans des conditions coloniales ou semi-coloniales ; la question du rôle de la paysannerie doit effectivement être étudiée à nouveau et l'on doit reconnaître que les positions traditionnelles (par exemple celles des quatre premiers congrès de l'I. C.) sont insuffisantes. Il est évident que la révolution dans les pays avancés ne résout pas à elle seule le problème, car il n'existe pas de liberté importée. Ce problème devra donc être étudié avec la collaboration la plus étroite des camarades coloniaux.

Un autre camarade pose la question de savoir si la bureaucratie constitue une étape nécessaire du développement social et si la révolution russe aurait pu éviter la dégénérescence. La non-maturité des conditions révolutionnaires en Europe après la Première et même la Seconde Guerre mondiale semble indiquer que la bureaucratie était inévitable. S'il en est ainsi, n'est-il pas souhaitable que la domination bureaucratique se réalise au plus vite ?

C... répond qu'effectivement la bureaucratie a été la preuve de la non-maturité du prolétariat pour la révolution, non pas dans le sens politique habituel, mais dans le sens économique : le prolétariat n'avait pas encore pris conscience du problème de la gestion ouvrière de l'économie, en tout cas n'a pas été capable de la réaliser et s'est laissé exproprier par la bureaucratie. Dans un sens plus général, la bureaucratie est objectivement

« nécessaire » aussi longtemps que la décadence du capitalisme et la décomposition de la bourgeoisie se poursuit, sans que la révolution arrive à la victoire. Dans le même sens, le fascisme aussi est objectivement « nécessaire ». Mais notre attitude politique face à la bureaucratie n'est pas déterminée par ce facteur, mais par le fait que la bureaucratie est une classe exploiteuse qui assure la relève historique de la bourgeoisie, qu'elle est donc incapable d'assurer une nouvelle phase historique d'expansion des forces productives et de l'activité sociale. La seule racine de la « nécessité » de la bureaucratie, et même de son existence, est que le prolétariat n'a pas pu jusqu'ici instaurer son propre pouvoir économique et politique. Ceci soulève évidemment la question de la capacité historique du prolétariat ; selon nous cette capacité se développe constamment, mais toute discussion a priori sur cette question est vaine et oiseuse ; ce n'est que dans la pratique que le prolétariat montrera s'il peut ou non réaliser la société communiste.

Le camarade M..., du groupe « Internationalisme », prend ensuite la parole pour dire qu'il perçoit, à travers nos positions actuelles, un tournant de notre groupe vers la théorie du « capitalisme d'Etat », tournant dont d'ailleurs il se réjouit, étant lui-même partisan de cette théorie ; que tandis que jusqu'ici notre groupe était partisan de la théorie du « collectivisme bureaucratique », mettant l'accent sur les différences qui séparent le régime russe des sociétés capitalistes, nous affirmons maintenant l'existence de traits profonds communs aux deux régimes. Il faut maintenant tirer les conclusions de ce « tournant » et reconnaître que les Etats-Unis réalisent actuellement un régime analogue et que la guerre à venir sera la guerre entre deux blocs capitalistes.

C... répond que, malgré le peu d'intérêt que peut présenter pour la majorité des camarades cette question, il est nécessaire de mettre les choses au point. Il rappelle que lorsque notre groupe s'est formé il existait, outre l'absurde théorie de l'« Etat ouvrier dégénéré » (professée par les trotskistes et aussi, à cette époque, par les bordiguistes), deux conceptions sur la Russie : celle du « capitalisme d'Etat » et celle du « collectivisme bureaucratique ». Notre évolution a été évidemment déterminée par l'existence de ces deux conceptions dans le sens surtout qu'elles ont formé pour nous d'excellents repoussoirs (c). Ainsi, par exemple, sous le vocable de « capitalisme d'Etat », nous avons eu à lutter contre une conception complètement idiote (la seule qu'on nous a opposée) consistant à identifier exploitation et capitalisme, à nier les différences entre le régime russe et les sociétés capitalistes traditionnelles, à affirmer qu'en Russie l'Etat était devenu patron et que tout le reste reproduisait exactement le capitalisme connu, etc. Nous avons été obligés de répondre à ces absurdités en soulignant constamment les énormes différences qui opposent le régime russe à une société capitaliste du type traditionnel. Rien de ce que nous avons dit sous ce rapport n'était faux ; mais notre analyse d'alors était incontestablement insuffisante, dans la mesure où elle n'était pas intégrée dans une conception générale de l'évolution de l'économie et de la société modernes. Nous avons fait cet élargissement de nos conceptions non pas aujourd'hui, mais déjà en mars 1948 et le camarade M... doit se souvenir d'un exposé de C... de cette époque, pendant les conférences communes des groupes de gauche à la Mutualité, où l'essentiel de notre conception actuelle était déjà donné, conception qui, d'ailleurs, fut formulée également dans les textes publiés par nous dans le P.C.I. dès mars 1948, que le camarade M... doit connaître également. Pour résumer d'une manière concise cette conception, il faut dire que le capitalisme bureaucratique représente la continuation du capitalisme traditionnel en tant qu'il pousse à sa limite la tendance vers la concentration totale du capital et l'exploitation sans bornes du prolétariat et qu'il continue à développer actuellement les prémisses de la révolution socialiste, mais qu'à part ceci, sur tous les autres points, il représente exactement l'opposé, l'antithèse complète du capitalisme (structure de la classe dominante, lois économiques, etc.). De plus, il est complètement faux de dire qu'actuellement la société russe est identique à la société américaine et que la guerre sera simplement la guerre de deux blocs capitalistes. Les U.S.A. sont loin derrière l'U.R.S.S. en ce qui concerne la concentration du capital et les différences sociologiques des deux régimes sont un facteur qui influe puissamment sur le caractère et les modalités de la guerre à venir.

NOTES

(a) Sur les positions exprimées encore ici et révisées par la suite, voir les *postfaces* à *SB* et *RPR,* Vol. I, 1 de cette édition, et les textes qui seront publiés dans les Vol. I, 3 et II.

(b) Le sens des termes utilisés ici n'a rien à voir avec celui que leur donne la conception trotskiste. Voir *R.P.R.,* vol. I, 1 de cette ed., p.214-215, et, ici, p.351-352.

(c) On trouvera une note sur l'histoire de la « question russe » dans le Vol. I, 3 de la présente édition.

LA BUREAUCRATIE YOUGOSLAVE *

De 1923 à aujourd'hui, le mouvement ouvrier a été dominé par le stalinisme. Maintenant sous son emprise les fractions les plus évoluées et les plus combatives du prolétariat, la politique de la bureaucratie stalinienne a été le facteur prédominant dans le dénouement des crises sociales du dernier quart de siècle. Une des manifestations les plus significatives de cette prédominance écrasante fut, pendant toute cette période, l'impossibilité de reconstituer face au stalinisme une avant-garde

* *S. ou B.*, Nᵒˢ 5 - 6 (mars 1950). Texte écrit en collaboration avec Georges Dupont.

révolutionnaire digne de ce nom, c'est-à-dire une avant-garde fondée sur des bases idéologiques et programmatiques solides et exerçant une influence réelle auprès d'une fraction même minime du prolétariat. L'obstacle principal auquel se heurtait cette reconstitution a été l'incertitude et la confusion qui prévalaient quant à la nature et les perspectives de développement du stalinisme lui-même, incertitude et confusion qui étaient alors presque inévitables. La bureaucratie stalinienne se trouvait encore à l'«état naissant » ; ses traits fondamentaux se dégageaient à peine de la réalité sociale ; son pouvoir n'était réalisé que dans un seul pays, complètement coupé du reste du monde ; les partis staliniens restaient, dans presque tous les pays capitalistes, des partis « d'opposition ». Tous ces facteurs expliquent à la fois pourquoi le prolétariat n'a pas pu, pendant cette période, se dégager de l'emprise stalinienne et pourquoi l'avant-garde elle-même n'est pas arrivée à comprendre la nature de la bureaucratie et à définir face à celle-ci un programme révolutionnaire.

Malgré les apparences, la deuxième guerre impérialiste a apporté à cette situation un changement radical. La bureaucratie stalinienne a largement débordé le cadre de l'ancienne Russie ; elle est devenue force dominante, elle exerce le pouvoir dans une dizaine de nouveaux pays, parmi lesquels se trouvent aussi bien des régions industrielles évoluées, comme la Tchécoslovaquie ou l'Allemagne orientale, qu'un immense territoire arriéré, comme la Chine. Ce qui pouvait auparavant paraître comme une exception, ou le résultat des particularités de la Russie, le pouvoir absolu de la bureaucratie, s'est révélé comme également possible ailleurs. Les partis staliniens dans les pays bourgeois ont connu dans la plupart des cas un développement puissant, mais par là même ils ont été obligés à participer aux « responsabilités du pouvoir » et à assumer le rôle de promoteurs d'une société bureaucratique.

Par cette extension considérable, le stalinisme a virtuellement perdu son « mystère ». En considérant la masse ouvrière, on ne peut plus nier qu'une expérience de la bureaucratie stalinienne a commencé, autrement plus profonde que celle qui était possible avant la guerre ; car l'expérience actuelle du stalinisme ne concerne plus ses « trahisons », mais la nature même de la bureaucratie en tant que couche exploiteuse. Cette nature est ou sera obligatoirement comprise par les prolétaires des régions où la bureaucratie stalinienne a pris le pouvoir. Pour le prolétariat des autres pays, le doute sur cette question tend à laisser la place à une certitude corroborée par la compréhension de l'attitude et du rôle de la bureaucratie politique et syndicale stalinienne dans le cadre du régime capitaliste. Pour ce qui est de l'avant-garde, tous les éléments lui sont maintenant donnés pour élaborer et diffuser au sein de la classe une conception claire de la bureaucratie et un programme révolutionnaire face à celle-ci.

Mais, plus encore que dans les rapports entre la

classe ouvrière et la bureaucratie, l'expansion actuelle
du stalinisme fait paraître un changement radical
dans la situation de la bureaucratie elle-même.
La bureaucratie est sortie de la guerre infiniment
renforcée quant au potentiel matériel et humain
dont elle dispose ; mais cette expansion a fait
apparaître avec beaucoup plus de force
qu'auparavant les contradictions propres de la
bureaucratie, inhérentes à sa nature de couche
exploiteuse. Ces contradictions découlent
évidemment de l'opposition radicale entre ses intérêts
et ceux du prolétariat. Les partis staliniens ne
sont rien sans l'adhésion de la classe ouvrière,
par conséquent ils sont obligés de maintenir et
d'approfondir leur liaison avec celle-ci, précisément
pour pouvoir lui imposer une politique radicalement
hostile à la fois à ses intérêts immédiats et à ses
intérêts historiques ; de là une opposition, sourde
au départ, qui ne peut aller qu'en croissant. Cette
opposition est en apparence supprimée lorsque la
bureaucratie s'empare du pouvoir ; on peut dire
qu'alors, au fur et à mesure qu'elle instaure sa
dictature absolue, elle se débarrasse du besoin de
l'adhésion des ouvriers. Mais en réalité, la
contradiction ne fait que se reporter sur un plan
encore plus profond et plus important, le plan
économique, et là elle s'identifie avec la
contradiction fondamentale de l'exploitation
capitaliste. Si la bureaucratie, en parvenant au
pouvoir, cesse d'avoir besoin de l'adhésion politique
des ouvriers, elle n'en a que davantage besoin de
leur adhésion économique. Les ouvriers peuvent, en

tant qu'agents politiques, être matés par le Guépéou ; en tant que producteurs qui refusent d'être
exploités, ils sont irréductibles. La contradiction
élémentaire entre les intérêts ouvriers et
l'exploitation bureaucratique devient, à ce stade,
matériellement évidente pour le prolétariat. La
nécessité dans laquelle se trouve la bureaucratie
d'exploiter au maximum l'ouvrier tout en le faisant
produire le plus possible crée une impasse qui
s'exprime dans la crise de la productivité du travail ;
cette crise n'est autre chose que le refus définitif
des ouvriers en tant que producteurs d'adhérer
à un régime dont ils ont compris le caractère
exploiteur. L'économie et la société bureaucratiques
se trouvent ainsi devant une impasse que la
bureaucratie essaie de dépasser en augmentant
l'exploitation – donc en aggravant les causes mêmes
de la crise – et en étendant l'aire de sa domination.
Le besoin d'expansion, l'impérialisme bureaucratique,
découle ainsi inéluctablement des contradictions de
l'économie bureaucratique en tant qu'économie
d'exploitation (a).

On a pu observer matériellement cette évolution
au cours des dix dernières années. Il est apparu
que l'aggravation constante de l'exploitation des
ouvriers et la nécessité interne d'expansion étaient
des traits essentiels du capitalisme bureaucratique.
Il est apparu aussi que cette expansion ne pouvait
se faire que par la bureaucratisation totale des pays
qui étaient soumis à la domination russe. Mais cette
bureaucratisation, non seulement signifie que la
contradiction dont nous avons parlé s'amplifie, mais

qu'une autre apparaît au sein même de⁻ la
bureaucratie. Entre les bases nationales et les bases
internationales du pouvoir de la bureaucratie une
opposition se manifeste ; la bureaucratie ne peut
exister qu'en tant que classe mondiale, mais en
même temps elle est dans chaque nation une classe
sociale ayant des intérêts particuliers. Les
bureaucraties des différents pays tendent donc
nécessairement à s'opposer les unes aux autres, et
cette opposition non seulement s'est manifestée,
mais a éclaté violemment dans la crise russo-
yougoslave (b).

Cet article nous permettra de concrétiser les idées
que nous avons énoncées par l'analyse de la
naissance et de l'évolution de la bureaucratie
yougoslave. Le choix de ce sujet n'a pas besoin
de longues explications. Du point de vue théorique,
la « question yougoslave » est un test des plus
importants pour les conceptions sur la bureaucratie
stalinienne qui se sont affrontées depuis des années.
Comme personne ne peut nier que la bureaucratie
yougoslave est arrivée au pouvoir par sa propre
action (le rôle de la Russie et de l'armée soviétique
en Yougoslavie ayant été totalement indirect),
l'analyse de la question yougoslave permet de régler
définitivement le problème de la possibilité pour la
bureaucratie de prendre le pouvoir, comme aussi
le problème de la structure économique et sociale
à laquelle ce pouvoir correspond. D'autre part, le
conflit, dont la crise yougoslave fut l'expression la
plus aiguë connue à ce jour, entre bureaucraties

nationales (et particulièrement entre la bureaucratie d'un pays secondaire et la bureaucratie russe) conduit à examiner le problème des contradictions impliquées dans les rapports entre différentes bureaucraties et de la perspective de développement de ces contradictions dans l'avenir. Répondre à ce problème qu'il s'agit là d'une « querelle de cliques bureaucratiques », est une réaction primitive, saine et positive sans doute comme réaction élémentaire, mais à laquelle ne saurait s'arrêter l'avant-garde révolutionnaire ; les moteurs de ce conflit et son développement l'intéressent au plus haut point.

Du point de vue politique, l'importance de la crise yougoslave se traduit par l'influence qu'elle peut exercer sur les ouvriers en train de se détacher du stalinisme. Non pas que ces ouvriers risquent d'être entraînés par le « titisme » ; l'expérience elle-même prouve qu'il n'en est rien. Mais les efforts conjugués des confusionnistes, à commencer par les trotskistes et à finir par les épaves politiques de l'ex-R.D.R., qui ont trouvé dans l'affaire Tito une occasion inespérée de prolonger leur existence caduque en s'accrochant à une nouvelle planche pourrie, peuvent créer le trouble auprès de quelques militants d'avant-garde. Il est indispensable de dissiper cette confusion et d'aider ainsi les couches ouvrières qui sont en train de se débarrasser de l'emprise stalinienne à tirer les conclusions nécessaires sur la véritable nature de la bureaucratie et de ses conflits internes.

QUELQUES QUESTIONS DE METHODE

Le matériel le plus important dont on dispose pour étudier la question yougoslave est l'ensemble des textes et des documents publiés par les deux parties en cause. Pour pouvoir apprécier la valeur de cette documentation, pour voir de quelle manière son utilisation est possible, il nous faut la situer dans son cadre et voir comment elle a évolué.

On sait que l'explosion de la crise russo-yougoslave a été, aussi bien pour le grand public que pour les « spécialistes » de la politique, un coup de tonnerre dans un ciel sans nuages. Jusqu'au 28 juin 1948, rien ne semblait troubler l'idyllique harmonie des rapports entre l'église stalinienne et sa fille aînée et préférée. La résolution du Kominform, première expression ouverte de la lutte qui, comme on le sait maintenant, se poursuivait depuis quelque temps dans la coulisse (1), gardait un ton « politique » ; elle critiquait le P.C. yougoslave pour une série de « déviations » (sous-estimation du rôle de l'U.R.S.S., liquidation du parti communiste au profit du Front Populaire, suppression de la « démocratie » dans le parti communiste et dans le pays, politique aventuriste et « extrémiste » sur la liquidation du capitalisme en même temps qu'abandon de la lutte de classes à la campagne aboutissant au renforcement des koulaks), nommait Tito et Djilas comme responsables de ces déviations et sommait le P.C. yougoslave de changer à la fois sa politique et sa direction. Bien entendu, aucun fondement, aucun essai de démonstration n'était apporté à ces « critiques », qui non seulement sont contradictoires entre elles, mais s'adresseraient tout aussi bien et au même titre, à n'importe quel autre parti stalinien au pouvoir, à commencer par celui de l'U.R.S.S. Inutile d'insister sur ce que peuvent avoir de tragiquement bouffon les critiques sur l'absence de démocratie en Yougoslavie, faites par les gens du Kominform qui en parlent en connaissance de cause.

Il serait stupide de prendre au sérieux l'argumentation de la résolution du Kominform. Comme toutes les manifestations idéologiques du stalinisme, sa teneur apparente n'a qu'un rapport lointain et purement symbolique avec son véritable contenu, qui ne s'y trouve que d'une manière latente. En réalité la résolution doit être traduite de la manière suivante : la direction du P.C. yougoslave nous échappe, il faudrait la changer ; il reste peu de chances d'opérer ce changement sans rupture (c'est pourquoi nous portons le conflit au grand jour ; la critique « politique » publique, sans l'accord des intéressés, est le suprême moyen « pacifique ») ; il n'est pas exclu que le P.C. yougoslave se soumette (c'est pourquoi nous ne coupons pas encore tous les ponts et nous laissons entendre que le redressement de ce parti est possible sous certaines conditions ; mais c'est là la perspective la moins probable) ; mais dans le cas où les Yougoslaves maintiendront leur attitude, nous passerons à l'attaque la plus violente possible (dont nous posons dès aujourd'hui les jalons en mettant le doigt sur une série de déviations, dont chacune, comme on sait, conduit directement au « fascisme »). La résolution du Kominform donne le ton à la polémique des organes staliniens pendant cette première période : le style des attaques devient de plus en plus violent, mais le parti communiste yougoslave n'est pas encore considéré comme irrémédiablement perdu.

Pendant cette même période, qui couvre les deux ou trois premiers mois de la rupture, la réaction de la bureaucratie yougoslave est purement défensive ; son attitude est manifestement gênée et tâtonnante. Les titistes se bornent à repousser les accusations du Kominform, c'est-à-dire à les nier purement et simplement. On chercherait en vain, dans leurs réponses, une argumentation ou des données matérielles quelconques.

La situation se renverse pour ainsi dire complètement au cours de la période suivante (qui commence avec l'hiver 1948) ; les attaques du Kominform, suivant la voie du développement normal de la polémique stalinienne, culminent dans l'identification du titisme avec le fascisme, la caractérisation de la direction titiste comme « bande d'espions, traîtres et assassins », voire même « trotskistes », et dès lors, cette réduction fondamentale opérée, l'affaire Tito équivaut pour le stalinisme à une affaire policière. Il s'agira désormais non plus de critiquer les déviations yougoslaves ou de lutter contre elles, mais de poser l'appartenance des dirigeants du P.C. yougoslave, dès 1941 (sinon avant), à diverses polices impérialistes et de donner l'éclat rituel indispensable à la reconnaissance de ce fait par le moyen de « procès » basés sur les aveux spontanés des accusés, aveux dont l'authenticité sera scellée par le sang des condamnés eux-mêmes. La Yougoslavie sera désormais un pays fasciste, jusqu'au jour où les forces historiques (dont comme on sait, l'armée russe est la diligente sage-femme), permettront de la débarrasser de ses dirigeants vendus à l'impérialisme.

C'est précisément au cours de cette deuxième période que la bureaucratie titiste passe à la contre-offensive sur le plan idéologique et qu'elle cesse de récuser purement et simplement les attaques du Kominform, pour retourner les accusations contre l'adversaire. C'est à partir de ce moment que l'on assiste au développement d'une idéologie titiste propre, dont l'intérêt réside en ce qu'elle est l'expression quasi naturelle et universelle de toute bureaucratie exploiteuse luttant sur une base « nationale » contre un impérialisme bureaucratique (2) qui tend à se la soumettre. L'analyse de cette idéologie est une tâche d'une importance particulière, et nous y reviendrons longuement. Notons simplement ici que son caractère mystificateur apparaît avec évidence lorsqu'on constate qu'à aucun moment, maintenant comme avant, la bureaucratie yougoslave ne répond réellement aux accusations qui lui ont été portées ou qui auraient pu l'être : aucune indication sur le niveau de vie des ouvriers et des paysans yougoslaves, par exemple, et sur celui des bureaucrates ; aucune indication sur la répartition du revenu national ; aucune indication réelle sur les « progrès » de la production ; aucune explication sur la structure des rapports de production, sur la gestion par exemple de la production, sur le véritable rôle des syndicats ou des comités « populaires » – et ainsi de suite pour toutes les questions tant soit peu importantes. La bureaucratie yougoslave suit ainsi l'exemple donné depuis plus de vingt ans sur ce terrain par son aînée, la bureaucratie russe, en dissimulant dans toute la mesure du possible la réalité sociale aux yeux du public ouvrier mondial. Il est clair que ce silence est le plus éloquent des aveux ; car qu'est-ce qui pourrait gêner la bureaucratie yougoslave dans la publication de statistiques relatives au niveau de vie, par exemple, si de ces statistiques il ressortait ne serait-ce qu'une augmentation de 10 % de ce niveau de vie ?

Il faut en conclure que les documents officiels de la bureaucratie yougoslave ne sont utilisables, comme tous les documents de la bureaucratie contemporaine, qu'en tenant compte en premier lieu de leur caractère de camouflage. Evidemment à travers le camouflage et très souvent du fait du camouflage lui-même la réalité ne peut que percer, dans ses aspects les plus essentiels, sinon dans ses détails. Mais il est impossible de s'en servir sans les analyser et sans se demander quels intérêts ils sont destinés à servir et selon quelle méthode.

En politique, il n'y a que les imbéciles qui croient sur parole.

Il est nécessaire de conclure ces remarques par une considération générale. Nous n'allons pas forger une conception de la bureaucratie à partir de l'étude du cas yougoslave ; nous allons analyser le cas yougoslave à partir d'une conception de la bureaucratie que nous avons déjà. L'accession de la bureaucratie yougoslave au pouvoir, sa rupture avec Moscou ne sont que des manifestations particulières d'un processus général qui s'affirme depuis trente ans ; elles ne peuvent être comprises qu'en tant que parties intégrantes de cet ensemble et ce n'est qu'à cette condition seulement que leur analyse permet d'approfondir et d'enrichir une conception générale de la bureaucratie. Laissons aux journalistes petits-bourgeois leur prétendue « objectivité » et leur prétendu « manque de préjugés », qui ne sont jamais que la couverture consciente ou inconsciente d'une somme extraordinaire de préjugés les plus grossiers et les plus primitifs. Pour nous, il ne s'agit pas de découvrir avec éblouissement que Tito a détruit la bourgeoisie en Yougoslavie, ni qu'il l'a fait avec l'aide des travailleurs yougoslaves ; cette découverte, nous n'avons pas attendu l'été 1948 pour la faire. Il s'agit de confronter notre conception de la bureaucratie avec les faits, et, si ceux-ci la confirment, voir comment nous pouvons à leur lumière, la développer et l'enrichir. Mais les faits bruts n'existent pas ; les faits n'ont de signification qu'en fonction d'une interprétation, et la base de

37

cette interprétation ne peut être donnée que par une conception d'ensemble du monde moderne.

LE STALINISME EN EUROPE ORIENTALE, 1941-1948

Il est impossible d'avancer dans la compréhension de la nature de la bureaucratie yougoslave sans une analyse du processus qui a mené à la conquête totale du pouvoir par la bureaucratie dans les « démocraties populaires » de l'Est européen entre 1941 et 1948. En résumant ici les grandes lignes d'une telle analyse nous ne pensons évidemment ni épuiser la question, ni donner une description fidèle de chaque cas particulier ; nous voulons seulement dégager les facteurs principaux, faire ressortir l'essentiel derrière la foule des phénomènes conjoncturels et souvent contradictoires qui ont accompagné l'énorme transformation sociale dont les pays satellites de la Russie on été le théâtre.

Les racines de ce développement se trouvent dans l'occupation allemande et le mouvement de Résistance. Dans des pays comme la Pologne, la Tchécoslovaquie, la Yougoslavie et la Grèce, l'occupation signifia une crise sociale sans précédent : le pillage systématique des pays par l'armée allemande, la misère intense qui s'y étendit rapidement et à laquelle n'échappèrent qu'une poignée de « collaborateurs », de grands patrons et de seigneurs du marché noir, ont fait qu'aussi bien pour la population des villes que pour celle des campagnes leur simple existence biologique était mise en question et que la lutte à mort devenait le seul moyen de défendre cette existence. Mais comme l'appareil étatique « national » avait été pratiquement détruit du fait même de l'occupation, et les « autorités » apparaissaient aux yeux de tout le monde comme ce qu'elles étaient réellement, c'est-à-dire des agents subalternes de l'armée allemande, la lutte a pris objectivement et rapidement le caractère d'une lutte contre l'occupation et contre l'Allemagne. Les illusions nationalistes, renforcées du fait de l'occupation et de l'oppression nationale effectivement infligées aux populations par l'Allemagne, recevaient ainsi une base économique qui les rendait insurmontables pour toute la période en cours.

Traditionnellement, on aurait pu penser que le renforcement des illusions nationalistes aurait amené les masses sous l'influence idéologique et politique de la bourgeoisie, représentant légitime de la « nation ». En réalité il n'en fut rien. Le fait que cette bourgeoisie était elle-même profondément décomposée, divisée déjà avant l'occupation, mais surtout après celle-ci en une aile pro-« démocratique » et une aile pro-nazie, et que cette dernière semble avoir été, dans de nombreux cas, la plus importante ; le fait que sa position à la tête de l'appareil de production lui imposait, indépendamment de sa volonté, la « collaboration » avec l'occupant ; le fait enfin et surtout que la lutte avait, à travers toutes ses phases, un contenu social

39

persistant et bien déterminé – les revendications matérielles des masses – ; tous ces facteurs signifiaient que la bourgeoisie ne pouvait envisager ce mouvement qu'avec une hostilité croissante et qu'elle n'y participa que dans une perspective de double jeu, et surtout pour empêcher les partis staliniens d'en monopoliser la direction. Elle y est parvenue dans une certaine mesure en Pologne et en Tchécoslovaquie, beaucoup moins en Yougoslavie, où le mouvement de Mihailovitch resta cloisonné dans un territoire déterminé, encore moins en Grèce, où seules les interventions de l'état-major allié de la Méditerranée empêchèrent l'écrasement total de Zervas par l'ELAS.

Dans ces conditions, le mouvement des masses ne pouvait trouver d'autre expression politique que celle des partis staliniens. Pour ceux-ci, depuis l'entrée de la Russie en guerre, en juin 1941, ce mouvement constituait à la fois la forme la plus efficace de défense de la Russie et l'élargissement souhaité de la tactique des « Fronts Populaires » qui devenaient maintenant des « Fronts Nationaux » ; « Fronts Nationaux » qui étaient cependant, du point de vue de l'efficacité tactique, infiniment supérieurs aux « Fronts Populaires » d'avant 1939, car ils se plaçaient sur le terrain d'une crise sociale profonde et d'une guerre civile larvée que les staliniens voulaient et pouvaient pousser aussi loin que possible dans les limites définies par leurs buts et leurs moyens, tandis que les formations politiques bourgeoises et social-démocrates correspondantes étaient par nature incapables de s'y engager à fond.

« Fronts Nationaux » d'autre part, qui ont été utilisés par les staliniens beaucoup plus profondément et beaucoup plus efficacement que jamais ne le furent les Fronts Populaires. La tactique stalinienne fut d'entraîner les masses dans le mouvement, de les « organiser » partout sur toutes les bases possibles, et de tenir ces organisations par le moyen de fractions clandestines détenant solidement les postes-clés. La même tactique de noyautage fut appliquée dans le mouvement des partisans, dont les staliniens prirent rapidement la direction en mains et dont le plus souvent ils furent les créateurs.

Il se créa ainsi une situation de double pouvoir, le « pouvoir légal » des gouvernements collaborateurs, pouvoir fictif qui recouvrait le pouvoir réel des baïonnettes allemandes et ne s'appuyait que sur celles-ci (3) et le pouvoir « illégal » entre les mains de la direction de la Résistance, s'appuyant sur les partisans et sur les organisations de masse, qui parfois était monopolisé par la direction stalinienne (Yougoslavie, Grèce) et parfois était partagé entre celle-ci, la social-démocratie et les formations « néo »-bourgeoises, participant à la Résistance, mais presque toujours également masqué par un organe « gouvernemental » provisoire exprimant l'« alliance » de toutes les forces antiallemandes et antifascistes du pays.

La délimitation de ces deux pouvoirs a pris assez rapidement un caractère territorial, les régions « libérées » par les partisans se soustrayant à toute autorité du pouvoir légal, ce qui amena la direction du mouvement à prendre en mains les fonctions

essentielles de l'Etat ; administration, justice etc.
furent réorganisées sur une base rudimentaire, et
sous le simulacre des formes « démocratiques
populaires » qui ne masquaient que la dictature de
la direction stalinienne. (4)

D'autre part, l'action de ce pouvoir pénétrait
même dans le reste du pays, par les organisations
clandestines, elles-mêmes armées et s'appuyant sur
l'armée des partisans.

Si cette expression paradoxale est permise, la
participation des masses à cette lutte a été à la fois
la plus active et la plus passive possible. Elle fut
active jusqu'aux limites du possible sur le plan
physique, sur le plan organisationnel, sur le plan
tactique. Leur attitude fut en même temps
absolument passive sur le plan de l'orientation, du
contenu politique du mouvement, de la conscience.
La guerre et les premiers mois de l'occupation
avaient jeté les masses dans un engourdissement
total. Elles en sortirent rapidement et se jetèrent à
corps perdu dans la lutte contre l'occupation ; mais
dans cette lutte, aucune clarification ne se manifeste,
aucun dépassement des illusions nationalistes, aucune
autonomie par rapport aux organisations. Tout s'est
passé comme si les masses déléguaient toute la
pensée, la réflexion, la direction du mouvement aux
organisations et comme si elles s'étaient résolument
cantonnées dans l'exécution des directives et la
lutte physique. De son côté, le parti stalinien non
seulement utilisa largement cette attitude, mais fit
tout ce qu'il a pu pour la renforcer ; ainsi très

rapidement l'attitude politique passive des masses permit de les entourer d'une haute palissade, que des mitrailleuses invisibles, mais combien réelles, dominaient.

Lorsque l'armée allemande se replia en 1944-1945, la seule base réelle du pouvoir « légal » disparut en même temps. Les « représentants » de ce pouvoir eux-mêmes s'enfuirent ou se cachèrent. Mais aucun vide, aucune « vacance de pouvoir » n'exista, sinon pour un temps infiniment court. La place était occupée, au fur et à mesure, par le pouvoir clandestin qui s'emparait de tout le pays, soit par ses propres forces, comme en Yougoslavie et en Grèce, soit par l'avance de l'armée russe qui instaurait légalement un gouvernement qu'elle apportait avec elle et qui, représentant sous la forme d'une mixture quantitativement différente les formations de la Résistance, coiffait et s'intégrait les embryons d'organisation étatique créés par celle-ci, comme en Tchécoslovaquie et en Pologne. Dans tous les cas, un gouvernement de (plus ou moins) « Union » (plus ou moins) « Nationale » était partout « au pouvoir ». Mais ce « pouvoir » avait dans la plupart des cas peu de réalité. En fait le pays était dominé, maintenant beaucoup plus que par le passé, par les organismes dirigés ouvertement ou secrètement par le P.C. : partisans et milices « populaires ». Cela est surtout vrai pour la Yougoslavie, pendant la courte période de gouvernement de « coalition », Tito-Choubachitch. C'est également vrai pour la Grèce d'octobre à décembre 1944, mais dans le cas de ce pays, l'ensemble du processus a ensuite avorté, du fait de l'intervention militaire des Anglais, lors du coup d'Etat stalinien de décembre 1944. C'est relativement moins vrai pour la Pologne, et surtout pour la Tchécoslovaquie, où le gouvernement de coalition semble avoir exercé de 1945 à février 1948 un pouvoir réel dans certaines limites. Ces deux pays s'apparentent beaucoup plus au cas de la deuxième catégorie de pays dont nous allons dire rapidement quelques mots.

Dans cette deuxième catégorie de pays (Roumanie, Bulgarie, Hongrie), le processus se présente d'une manière relativement différente. La Résistance avait été beaucoup moins importante, sinon nulle. La force du parti stalinien était, d'une manière analogue, beaucoup plus restreinte (sauf en Bulgarie, où traditionnellement, le P.C. occupait de fortes positions). L'apparition d'un double pouvoir et l'élimination successive du pouvoir « légal » par le pouvoir réel de la bureaucratie stalinienne se situe après et non pendant l'occupation allemande. A la « libération », le pouvoir existant s'écroula. Du fait de la participation à la guerre aux côtés de l'Allemagne, la machine étatique a été plus ou moins mise en pièces au moment de l'entrée des Russes. Un nouvel appareil étatique était rapidement mis en place, tant bien que mal, à la tête duquel se trouvait un gouvernement de coalition de tous les partis « antiallemands ». Mais parallèlement, les partis staliniens se mettaient à l'œuvre, occupant partout où c'était possible – et de toute façon à la Police, au Ministère de l'Intérieur et à l'Armée – les postes-clés, épurant sans merci leurs adversaires politiques importants, réduisant à la terreur et au silence les autres, encadrant les masses dans des organisations noyautées et dirigées par eux, s'emparant en un mot de plus en plus des bases réelles du pouvoir, même s'ils en laissaient pendant longtemps aux autres les attributs extérieurs.

Dans les deux cas, au fur et à mesure de son développement, le pouvoir de la bureaucratie créait les conditions économiques de sa consolidation et de son expansion ultérieure. Le partage des grandes propriétés foncières, mais surtout la nationalisation quasi immédiate – et inéluctable – d'une grande partie des banques, de l'industrie et du commerce de gros, en un mot des secteurs-clés de l'économie, non seulement donnaient un coup mortel à la classe des capitalistes et des grands propriétaires, déjà fortement ébranlée, non seulement « neutralisaient » ou rendaient favorables au P.C., qui préconisait avec le plus de conséquence ces mesures, les paysans et les ouvriers, mais surtout créaient pour la bureaucratie une base de développement énorme dans la gestion de l'économie elle-même.

On ne peut insister ici autant qu'il le faudrait sur ce côté économique du processus, qui est pourtant un des plus essentiels. Du point de vue formel, la bureaucratisation de l'économie s'est effectuée par la nationalisation, dès le début, d'importants secteurs de la production ; on commença par les « biens allemands », les entreprises appartenant aux « traîtres et aux collaborateurs » (5) et les entreprises appartenant à des étrangers. En même temps, ou bien dans une deuxième phase, étaient nationalisées les entreprises excédant une taille donnée ou occupant plus d'un nombre donné d'ouvriers. Dans une troisième étape – qui est en train de s'achever – on nationalisa tout ce qui restait, sauf l'agriculture.

Ce qui rendait cette évolution pour ainsi dire inéluctable, c'était l'effondrement de l'ancienne structure économique. Non seulement la bourgeoisie en tant que classe s'était effritée – patrons exterminés avant, pendant ou après la « libération », en fuite, pris de panique, etc. – mais la crise objective de l'économie amenait nécessairement l'Etat à assumer des fonctions de gestion générale, sans lesquelles cette économie était mortellement menacée (6).

La dernière lutte qui se déroula alors entre la vieille bourgeoisie et la bureaucratie, légitime représentant et usufruitier de la propriété « étatique », fut inégale et son issue était certaine d'avance. Pour ne considérer que le plan strictement économique, la bureaucratie se trouva disposer dès le départ de moyens qui lui conféraient une suprématie écrasante (7). La nationalisation des banques, c'est-à-dire du crédit, lui permettait de réduire aux abois du jour au lendemain toute entreprise récalcitrante et d'orienter l'accumulation dans ses intérêts. La réglementation des prix et des salaires lui donnait le rôle dominant dans la répartition du produit national. Enfin, la nationalisation des moyens de communication et de la plupart des grandes entreprises et le monopole du commerce extérieur lui donnèrent, face à ce qui restait d'entreprises privées, infiniment plus de suprématie que jamais un trust capitaliste n'a eu face à ses petits concurrents. A cette puissance économique formidable s'ajoutait la force coercitive du pouvoir, et souvent l'appui que les ouvriers accordèrent à la bureaucratie contre les patrons. La pression indirecte exercée dans la plupart des cas par la présence ou la proximité des forces russes, la certitude dans laquelle se trouvaient les bourgeois sur l'inclusion de leur pays dans la zone de la domination russe et leur abandon par les Américains, ont fait que rapidement leur résistance s'écroula de l'intérieur.

C'est ainsi que selon des modalités et des péripéties différentes – et différentes parfois d'une manière profonde – un nouveau type de régime économique et politique s'est réalisé dans ces pays. En Albanie, en Bulgarie, en Yougoslavie, en Roumanie, en Hongrie, en Tchécoslovaquie, en Pologne et en Allemagne orientale la structure traditionnelle de la propriété privée a été supprimée dans les secteurs décisifs de l'économie – industrie, banques, transports, grand commerce – et là où elle subsiste (agriculture) son contenu a subi de profondes modifications. Parallèlement, la bourgeoisie traditionnelle, constituée par les propriétaires privés des moyens de production a été exterminée en tant que catégorie sociale – abstraction faite de l'intégration de bourgeois en tant qu'individus au nouveau système – et la bureaucratie s'est substituée à elle en tant que couche dominante dans l'économie, l'Etat et la vie sociale. Cependant, du point de vue le plus profond, les rapports de production sont restés des rapports d'exploitation ; en règle générale, cette exploitation n'a fait que s'aggraver. Exprimée comme subordination totale des ouvriers au cours de la production aux intérêts d'une couche sociale dominante et comme accaparemment de la plus-value par la bureaucratie, cette exploitation n'est qu'une forme plus développée de la domination du capital sur le travail. Dans cette mesure, la société instaurée dans les pays de l'Est européen, au même titre que la société russe, ne représente que la victoire locale de la nouvelle phase vers laquelle tend le capitalisme mondial, le capitalisme bureaucratique.

Marx dit quelque part, « s'il n'existait point de hasard, l'histoire serait une sorcellerie ». Les tendances historiques profondes se réalisent à travers une série de particularités et de contingences, qui confèrent précisément à l'histoire réelle son caractère concret et vivant et l'empêchent d'être une collection d'exemples scolaires des « lois du développement historique ». Pourtant, la recherche historique n'est scientifique que dans la mesure où elle parvient à saisir ces particularités et ces contingences comme manifestations concrètes d'un processus universel. Dans le cas qui nous occupe, il peut apparaître qu'en somme l'accession de la bureaucratie au pouvoir n'est que le résultat d'une combinaison inattendue et particulière de facteurs contingents : la structure

traditionnelle a été démolie par le nazisme allemand ; la Russie était très proche et l'Amérique trop
loin ; des partis révolutionnaires, qui auraient pu
guider l'action des masses, il n'y en avait point.
Dans ces conditions, rien d'étonnant si Staline, cet
abject prestidigitateur qui a jusqu'ici réussi à tromper
l'« Histoire » (pas pour longtemps !) est parvenu à
mettre ces pays dans sa poche. D'une manière plus
sérieuse quant à la forme (mais nullement quant
au fond), il s'est trouvé des « marxistes » pour dire
que la transformation sociale de ces pays n'a rien
à voir avec la question de l'évolution de l'économie
contemporaine et de la nature de la bureaucratie,
qu'elle est simplement le résultat de l'action de
l'armée russe et que ces pays étant tombés dans
la sphère de domination soviétique, le Kremlin
était obligé d'y installer au pouvoir les partis
communistes, ce qui amena tout le reste.

Cette manière de voir et d'écrire l'histoire
contemporaine ne vaut guère mieux que l'explication
de la constitution de l'Empire romain par la
longueur du nez de Cléopâtre. L'action sociale et
historique d'une armée, aussi puissante soit-elle,
s'inscrit obligatoirement dans le cadre de possibilités
étroitement circonscrites par l'étape donnée du
développement historique. La plus puissante armée
du monde serait incapable de ramener sur terre le
régime des Pharaons ou d'instaurer du jour au
lendemain une société communiste. L'armée russe
en Europe orientale, dans la mesure où elle a
joué un rôle, n'a pu le faire que dans la mesure
où son action correspondait aux tendances de

l'évolution sociale et où elle secondait des facteurs historiques incomparablement plus puissants qu'elle et qui étaient déjà en œuvre.

L'écroulement des structures économiques et sociales traditionnelles en Europe orientale a été le résultat combiné de la faillite des bourgeoisies nationales « indépendantes » et de l'annexion de ces pays par l'appareil militaire et économique d'un pays capitaliste incomparablement plus fort, l'Allemagne nazie. La tendance vers la concentration internationale du capital a donc été le moteur profond de cet écroulement. A cette crise sociale généralisée a correspondu inévitablement dans la plupart des cas l'entrée en action des masses. Mais cette action ne pouvait avoir lieu que sous la direction totale et exclusive d'une bureaucratie « ouvrière ». Là également, il s'agit d'une manifestation caractéristique de toute une étape historique du mouvement ouvrier, et qui n'est pas spécifique à ces pays; mais dans ceux-ci, à cause de l'ampleur extrême de la crise sociale et des formes aiguës que la lutte a rapidement prises, la bureaucratie a été amenée à jouer un rôle beaucoup plus considérable et à prendre un pouvoir réel relié directement à sa monopolisation de la direction de la lutte militaire. Lorsque l'impérialisme allemand s'écroula sous les coups d'une coalition constituée par les forces qui se trouvent à l'avant-garde du développement capitaliste – soit du point de vue technique (U.S.A.), soit du point de vue de l'organisation sociale la plus efficace d'un système d'exploitation (U.R.S.S.) – le « vide » économique et social ainsi créé se combla tout naturellement par l'action de la bureaucratie. La lutte qui dans certains de ces pays (Tchécoslovaquie, Hongrie) opposa la bureaucratie montante, soutenue par le prolétariat ou tout au moins par ses fractions les plus actives, à la bourgeoisie traditionnelle ne fut que l'expression locale du conflit qui commençait à se manifester sur le plan mondial entre les deux pôles de la concentration du capital, les Etats-Unis et la Russie, pôles qui ne sont eux-mêmes que la concrétisation géographique des deux couches d'exploiteurs actuellement en lutte pour la domination mondiale. Une des conditions de la victoire de la bureaucratie fut évidemment la proximité de la Russie et la présence de l'armée soviétique, plus exactement, le fait que ces pays étaient inclus dans le nouveau partage provisoire du monde, explicite ou tacite, dans la zone de domination russe. En ce sens, ce qu'il y a de relativement « accidentel » dans l'affaire, c'est que les pays bureaucratisés aient été la Yougoslavie, la Pologne, etc. et non point la France, l'Italie ou la Grèce, où la présence et parfois l'intervention armée des forces occidentales a empêché, pendant cette phase, un développement analogue.

Ce qui donne ses véritables limites à ce caractère « accidentel », est la nature même du régime instauré dans ces pays. L'analyse économique et sociologique montre que ce régime appartient à l'étape ultime de la concentration du capital, étape pendant laquelle l'étatisation succède à la monopolisation et la bureaucratie économique et politique à l'oligarchie financière. Ces phénomènes s'étaient déjà précédemment réalisés en Russie. L'action de celle-ci dans les pays satellites n'a fait que faciliter et accélérer un développement qui de toute façon correspondait à la situation propre des régions en question. A moins de supposer que l'histoire est créée par les décisions des maréchaux, il est évident que celles-ci n'ont fait que participer à la transformation du possible en réel ; et ce faisant, elles n'exprimaient que les nécessités mêmes du capitalisme bureaucratique en Russie. L'extrême variété des modalités et de l'ampleur de l'intervention des forces russes dans le processus de bureaucratisation de ces pays, allant de la domination totale et de la création pour ainsi dire « d'en haut » des nouvelles structures (comme en Allemagne orientale) jusqu'à un rôle positivement nul (comme en Yougoslavie, pour laquelle la proximité de l'armée russe signifia en pratique uniquement l'impossibilité pour les Américains d'intervenir), prouve précisément le caractère historiquement « authentique » de la montée de la bureaucratie au pouvoir.

Quant à l'appréciation sociale de ces régimes, il n'y a que deux attitudes possibles : l'une consiste à mettre l'accent sur la « nationalisation » de l'économie, la suppression des bourgeois, les origines « prolétariennes » des nouveaux dirigeants, pour affirmer qu'il s'agit de régimes « ouvriers » (même « déformés ») et « socialistes ». L'autre s'attache à dévoiler l'exploitation intense à laquelle est soumise la classe ouvrière, la terreur policière qu'elle subit, le remplacement de la bourgeoisie traditionnelle par une nouvelle couche exploiteuse de bureaucrates. La conclusion de la première, c'est la participation à la préparation de la guerre du côté russe, pour étendre le règne de ce « socialisme » – là aux autres pays. La conclusion de la deuxième, c'est la préparation idéologique, politique et pratique du prolétariat pour le renversement des exploiteurs, bourgeois ou bureaucrates, et l'instauration de son propre pouvoir. La première, c'est la position de la bureaucratie stalinienne et de ses laquais. La deuxième, celle de l'avant-garde révolutionnaire. Entre ces deux chaises la distance est si grande que le derrière des « théoriciens » trotskistes, aussi large soit-il, ne pourra jamais la combler.

L'ACCESSION DE LA BUREAUCRATIE TITISTE AU POUVOIR

Le processus dont nous avons décrit plus haut les traits généraux apparaît avec une force et une clarté particulières en Yougoslavie. Très tôt le parti communiste se proposa comme tâche principale l'organisation de la lutte contre l'occupation, et certains territoires (presque toute la Serbie occidentale) étaient sous le contrôle absolu et exclusif des partisans dès l'automne 1941 (8). Presque à la même époque se situent les débuts de la lutte à mort entre les partisans staliniens et les tchetniks de Mihailovitch, lutte qui aboutit à l'extermination de ceux-ci quatre ans plus tard. Parallèlement s'édifiaient un appareil centralisé tout-puissant dans les brigades de partisans et des « Comités » exerçant le pouvoir local dans les régions libérées, dominés eux-mêmes par la direction stalinienne du mouvement. Déjà pendant l'hiver 1942-43 était convoquée une « Assemblée constitutive du Front antifasciste de libération nationale » qui procéda à l'élection du « Conseil antifasciste de libération nationale de Yougoslavie », que Tito qualifie d'« organe politique suprême » (9). Puis, en novembre 1943, était créé un « Comité Populaire de libération nationale de Yougoslavie », « appelé à remplir les fonctions de gouvernement provisoire du pays ». C'était, dit Tito, « la réponse à tous ceux qui avaient espéré que, dès la fin des hostilités, on reviendrait aux anciennes habitudes ».

Le 16 juin 1944 était conclu l'accord entre Tito et Choubachitch sur la collaboration entre le gouvernement royal de Londres et le Comité de Libération nationale, suivi le 8 mars 1945 de la formation d'un gouvernement de « coalition » Tito-Choubachitch, exerçant formellement le pouvoir sur l'ensemble du territoire yougoslave, totalement libéré à cette époque. Cette phase de « collaboration avec la bourgeoisie » – ou plutôt avec les représentants traditionnels de celle-ci, car de la bourgeoisie elle-même il ne restait plus grand-chose – arriva à sa fin quelques mois plus tard : en octobre 1945, les derniers politiciens bourgeois démissionnaient du

Gouvernement, et le 11 novembre de cette même année, des élections convenablement préparées donnaient 96 % des voix au Front Populaire (c).

Le « compromis » provisoire conclu avec la bourgeoisie royaliste par Tito est un modèle de tactique bureaucratique d'accession au pouvoir. Tito dans son rapport déjà mentionné expose avec précision les fondements de cette politique. Il était quasi impossible à la direction stalinienne en 1944 de résister à la pression alliée s'exerçant dans le sens de création d'un gouvernement d'« Union nationale ». En cédant sur la forme, Tito obtenait sa « légalisation » de la part des Alliés et de la Cour royale elle-même ; il ne cédait rien sur le fond, sur le seul plan qui l'intéressait et qui était en définitive important, c'est-à-dire sur le plan de la force et du pouvoir réel : « Nous prîmes donc notre parti de cet accord, parce que nous connaissions notre force, parce que nous savions que l'énorme majorité du peuple était avec nous et que le peuple nous soutiendrait quand il le faudrait. En outre, nous avions une force armée dont nos rivaux ne pouvaient même pas imaginer l'importance, tandis que le roi et son gouvernement n'avaient rien, puisque Draja Mihailovitch était non seulement discrédité par suite de la collaboration avec l'occupant, mais encore défait par nos unités. Par conséquent, nous n'avions rien à craindre et nous acceptâmes cet accord, qui, loin de nuire, ne pouvait que nous être utile, sous condition de savoir agir comme il le fallait. C'est ce qui advint par la suite (10). »

Combien ce dernier acte de la comédie avait été

bien préparé précédemment, c'est ce que montre le passage suivant du même discours de Tito : « Au cours de la lutte de libération, nous avions déjà créé les conditions préalables. Partout où nous étions maîtres du territoire, nous avions liquidé l'ancien appareil d'État bourgeois, la gendarmerie et la police, les administrations des villages, des villes, des arrondissements, etc. Nous nommions de nouveaux organes du pouvoir populaire et ses organes de sécurité. Lorsque le pays fut complètement libéré, nous nous livrâmes à ce travail sur tout le territoire de Yougoslavie. » A condition de comprendre sous les mots « pouvoir populaire », le pouvoir de la bureaucratie, et d'accorder toute l'importance due à la création des « organes de sécurité » nouveaux, à condition en un mot de comprendre la différence vraiment subtile entre la dictature du Guépéou et la dictature du prolétariat (11), ce passage donne une description correcte de l'installation de la bureaucratie au pouvoir déjà sous l'occupation.

Une fois le pouvoir étatique entre les mains de la dictature militaire de Tito, et l'administration sous la coupe des « Comités de libération » staliniens, une série de procès en haute trahison acheva de décimer ce qui restait des représentants traditionnels du capitalisme, dont les soutiens les plus actifs, les tchetniks de Mihailovitch, furent exterminés.

La puissante offensive des staliniens du P.C. Yougoslave dans la liquidation de la bourgeoisie fut, on le voit, sans commune mesure avec celle des partis staliniens des autres pays satellites, qui ne purent accéder au pouvoir qu'à travers un processus considérablement plus long.

La liquidation de la propriété privée a suivi pas à pas l'extermination politique de la bourgeoisie.

Avant la guerre, les richesses minières du pays et les industries-clés étaient exploitées par des capitáux étrangers (dont la participation représentait 91 % dans la métallurgie, 73 % dans les industries chimiques, 61 % dans les textiles, en moyenne générale 49,5 % de l'industrie). Dès 1944, les biens étrangers et les biens des « traîtres et des collaborateurs » furent sequestrés et confisqués. Le total représentait 80 % de l'industrie, la majeure partie des banques et du grand commerce.

Peu après, une nationalisation générale enlevait du secteur privé les mines, les usines et les moyens de transport. Enfin, à la fin de 1947, « tout ce qui n'était pas tombé sous le coup de la première loi sur la nationalisation a été nationalisé, c'est-à-dire : le reste des entreprises industrielles, toutes les imprimeries, les grands magasins et les caves, les hôtels, les sanatoriums, etc. (12) »

Bien entendu, ces nationalisations s'effectuèrent sans indemnisation ni rachat vis-à-vis des ex-propriétaires yougoslaves. Quant aux ex-propriétaires étrangers, leur indemnisation est depuis lors l'objet de négociations entre le gouvernement de Tito et les divers gouvernements capitalistes (13).

En ce qui concerne l'agriculture, il faut d'abord rappeler que le problème essentiel qui se posait à la Yougoslavie, comme à tous les pays balkanodanubiens (à l'exception de la Hongrie), était non pas l'existence de grandes propriétés agraires, mais l'extrême exiguïté des exploitations, directement liée à la faible industrialisation et la surpopulation agricole qui en résultait (80 % de la population en Yougoslavie avant la guerre vivaient de l'agriculture ; 55 % des exploitations agricoles occupaient moins de 10 hectares ; 23 % de 10 à 20 hectares et 13 % de 20 à 50 hectares). La solution du problème agraire dans ces conditions ne pouvait pas être substantiellement avancée par l'expropriation des grandes propriétés, mais par le regroupement des exploitations. L'expropriation de la partie des exploitations dépassant 30 hectares (1945-1946), ne pouvait amener que des modifications secondaires à la répartition de la propriété agraire, comme l'indique le tableau suivant :

Participation des exploitations agricoles dans la production des céréales (en % de la production totale).

Propriétés	1939	1948
Moins de 5 hectares	27,2	34,3
De 5 à 10 hectares	26,0	27,9
Plus de 10 hectares	46,0	37,8

La mesure essentielle dans ce domaine a été la création des coopératives agricoles, sur lesquelles nous reviendrons. Il suffit de noter qu'elles sont en constant accroissement (51 en 1945, 4.100 en 1949).

En résumé, nous trouvons ici réalisés, plus rapidement et radicalement, les traits communs de la transformation sociale qui a eu lieu dans tous les pays satellites de 1945 à 1948 : liquidation de la bourgeoisie industrielle, bancaire et commerçante ; liquidation des grands propriétaires fonciers ; tolérance provisoire du paysan moyen, qui est de toute façon entièrement soumis au pouvoir économique de l'Etat.

LA STRUCTURE ACTUELLE
DE LA SOCIETE YOUGOSLAVE
(Economie, Etat, Classes)

La bourgeoisie une fois liquidée, qui assura sa succession dans ses fonctions dirigeantes ? La société, comme la nature, a horreur du vide, et un pays qui n'est pas dans un état d'anarchie complète, ne saurait vivre, non pas cinq ans, mais cinq mois sans la domination d'un corps social unifié et cimenté par les intérets communs des individus qui le composent. Est-ce le prolétariat la nouvelle classe dominante de la société yougoslave ? Est-ce lui qui gère la production et l'État, qui règle la répartition du produit national, qui s'exprime dans l'idéologie officielle de la nouvelle Yougoslavie ? Et si non, qui ? Cette bureaucratie dont nous avons tellement parlé, a-t-elle vraiment une réalité sociale ? Ne pourrait-on pas la considérer comme un tuteur provisoire d'un prolétariat non encore parvenu à sa maturité complète, tuteur qui s'effacerait de lui-même une fois cette maturité atteinte ?

On voit facilement que ces questions débordent amplement le cadre de cet article. Elles embrassent aussi bien le problème de la nature de la bureaucratie, que celui du pouvoir ouvrier, donc du programme socialiste. Il est impossible d'en traiter ici ; nous nous bornerons à renvoyer le lecteur aux textes que nous avons déjà publiés sur la bureaucratie (14) et aux travaux de notre groupe sur le programme socialiste qui seront publiés dans les prochains numéros de cette revue (d). Nous ne pouvons qu'énoncer ce que sont pour nous les traits essentiels d'un pouvoir ouvrier, en rappelant qu'il ne s'agit pas de « normes idéales » *a priori,* mais *des conditions sociologiques* sans lesquelles la suppression de l'exploitation et la construction du communisme sont impossibles.

Le prolétariat ne devient classe dominante qu'en supprimant l'exploitation. L'exploitation se manifeste dans la production comme accaparement de la gestion par une couche sociale spécifique et subordination des producteurs aux intérêts de cette couche ; elle se manifeste dans la répartition du produit, comme expropriation des producteurs d'une partie du produit de leur travail au profit de la couche sociale dominante. La suppression de l'exploitation n'est donc possible que si le prolétariat détruit toute couche gestionnaire spécifique – donc s'il accède lui-même à la gestion de la production, et s'il supprime tous les revenus ne provenant pas du travail productif – donc s'il assure lui-même la répartition du produit social. La suppression de toute bureaucratie gestionnaire permanente et inamovible n'est donc ni une revendication sentimentale, ni une « norme idéale », mais tout simplement un synonyme de la suppression de l'exploitation. Si une telle bureaucratie est maintenue, l'exploitation renforcée du prolétariat à son profit surgira à nouveau inéluctablement.

Le fait que le prolétariat yougoslave est radicalement exproprié de la gestion de l'économie et de la direction de l'État, qu'il n'a rien à dire quant à la répartition du produit national, que ces fonctions sont monopolisées par une bureaucratie permanente et inamovible dont les intérêts ne peuvent être que séparés de ceux des travailleurs et hostiles à ceux-ci ne peut pas être contesté. Il est cependant nécessaire de concrétiser cette idée, en examinant la manière dont se réalise le pouvoir de la bureaucratie yougoslave dans les différents domaines de la vie sociale.

Examinons d'abord cet indice précieux de la structure d'un pays que forme *la répartition des revenus*. Dans ce domaine, plus que dans tout autre, la bureaucratie essaie de camoufler son rôle exploiteur en cachant les données statistiques. Mais les quelques rares données qu'elle laisse échapper permettent de porter un jugement sur la question. Ainsi, selon un article du responsable titiste Begovitch (15), le revenu national yougoslave, qui

était de 133 milliards de dinars en 1947, est passé
à 242,5 milliards en 1948. Nous ne savons pas
ce qu'entendent par revenu national les économistes
yougoslaves ni comment ils le calculent (les
précédents russes, aussi bien que les résultats
paradoxaux auxquels on arrive en manipulant les
chiffres yougoslaves, comme on le verra plus bas,
incitent à la plus grande prudence sur ce chapitre).

Cependant, même en tant que grossière
approximation, ces chiffres sont censés représenter
l'accroissement des richesses sociales disponibles. Cet
accroissement aurait donc été de plus de 80 %
entre 1947 et 1948 (16). Est-ce que la consommation
des travailleurs a augmenté pendant cette période
selon le même rythme, ou même de 40 ou de 20 % ?
Begovitch ne dit évidemment rien là-dessus, et ce
silence est, comme on dit, le plus éloquent des
aveux (17). En réalité, le moins que l'on puisse dire,
c'est que cette consommation est restée stable, c'est-
à-dire que les travailleurs n'ont profité en rien
d'un accroissement de la production, obtenu par
l'augmentation du temps de travail et l'accélération
de son rythme, comme on le verra plus bas (18).

Tito lui-même a d'ailleurs reconnu l'existence d'un
niveau de vie misérable dans son discours de clôture
du Congrès du P.C. croate de 1948 : « Nous devons fournir à la classe ouvrière dès le stade actuel
des logements chauffés et confortables, la radio,
le cinéma et autres agréments de la vie, car nous
devons montrer à la classe ouvrière au moins quelque chose (!) de la pratique de la vie socialiste (19). »

Ici une explication est peut-être nécessaire. La question qui se pose n'est pas celle du niveau de vie absolu des travailleurs yougoslaves, mais de leur niveau de vie *relatif,* et relatif par rapport à l'accroissement de la richesse sociale, et par rapport aux revenus d'autres couches et catégories sociales. Qu'une révolution ne puisse pas du jour au lendemain créer l'abondance, c'est une chose ; mais que l'accroissement de la production ne se traduise nullement par une augmentation du salaire réel, et que des revenus bureaucratiques considérables puissent exister à côté de la misère du peuple, c'en est une autre. Admettre et justifier cette dernière situation, c'est admettre et justifier un régime d'exploitation. Ce que nous considérons ici n'est donc pas le niveau de vie absolu des travailleurs yougoslaves, mais son évolution parallèlement au développement de la production d'une part, sa comparaison avec les revenus bureaucratiques d'autre part.

Pour ce qui est de la différenciation des salaires ouvriers et des revenus bureaucratiques, dont les représentants du titisme ont prétendu à certains moments qu'elle était seulement de 1 à 4, il faudrait, pour l'apprécier correctement, connaître tous les avantages matériels et autres dont jouissent les bureaucrates yougoslaves en tant que tels (20). Que ces avantages existent et qu'ils soient considérables, nul n'en peut douter. La lettre du Comité Central du P.C. russe au Comité Central du P.C. yougoslave datée du 4 mai 1948 (21) donne à ce sujet des indications d'autant plus intéressantes que d'une part elles n'ont pas été démenties par les titistes et que d'autre part elles sont confirmées par un sympathisant titiste comme Claude Bourdet (22). Répondant aux Yougoslaves, qui accusaient les généraux russes « en mission » en Yougoslavie d'exiger un salaire de 30 000 à 40 000 dinars par mois, alors que les généraux yougoslaves reçoivent 9 000 à 11 000 dinars, les Russes soulignaient – à juste titre – que les généraux yougoslaves profitent, en plus de leur traitement, d'avantages en nature : appartements, domestiques, ravitaillement, etc. (23).

L'accroissement énorme de l'intensité du travail – qui signifie, dans un régime où les travailleurs ne sont pas les maîtres de la production, purement et simplement un accroissement égal de l'exploitation – ressort facilement des données offertes abondamment par la bureaucratie yougoslave elle-même. Cet accroissement de l'exploitation est baptisé évidemment par celle-ci « accroissement de la productivité ». Chaque bulletin *Tanyug* en offre des exemples. Pour n'en citer qu'un, le n°42 de *Tanyug* nous informe que dans le bâtiment, après le succès du plan, de nouvelles normes ont été établies, dépassant de 700 % ou de 1 250 % les normes initiales du plan ! D'autre part, selon les déclarations du dirigeant titiste Kidric lors de la discussion du budget de 1948, la tâche essentielle pour l'année 1948 devait être la diminution des prix de revient par « la revision des normes de travail » (24), chanson bien connue des travailleurs exploités de tous les pays du monde.

Dans le même ordre d'idées, on ne peut pas négliger le développement extrême du stakhanovisme en Yougoslavie. On sait que le stakhanovisme, tel qu'il a été créé en Russie stalinienne et tel qu'il est propagé dans les pays bureaucratiques, vise un double but : établir artificiellement des normes de travail extrêmement élevées, permettant ainsi à la bureaucratie de pressurer davantage la masse ouvrière ; créer une couche d'ouvriers relativement privilégiés, liés matériellement au système bureaucratique et devenant ainsi une base de la bureaucratie au sein de la classe ouvrière. La bureaucratie yougoslave a évidemment, dès le départ, adopté ce système, organiquement lié à l'exploitation bureaucratique, et se targue du fait que « ses » stakhanovistes battent parfois les « records » établis par leurs collègues russes.

Venons-en maintenant à la gestion de la production. On sait que l'activité économique en Yougoslavie est orientée par le « Plan Quinquennal » (1947-1951), dont l'objectif essentiel est l'industrialisation du pays. Ce Plan a été établi et son fonctionnement est contrôlé par la « Commission Fédérale du Plan », elle-même responsable devant le Gouvernement, c'est-à-dire devant le noyau central de la bureaucratie titiste. Ainsi, c'est la bureaucratie et ses représentants qui fixent souverainement les objectifs de la production, le taux de l'accumulation « socialiste », les salaires, les prix et les normes de travail. Le rôle du prolétariat est d'accroître le rendement.

Pour s'en convaincre, il suffit de constater quelle est la tâche des syndicats ouvriers – complètement bureaucratisés, par ailleurs – dans la « nouvelle Yougoslavie ». Ceux-ci non seulement ont cessé d'être les organisations qui luttent pour la défense des intérêts élémentaires des ouvriers – une telle lutte est désormais impossible au grand jour – mais se sont transformés directement en « contremaîtres d'État », au même titre que les syndicats russes, tchèques ou bulgares. Voilà comment le rôle des syndicats est défini par le dirigeant titiste Kardelj :

« Le rôle le plus important des syndicats est dans le secteur de l'édification économique. Ils sont les organes de la lutte de la classe ouvrière *pour l'accroissement de la production, pour le relèvement de la productivité du travail... ensuite,* les organismes syndicaux doivent journellement lutter pour un système juste des salaires, pour une rétribution équitable (25). »

Ce que Kardelj entend par « système juste des salaires » et « rétribution équitable », un autre bureaucrate titiste, Kidric, nous l'expliquera. Selon lui (26), l'ordre des tâches syndicales est le suivant :

1º Assurer la discipline du travail ;
2º Établir les normes ;
3º Mobiliser la main-d'œuvre ;
4º *Assurer une différenciation suffisante des salaires.*

Le rôle de la bureaucratie syndicale comme instrument de gestion de la force de travail dans les intérêts du système bureaucratique (discipline, maximum de rendement, minimum de salaire, création de couches privilégiées au sein du prolétariat) apparaît ainsi clairement.

Quant au Plan Quinquennal en lui-même, ce qu'on peut en savoir est suffisamment vague pour que son aspect social ne puisse apparaître que très difficilement (27). Son objectif essentiel est l'équipement et l'industrialisation du pays, devant porter le revenu national de 132 milliards de dinars en 1939 à 255 milliards en 1951 (28). Ce résultat doit être obtenu par des investissements d'une valeur totale d'environ 280 milliards de dinars, représentant de 25 à 30 % du revenu national de la période quinquennale. Les investissements sont évidemment dirigés surtout vers la production de moyens de production, particulièrement l'industrie lourde et la production d'énergie électrique. Quant à la production d'objets de consommation, son développement sera beaucoup plus modeste. Ainsi, dans le domaine de la production agricole, la production totale de céréales sera, d'après les chiffres du Plan, augmentée de 13 % par rapport à la moyenne décennale 1929-1939, celle de pommes de terre de 72 %, celle de fruits de 17 %, du raisin de 40 % et du vin de 26 %. Quant aux produits du bétail, la production de viande sera augmentée de 17 % par rapport à 1939, celle de graisse de 53 %, de lait de 45 %, des œufs de 76 % (29).

Ces chiffres bruts – pour autant qu'ils soient approximativement exacts et réalisables – ne prennent leur véritable signification que lorsqu'on les compare à l'accroissement de la population yougoslave. La moyenne de celle-ci, pendant la période décennale 1930-1939, était d'environ 14 600 000 ; elle était de 15 750 000 en 1948 (30) et sera vraisemblablement sur la base d'un taux d'accroissement net de la population de 1,5 % par an, de 16 500 000 en 1951 (31). L'accroissement de la population entre ces deux périodes sera donc de l'ordre de 13 %, donc équivalent de l'accroissement des deux principaux produits d'alimentation, céréales (13 %) et viande (17 %). La production de céréales par habitant restera par conséquent absolument stagnante, celle de viande augmentera imperceptiblement (+ 3 %).

Mais production ne signifie pas encore consommation. De cette production il faut déduire les exportations ; et les exportations de denrées alimentaires, bien que l'on ne dispose pas de données permettant de les comparer avec celles d'avant-guerre, iront croissant si la bureaucratie yougoslave veut se procurer à l'étranger l'équipement nécessaire à son plan d'industrialisation. Ainsi (32), le traité de commerce conclu le 22 décembre 1949 entre la Yougoslavie et l'Allemagne occidentale prévoit pour l'année 1950 des exportations yougoslaves en Allemagne, principalement de produits agricoles, d'une valeur totale de 65 millions de dollars, en échange de produits allemands manufacturés. De même, le traité anglo-yougoslave du 26 décembre 1949 prévoit des échanges pour la période des cinq années à venir d'une valeur de 280 millions de dollars dans chaque sens, les exportations yougoslaves comprenant surtout des produits agricoles (parmi lesquels environ 40 millions de dollars de maïs), cependant que les exportations anglaises sont composées de biens d'équipement et de produits manufacturés. Les échanges yougoslaves avec les autres pays occidentaux présentent nécessairement la même structure. Si donc les exportations yougoslaves de produits agricoles de base tendent à être plus élevées que celles d'avant-guerre, cependant que la production de ces denrées par habitant stagne, on aura nécessairement une diminution de la consommation intérieure par habitant. Ceci, indépendamment de la question de la répartition sociale du produit disponible entre le travailleur et la bureaucratie (33).

Quant à l'augmentation projetée de la production des autres objets de consommation (sucre, conserves, textile, chaussures), elle s'inscrit surtout dans la tendance vers la réalisation d'une autarcie économique. L'augmentation de la production locale doit compenser la diminution extrême ou l'arrêt des importations de ces produits ; ces importations étaient payées autrefois par l'exportation de produits agricoles, mais, comme on l'a vu, celles-ci doivent maintenant payer les importations d'équipement. Il s'agit donc surtout de compenser cette diminution des importations, et il est douteux que les quantités disponibles pour la consommation de ces produits (production plus importations moins exportations) présentent un accroissement substantiel en 1951.

Il est donc certain que, malgré les mensonges cyniques de Tito et de ses avocats, la consommation des masses yougoslaves ne s'améliorera nullement par rapport à l'avant-guerre, si même elle ne se détériore pas (34). Par contre, le travail fourni par celles-ci augmentera considérablement, tant en durée qu'en intensité. Le développement des forces productives en Yougoslavie sera donc assuré par la surexploitation des travailleurs. Mais pour un développement obtenu par de tels moyens, point n'est besoin d'un régime « socialiste » ou « ouvrier » : le capitalisme a été parfaitement capable de l'accomplir, et continue d'ailleurs de l'être (35).

Quels sont les moteurs qui sont à la base de ce développement des forces productives par la bureaucratie ? D'abord, sa propre conservation. La bureaucratie ne peut se maintenir et se stabiliser au pouvoir que par l'industrialisation et la concentration de l'économie. La base naturelle de son pouvoir est la grande industrie. C'est le développement de cette dernière qui donne à la bureaucratie la suprématie économique définitive vis-à-vis de tous les éléments ou les couches qui pourraient aspirer à un retour vers les formes du capitalisme privé. En même temps, l'industrialisation est la condition indispensable pour l'extension des « profits » bureaucratiques, c'est-à-dire du surproduit global qui est à sa disposition. Dans le besoin qui pousse la bureaucratie à augmenter son « profit » total, il ne faut pas seulement voir la tendance indiscutable de la bureaucratie à accroître sa consommation improductive ; il faut surtout comprendre que l'augmentation du surproduit, base nécessaire à l'extension de l'accumulation, est la condition de la lutte de la bureaucratie contre ses « concurrents » et adversaires étrangers. Cet aspect apparaît beaucoup plus clairement dans le rapport de l'industrialisation avec la défense militaire (36), mais est également valable par rapport à l'ensemble de l'économie d'un pays et la puissance de sa classe dominante. La phrase de Tito à l'adresse des autres démocraties populaires, « attendez qu'on crée chez nous une industrie forte, on discutera plus sérieusement ensuite (37) », éclaire parfaitement ce rapport.

Si nous disons que la bureaucratie assure la relève de la bourgeoisie traditionnelle dans la période décadente du capitalisme, ceci ne signifie pas seulement que la bureaucratie, en tant que personnification du Capital pendant sa dernière phase d'existence historique, a pour rôle de maintenir le travail dans l'exploitation et l'oppression. A travers et par le moyen de cette exploitation, la bureaucratie continue à assurer – aussi longtemps que l'ensemble de la société capitaliste mondiale n'est pas entrée dans sa phase de décomposition et de régression – le développement des forces productives, que la bourgeoisie a inauguré. De ce point de vue, ce n'est point par hasard si la bureaucratie tend surtout à accéder au pouvoir dans les pays « arriérés », c'est-à-dire là précisément où la bourgeoisie privée n'était pas parvenue à réaliser sa tâche historique. Mais ceci ne signifie nullement qu'elle soit une force historique « progressive » ; de ce point de vue, elle ne présente que des différences de degré, mais aucune différence de nature avec la bourgeoisie contemporaine qui, elle aussi, continue à développer les forces productives, surtout dès qu'elle peut s'assurer d'une domination illimitée sur le prolétariat, comme l'exemple de l'Allemagne nazie et du Japon le prouvent (38). La bureaucratie est partie intégrante du système mondial d'exploitation et en tant que telle participe à sa décadence générale.

Si le marxisme a qualifié la bourgeoisie de force historique progressive, il l'a fait dans une période où la lutte sociale se déroulait entre la stagnation absolue que représentait la féodalité, et le développement énorme qu'amenait la domination capitaliste ; il l'a fait à une époque où la révolution prolétarienne mondiale était encore impossible, plus précisément, où sa possibilité ne pouvait être donnée que par le développement préalable de l'économie et du prolétariat que seule la bourgeoisie pouvait accomplir. Mais aujourd'hui le choix n'est pas entre la bureaucratie et la bourgeoisie ; il est entre les régimes d'exploitation, bourgeois ou bureaucratiques, et la révolution prolétarienne. On ne peut qualifier la domination bureaucratique de « progressive » que si l'on affirme que le prolétariat est incapable d'assurer lui, par ses méthodes et son pouvoir, un développement plus ample et plus profond des forces productives. Aujourd'hui, la comparaison ne se pose pas entre la stagnation féodale et le développement capitaliste ; elle se pose entre le piètre et misérable développement basé sur l'exploitation, bourgeoise ou bureaucratique, et le développement immense, basé sur l'épanouissement des forces créatrices de l'homme, que seul le pouvoir prolétarien mondial peut assurer. Ce n'est donc pas par hasard si la contestation de la capacité du prolétariat à être classe dominante est la pierre angulaire de l'idéologie bureaucratique, car c'est cette idée mystificatrice qui peut donner un semblant de justification à la domination de la bureaucratie et son exploitation des travailleurs.

LE REGIME POLITIQUE

« Sur les 524 députés à l'Assemblée Fédérale et au Conseil des Peuples, 404 sont membres du P.C. ; sur 1.062 députés aux Assemblées républicaines, 170 seulement ne sont pas membres du P.C. Dans les Comités populaires des villages, des villes et des arrondissements, 42.527 délégués sont membres du P.C. De même, *tous les postes dirigeants dans l'appareil administratif et économique* ont été occupés par les cadres éduqués par le parti avant la guerre et dans la rude période de guerre... Quelles étaient les sources des cadres pour l'appareil administratif qui se développait rapidement, pour notre économie socialiste, pour l'activité sociale, politique et culturelle en général ? Ces sources étaient *tout d'abord les organisations du Parti* et les organes du pouvoir populaire... Deuxièmement, *ces sources se trouvaient dans l'armée.* Sans affaiblir sa combativité on a pu démobiliser un grand nombre d'officiers et de soldats et on les a placés aux postes dirigeants de l'appareil d'État... Il convient de souligner également que dans les entreprises et les organisations syndicales des cadres, sortant des rangs de la classe ouvrière, se formaient rapidement, en premier lieu des cadres dirigeants pour nos entreprises économiques... Dans les seules années 1947 et 1949, on a réparti aux postes dirigeants de l'appareil administratif fédéral 1.023 membres du Parti, pris dans les organisations du Parti et dans l'armée yougoslave. Pour l'appareil des administrations républicaines (c'est-à-dire des républiques fédérées), on a réparti aux postes dirigeants 925 membres du Parti... Le Parti a également accordé une attention particulière aux cadres de la direction de la Sûreté d'État... Néanmoins, malgré la formation de l'appareil administratif et économique de l'État, le Parti n'aurait pas pu assurer la mobilisation des masses populaires... sans le vaste réseau des organisations du Front Populaire (qui compte 6.608.423 membres), des syndicats (qui comptent 1.300.000 ouvriers et employés organisés et qui sont inclus dans le nombre précité des membres du Front Populaire), des organisations de la jeunesse (où sont organisés 1.415.763 jeunes gens et jeunes filles), du Front antifasciste des femmes, des coopératives, etc. *Les communistes qui se trouvent dans les directions des organisations de masse sont la meilleure garantie que le Parti, au moyen des formes de travail mentionnées et d'autres encore, assurera la mobilisation des masses laborieuses pour la réalisation des tâches assignées...* Nous sommes sortis de la guerre avec 141.066 membres du Parti, et le 1er juillet de cette année 1948, nous avions 468.175 membres du Parti, 51.612 candidats (stagiaires) et 351.950 membres de la Fédération de la Jeunesse Communiste de Yougoslavie. »

Cette description sobre de la situation politique en Yougoslavie, faite par l'homme le plus compétent du monde en cette matière, le maître policier du régime de Tito, Alexandre Rankovitch (39), peut se passer de commentaires. Essayons simplement de formuler d'une manière plus générale le contenu de cette description.

Le parti « communiste » domine absolument la vie politique du pays. C'est parmi ses membres que se recrutent presque exclusivement les membres des Assemblées « souveraines », *tous* les dirigeants de l'administration et de l'économie, les dirigeants des organisations des masses. Ces dernières sont enrégimentées dans des organisations, dont les deux principales (le Front Populaire et les Jeunesses) comptent plus de huit millions d'adhérents (sur une population totale de moins de seize ; ceci donnerait en France une organisation de plus de vingt millions) ; donc, abstraction faite des enfants et des vieillards, deux citoyens sur trois pour les deux sexes. Ces organisations de masse sont un des principaux moyens du parti pour tenir la population en mains. Le recrutement de la nouvelle bureaucratie

s'effectue à un rythme assez rapide, les membres
du Parti ayant plus que triplé entre 1944 et 1948.
Actuellement, membres du Parti, stagiaires et
membres des jeunesses forment un total de presque
900.000 individus, soit, compte tenu des familles,
plus de 10 % de la population totale. Un bon
nombre des nouveaux « cadres » sortent des rangs
du prolétariat ; absorbés dans la nouvelle couche
dirigeante, liés aux prérogatives et aux privilèges du
pouvoir, inamovibles aussi longtemps qu'ils seront
fidèles serviteurs du nouveau régime, ils oublieront
pour la plupart rapidement leurs origines.

Quant au régime interne de ce Parti, aucun doute
ne peut exister sur son caractère monolithique et
totalitaire. Témoin – s'il en faut – l'absence de toute
discussion, de toute tendance politique (40). Témoins
la rapide liquidation même de Hebrang et de
Youyovitch, devenus, du jour au lendemain, des
dirigeants du parti « hypocrites pernicieux, traîtres,
instruments aux mains de l'ennemi de classe,
calomniateurs et ennemis du parti et du pays »
(A. Rankovitch, l.c., p. 79). Pourtant Hebrang et
Youyovitch étaient tout simplement des partisans, des
agents, si l'on veut, du Kominform et de l'U.R.S.S.,
c'est-à-dire du pays qu'au même moment Rankovitch
qualifiait de « patrie du socialisme ». Le fait que
Rankovitch se soucie de la cohérence de ses
accusations comme de sa première chemise, montre
suffisamment qu'il est un authentique héritier de
la tradition stalinienne et que les méthodes qui
prévalent dans le P.C. yougoslave sont exactement
celles du Guépéou.

L'épuration lente mais continue des cadres dirigeants, épuration qui se fait dans le silence ou dans le mensonge, est un des indices du caractère policier du régime. Ainsi, pendant l'automne 1948, étaient destitués le général Yovanovitch – un des chefs les plus importants de l'armée –, les ambassadeurs yougoslaves à Bucarest, à Téhéran, au Caire, des hauts fonctionnaires des ambassades de Sofia et de Budapest, cinq ministres de Monténégro et trois ministres de Bosnie et Herzégovine (41). Pendant l'hiver 1948-1949, une vague d'épurations était signalée à Monténégro ; le 14 janvier 1949, cinq membres du gouvernement croate étaient destitués ; au mois de mars, une épuration du gouvernement serbe avait lieu, et Jacob Loutzati, ministre adjoint de l'Industrie et du Bois, était condamné à huit ans de travaux forcés pour « sabotage » (42). Au mois de mai 1949, on apprenait un deuxième remaniement du cabinet croate, avec élimination de deux nouveaux ministres (43). Cette liste n'est évidemment pas limitative. Il va sans dire qu'aucune explication n'est d'habitude donnée sur les raisons de ces éliminations.

Mais le plus instructif, ce sont les dépêches triomphales de l'agence Tanyug sur les repentirs spontanés et spectaculaires des adversaires du régime. Nous ne pouvons pas résister à la tentation de donner un spécimen du genre :

« Belgrade, 5 octobre 1949. Par un décret du ministre de l'Intérieur, 713 anciens détenus que les pouvoirs compétents avaient envoyés au travail social pour leur activité kominformiste ont été amnistiés, étant donné que par leur travail et leur attitude ils ont prouvé que les mesures coercitives qui leur ont été appliquées ont été efficaces (!). Toutes les personnes visées par le décret ont expliqué le désir unanime de travailler bénévolement à l'autostrade Belgrade-Zagreb jusqu'à l'achèvement de cet important objectif du plan quinquennal... Les amnistiés ont fait des discours exprimant leur dévouement à Tito, au Parti et au peuple et remerciant le parti communiste qui leur a permis de comprendre, etc (44). »

La conversion « spontanée » des opposants politiques est une vieille méthode des régimes policiers. Quant à l'« efficacité » des camps de travail forcé de M. Rankovitch, nous n'en avions jamais douté.

LA POLITIQUE ETRANGERE

Avant la rupture avec le bloc russe, la politique extérieure de la bureaucratie yougoslave présente peu de particularités. Les délégués yougoslaves sont les brillants seconds des délégués russes à l'O.N.U., l'aide accordée par la Yougoslavie aux partisans staliniens en Grèce est la principale base matérielle de la résistance de ceux-ci. La seule question particulière qui se pose pendant cette période est la « Fédération des Slaves du Sud », projet par lequel

les dirigeants titistes essaient d'annexer à leur État
la Macédoine grecque et la Bulgarie (45). A travers
cette extension de l'aire de leur domination, les
bureaucrates yougoslaves escomptaient un
renforcement qui leur permettrait de mieux résister
à l'emprise russe. Les réticences des bureaucrates
bulgares (bien que Dimitrov semble avoir été
partisan de cette Fédération) mais surtout le véto
russe ont empêché la réalisation du projet.

Après la rupture avec le Kominform, la politique
étrangère du gouvernement de Belgrade a été surtout
déterminée par le besoin de chercher des appuis
contre la pression russe. Ces appuis ne pouvaient
évidemment se trouver que du côté américain. Nous
analysons plus loin les facteurs qui permettent à la
bureaucratie yougoslave, aussi longtemps que dure
l'interlude pacifique actuel, de jouer sur l'équilibre
des forces existant dans le monde, et de jouir pour
ainsi dire de la protection américaine sans avoir à
la demander elle-même. Elle a dû, cependant, déjà
donner des gages à Washington : en fermant la
frontière aux partisans staliniens en Grèce, et en
privant ainsi ceux-ci de la seule aide matérielle
qu'ils pouvaient avoir, elle ne s'est pas simplement
protégée d'avance contre une éventuelle – et plus
ou moins chimérique – utilisation de ces partisans
par le Kremlin pour une incursion en Yougoslavie ;
elle a surtout donné une assurance aux Américains,
au moment où elle négociait des crédits avec eux,
sur sa rupture irrémédiable avec Moscou.

Mais l'aspect de la politique étrangère yougoslave
sur lequel nous voulons nous arrêter quelque temps,

parce qu'il jette une lumière définitive sur son caractère réactionnaire, c'est sa participation à l'O.N.U., plus exactement sa participation à la mystification des peuples à travers l'O.N.U., et sa conception des rapports internationaux en général. Ici aussi, il est préférable de laisser aux représentants authentiques du titisme la parole.

« Cette organisation (l'Organisation des Nations Unies), comme on sait, fut créée au cours de la phase finale de la guerre, afin que l'humanité ait la possibilité de sauvegarder et de renforcer la paix qu'elle avait gagnée... C'est précisément pourquoi l'Organisation des Nations Unies obtint dès les premiers jours de son existence, une autorité internationale et qu'elle suscita les espoirs sérieux de l'humanité pacifique quant aux perspectives de paix... Nous considérons que cette organisation, malgré ses grandes faiblesses, est tout de même utile et qu'elle peut servir comme un obstacle sérieux sur le chemin de ceux qui sont prêts à jeter l'humanité dans la catastrophe d'une nouvelle guerre mondiale pour satisfaire leurs buts égoïstes. C'est pourquoi la Yougoslavie reste fidèle à ses engagements d'État membre des Nations Unies, fidèle aux principes de la Charte, et c'est pourquoi elle contribuera également à l'avenir, par sa coopération active, au maintien et au développement de cette organisation (46). »

C'est ainsi que la bureaucratie yougoslave « coopère activement » à cette entreprise de mystification des peuples qu'est l'O.N.U., instrument de domination de quelques grands impérialismes sur l'immense majorité de la population de la terre et moyen d'endormir les travailleurs par des discours et des résolutions sur la « paix » et le « désarmement », jusqu'à la veille de la guerre (47).

Mais la bureaucratie yougoslave ne participe pas seulement à la nouvelle Sainte-Alliance ; elle n'essaie pas seulement d'en dorer le blason aux yeux des masses ; elle veut lui donner un caractère efficace. Témoins les articles suivants d'une « Déclaration des Droits et des Devoirs des États », proposée au vote de l'O.N.U. par les délégués yougoslaves en 1949 (48) :

Art. 12 : « Chaque État a le devoir de s'abstenir de provoquer, d'organiser, d'encourager ou d'aider les guerres civiles, les troubles, ou les actions terroristes sur le territoire d'un autre État, de même que *d'empêcher sur son territoire les activités visant à provoquer, organiser, encourager ou aider des guerres civiles, troubles ou actions terroristes dans d'autres Etats... »*

Art. 14 : « Chaque État a le devoir d'empêcher *ou de punir* toute activité *ou propagande* sur son territoire qui tendrait à... s'ingérer dans les affaires intérieures d'autres États. »

Si cette résolution de M. Kardelj était adoptée et effectivement appliquée, nous devrions être punis si nous écrivions par exemple : « Les mineurs américains ne doivent pas céder au chantage de Truman » ; c'est là « encourager des troubles dans un autre État ». Bien que l'utilité de cette résolution, pour les bureaucrates yougoslaves, se trouve en ce qu'elle condamne d'avance toute immixtion russe en Yougoslavie, sa portée objective est beaucoup plus grande. Elle prouve tout d'abord que la bureaucratie yougoslave tient avant tout autre chose à sa tranquillité en Yougoslavie même. Pour l'assurer, elle demande l'adoption d'une mesure qui n'empêcherait jamais les impérialistes d'intervenir dans un autre pays contre une révolution, mais qui leur fournirait, si elle était adoptée, une couverture juridique de plus pour sévir contre les organisations révolutionnaires de leur propre pays, sous prétexte qu'elles « s'immiscent dans les affaires intérieures d'autres pays ».

LA RUPTURE AVEC MOSCOU

Le facteur profond qui conduisit au conflit russo-yougoslave, l'opposition des intérêts des deux bureaucraties, se concrétisa surtout à travers trois éléments.

Tout d'abord, le projet yougoslave de la Fédération des Slaves du Sud, visant à l'extension de la domination yougoslave sur la Bulgarie et l'Albanie. Moscou ne pouvait supporter ni un relâchement de son contrôle direct sur l'économie balkanique, tel que l'aurait amené ce projet, ni le renforcement de la bureaucratie yougoslave, qui était déjà la plus forte parmi celles des pays satellites.

Ensuite, le plan quinquennal yougoslave, dont l'objectif essentiel est comme nous l'avons vu, l'accroissement du potentiel industriel et militaire du pays. Les déclarations de Tito à l'Assemblée fédérale en décembre 1948 font ressortir que Moscou n'a pas été favorable à ce plan d'industriälisation. Le maintien de la structure économique de la Yougoslavie d'avant-guerre, comme pays fournisseur de produits agricoles et de matières premières (minerais) à l'industrie russe et à celle des autres pays satellites (Tchécoslovaquie, Hongrie), telles semblent avoir été les exigences du Kremlin.

Enfin, les rapports économiques courants, concrétisés à travers les échanges commerciaux et la participation russe au « développement », c'est-à-dire l'exploitation de l'économie yougoslave, ont fourni un troisième motif du conflit. Les Yougoslaves ont été de moins en moins disposés à payer au Kremlin le tribut que versent les pays satellites par le truchement des traités de commerce et des « sociétés mixtes » à participation russe.

LA RUPTURE RUSSO-YOUGOSLAVE, EXPRESSION DES LUTTES INTERNES DE LA BUREAUCRATIE

C'est faire en vérité beaucoup d'honneur à Tito que de le considérer comme le seul dirigeant stalinien d'un pays satellite qui tint tête à Moscou. Son apparition en gros plan sur l'écran de l'actualité politique tend à masquer le fait que les émissaires directs de la bureaucratie russe ont abattu les membres des divers P.C. coupables ou suspects de « déviations nationalistes ». Faut-il citer Gomulka, Kostov, Rajk ? Faut-il recenser les épurations qui se succèdent depuis deux ans et à tous les échelons ? Bornons-nous à constater que certains staliniens ont appris à leurs dépens que la « ligne » passe toujours par Moscou, d'où viennent les solutions des questions économiques et politiques de chaque pays satellite.

De même que la domination de l'économie occidentale par le capitalisme américain n'implique pas la disparition de combats d'arrière-garde des bourgeoisies nationales, de même la sujétion des « démocraties populaires » à la Russie n'interdit pas, à l'étape présente, des velléités d'action autonome de fractions bureaucratiques. En ce sens, on peut dire que le stalinisme, dans sa marche vers la domination mondiale, porte le « titisme » dans ses flancs. Le rapport de forces entre ces fractions et la bureaucratie russe, lié à la conjoncture internationale (c'est-à-dire à l'évolution du rapport des forces entre les deux blocs), décide de l'issue des conflits dans les cas particuliers.

Il faut cependant préciser ces notions, car ce qui est impliqué dans la rupture russo-yougoslave est le problème des rapports entre États bureaucratiques, c'est-à-dire un aspect des plus importants de l'évolution de l'impérialisme dans la période actuelle.

Rappelons brièvement l'essentiel de l'analyse classique de l'impérialisme, telle qu'elle a été donnée par le léninisme. Le développement du capitalisme est dominé par la concentration du capital, qui rend nécessaire à la fois l'extension du marché et l'inclusion dans le cycle capitaliste de la production des matières premières. Dans le cadre du capitalisme concurrentiel, cette expansion se fait par l'amplification du terrain de domination capitaliste et par une division internationale croissante du travail. Lorsque cependant la concentration arrive à la phase de la domination des monopoles, les possibilités d'une expansion de ce genre tendent à s'épuiser. En effet, les monopoles créent pour eux-mêmes des « chasses gardées », aussi bien pour la production des matières premières que pour l'écoulement des produits finis. Dès lors, l'expansion de chaque unité capitaliste ne s'oppose plus seulement à celle des autres, comme dans la concurrence, mais y trouve un obstacle quasi absolu. Deux problèmes sont par là même posés, étroitement liés : quels seront les rapports entre les monopoles, ou entre les États dominés par les monopoles ? Quels sont dans cette période les moteurs qui obligent les monopoles à poursuivre une politique d'expansion, malgré l'extinction de la concurrence dans son sens classique ?

La théorie du super-impérialisme, adoptée par Kautsky, affirmait qu'il était possible pour les différents monopoles ou États monopoleurs de parvenir à une entente « pacifique », prenant la forme soit d'un partage à l'amiable des terrains de chasse, soit d'une unification pacifique du capital mondial.

La critique violente adressée par Lénine contre

cette conception ne contestait pas que cette possibilité existe dans l'abstrait ; en fait on pourrait ajouter que les cartels mondiaux, comme aussi les intervalles « pacifiques » pendant lesquels un partage du monde provisoire était accepté par les grands États impérialistes (49) sont des exemples de réalisation partielle de cette possibilité. Mais Lénine insistait à juste titre sur le fait que cette possibilité théorique ne pourrait jamais se réaliser à l'échelle générale et d'une manière permanente ; car la seule base concrète pouvant déterminer les modalités d'un tel partage du monde ou d'une telle fusion des fractions nationales du capital mondial est le rapport des forces entre les groupements capitalistes. Or, du fait du développement inégal des pays et des secteurs de l'économie capitaliste, de l'entrée en lice de nouveaux concurrents, etc., ce rapport des forces est en évolution constante. L'Allemagne par exemple, obligée par le rapport des forces existant en 1919 d'accepter le traité de Versailles, pouvait vingt ans plus tard contester le « partage » qui y était réalisé et tout remettre en question. Par conséquent, seule la force peut résoudre le problème posé par le fait que désormais l'expansion des uns ne pouvait se faire qu'au détriment des autres. D'où à la fois l'inéluctabilité des guerres dans le cadre du capitalisme des monopoles, le caractère impérialiste, c'est-à-dire réactionnaire, de ces guerres (pendant lesquelles il ne s'agit plus d'ouvrir des nouveaux champs d'expansion à la production capitaliste, mais d'augmenter les profits d'un groupe impérialiste aux dépens d'un autre) et l'attitude politique du défaitisme révolutionnaire.

Mais, pourrait-on se demander, pourquoi cette tendance du capital, et plus particulièrement du capital monopoleur, à l'expansion ? A cause, dit Lénine, de la nécessité où se trouvent les monopoles d'augmenter « leurs profits et leur puissance ». Ce qu'il faut voir dans cette réponse, ce ne sont pas des considérations psychologiques sur la « soif de profits » et la volonté de puissance de l'oligarchie financière, mais les nécessités mêmes de l'accumulation capitaliste, en définitive les contradictions insolubles du capital des monopoles. Ici une explication est nécessaire, car cette question est directement liée au problème qui nous occupe.

Les contradictions inhérentes à la production capitaliste sous toutes ses formes, sont à la fois intérieures et extérieures. Leur expression concrète évolue, mais leur contenu général reste le même pour toute la période capitaliste de l'histoire de l'humanité.

Si la production capitaliste n'était pas antagonique dans son essence la plus intime, si elle n'était pas basée sur l'exploitation, non seulement elle pourrait connaître une expansion sans limites, mais elle n'aurait pas besoin d'un terrain extérieur pour cette expansion. Inversement, pour un État capitaliste qui ne serait pas menacé par d'autres États, ses contradictions internes perdraient leur caractère explosif : un État capitaliste « isolé » pourrait se permettre – abstraction faite de la révolution – de stagner et de pourrir sur ses contradictions internes,

sans que son impossibilité de dominer complètement
la production lui crée une impasse absolue.

Mais c'est le contraire de ces deux hypothèses qui
est vrai dans la réalité. La lutte entre les monopoles
et les États impérialistes ne cesse pas, parce qu'en
définitive leurs profits – donc la base de leur
accumulation – sont des parts concurrentes qui
doivent être prises sur le même total du profit
ou de la plus-value mondiale. Mais cette lutte
rend l'accumulation indispensable, que celle-ci soit
orientée vers la production des moyens de
production ou celle des moyens de destruction. Par
là même les contradictions internes de chaque État
impérialiste prennent un caractère dynamique et
explosif, qu'elles s'expriment par des crises de
surproduction, la baisse du taux de profit ou la
crise de la productivité du travail. Sous une forme
ou sous une autre, la nécessité de sortir de cette
impasse conduit inéluctablement à la guerre.

La guerre est donc l'expression de la tendance
vers la concentration des forces productives, puisqu'elle résulte des contradictions nées de la division
et de l'opposition entre les différentes unités du
capital mondial. Mais elle est aussi et en même temps
un des moteurs – en fait, le moteur le plus puissant
– de cette concentration. Ceci sous une multitude
d'aspects, dont les plus importants sont : la fusion
nécessaire entre les divers secteurs de l'économie
d'abord, entre économie, politique et stratégie
ensuite, fusion dont la nécessité découle des
conditions techniques de la guerre moderne elle-

même ; l'élimination, à travers la guerre, de la soi-
disant « indépendance » de tous les pays et États
secondaires ; enfin, l'écrasement de vaincus, et le
besoin, pour consolider la victoire, de les soumettre
à une domination totale – ainsi d'ailleurs que les
« alliés » les plus faibles – pouvant aller jusqu'à
l'occupation militaire permanente de leurs pays.

Arrivée à ce stade, la lutte entre les molécules
du capital mondial devient donc à la fois plus âpre
et plus radicale que sous le régime de la concurrence.
Mais de même que la concurrence ne se prolonge
pas indéfiniment, mais aboutit à un premier palier
de concentration exprimé par le monopole, de même
la lutte violente entre groupements monopolistiques
et États impérialistes ne peut pas se prolonger
indéfiniment sous de nouvelles formes qui ne feraient
que répéter le contenu précédent ; elle se situe
chaque fois sur un plan plus élevé du point de
vue de la concentration. Ainsi, la première guerre
impérialiste a rompu l'équilibre relatif existant
précédemment entre les puissances ou les coalitions
de puissances impérialistes, et le nouveau « partage »
du monde formulé dans le traité de Versailles
a signifié en fait l'exclusion des vaincus de tout
partage ; les colonies et les sphères d'influence des
Empires centraux étaient annexées par les puissances
de l'Entente. Du moins, les vainqueurs avaient-ils
laissé après cette victoire les vaincus relativement
« libres et indépendants » chez eux.

Dans la deuxième guerre impérialiste, ce qui était
impliqué n'était plus le simple « re-partage » des
colonies : les territoires métropolitains et l'existence

politique « indépendante » des grands pays impérialistes eux-mêmes étaient en question. L'« Europe » hitlérienne fut la première ébauche de ce que la victoire des Alliés russo-américains allait réaliser : la domination directe des vainqueurs sur les pays vaincus sous tous les aspects, politiques, économiques, idéologiques.

L'objectif de la troisième et dernière (50) guerre impérialiste, qui se prépare actuellement, sera si l'on veut le même que celui de la deuxième guerre, mais cette fois-ci à l'échelle universelle : dans l'hypothèse d'un échec de la révolution, la guerre ne saurait s'achever autrement que par la domination mondiale totale d'un seul État.

Ce qui serait, si l'on veut, le « super-impérialisme », avec cette différence, qu'il n'aurait été réalisé que par l'élimination des impérialismes les plus faibles à travers les étapes successives d'une lutte violente. La mystification contenue dans la conception de Kautsky sur le « super-impérialisme » était l'idée de la possibilité d'une entente pacifique, d'un partage stable du monde à l'amiable entre les États impérialistes. Lénine affirmait qu'une telle entente pacifique était impossible, et l'histoire a prouvé qu'il avait raison. Mais il se trompait en pensant que les rapports de force entre États impérialistes seraient constamment et éternellement changeants, et que donc, jusqu'à la victoire de la révolution, les guerres impérialistes se succèderaient les unes aux autres sans qu'il soit changé autre chose que le nom des vainqueurs et des vaincus. De même qu'à travers la concurrence aboutissant à la concentration s'affirme la suprématie définitive d'un groupement capitaliste sur les autres – et cette suprématie implique un tel rapport de force, qu'il est de plus en plus difficile de la remettre en question –, de même à travers les guerres se réalise une concentration internationale aboutissant à une accumulation de force telle que des « modifications » ultérieures du rapport des forces deviennent quasi impossibles. En 1913, ou même en 1921, abstraction faite de la comptabilité des objectifs économiques et politiques, plusieurs combinaisons militaro-politiques étaient possibles : États-Unis, Angleterre, France, Italie, Allemagne, Japon pouvaient s'allier de plusieurs manières mais toujours de sorte que sur le plan « technique » de la guerre il en sorte deux – ou plusieurs – coalitions viables. Le changement de place d'un des alliés ou même d'États secondaires, dans ces combinaisons, pouvait modifier le rapport de force fondamental. Aujourd'hui, il n'y a qu'une seule force pouvant résister aux États-Unis, c'est la Russie. Jamais les autres pays capitalistes ne pourraient se coaliser contre les États-Unis tout seuls : le rapport des forces est devenu trop écrasant. De quelle « modification du rapport des forces » au sein du monde occidental peut-on parler, lorsque la France ne peut équiper dix divisions qu'avec les surplus américains, qu'elle ne peut même pas payer ? A cela s'ajoute qu'une telle coalition est exclue d'avance non seulement à cause des intérêts économiques, mais à cause du contrôle préalable exercé par les deux grands impérialismes, américain et russe, sur les États de leur zône. Enfin, il ne faut pas oublier l'importance de la monopolisation à 95 % des techniques militaires décisives et des possibilités économiques qui en forment la base par les États-Unis et la Russie.

Si l'on admet ainsi que le développement du capitalisme ne s'arrête pas à la phase monopolistique, et que la concentration se développe vers une phase supérieure caractérisée par la fusion du capital et de l'État à l'échelle nationale, par la domination mondiale d'un seul État à l'échelle internationale, la question des rapports entre États dans la période actuelle, comme aussi la question dite « nationale » se posent sous un angle différent qu'en 1915. Nous allons envisager rapidement les grandes lignes de cette transformation, pour insister surtout sur les rapports entre États bureaucratiques pour lesquels l'évolution depuis 1945, et singulièrement le conflit russo-yougoslave, offrent un riche matériel d'investigation.

1° Dans la période actuelle, le développement économique des pays coloniaux traditionnels et l'entrée des masses coloniales en action entraînent une modification des formes de domination impérialiste sur les pays arriérés et secondaires. La forme coloniale traditionnelle tend à être dépassée et remplacée par la constitution des derniers États « nationaux ». Sur le plan social, ce processus s'accompagne d'un relatif renforcement de la bourgeoisie locale ou de l'apparition d'une bureaucratie « nationale ». Mais en réalité, cette « indépendance » formelle ne signifie qu'un accroissement de la dépendance par rapport à l'impérialisme dominant ; la vraie portée du

phénomène ne peut être comprise que lorsqu'on
voit que les pays antérieurement « indépendants »,
y compris les puissances impérialistes coloniales
tombent eux-mêmes dans la dépendance par rapport
à l'impérialisme américain. Bien qu'une stratification
très complexe dans la structure des rapports
internationaux se fasse jour, dans laquelle toutes les
formes intermédiaires existent (les rapports entre les
États-Unis et l'Angleterre, d'une part, cette dernière
et le Nigéria par exemple, d'autre part, offrent deux
cas-limites de ces rapports), ces différences tendent
de plus en plus à s'amenuiser et à être subordonnées
à l'opposition fondamentale entre un État
impérialiste dominant et la masse des pays vassalisés
sous une forme ou sous une autre. Comme dans
tous les domaines, l'expression la plus pure du
phénomène se trouve dans la zone bureaucratique,
dans la domination absolue de la Russie sur ses
satellites ;

2° L'exploitation par l'exportation des capitaux
tend à être remplacée par l'exploitation directe. La
raison en est que les facteurs de crise à long terme
de l'économie capitaliste, exprimés dans la baisse
du taux de profit, commencent à prendre le pas
sur les facteurs de crise à court terme (crises de
surproduction). La pléthore relative de capitaux de
la période précédente fait place à une pénurie
relative de capitaux, dont la raison est que l'ampleur
limitée du surproduit, miné par la crise de la
productivité du travail, est incapable de faire face
à la fois à la consommation improductive des classes
exploiteuses, et aux besoins énormes d'accumulation

créés par la technique moderne. A l'unique exception
des États-Unis (et là encore, il faudra faire de
multiples réserves), les autres pays impérialistes sont
non seulement dans l'impossibilité matérielle
d'exporter des capitaux, mais même de résoudre
les problèmes de leur propre accumulation.
L'exploitation des pays secondaires prend donc de
moins en moins la forme indirecte de profits retirés
d'investissements et de plus en plus la forme directe
de prélèvements sans contrepartie par l'impérialisme
dominant (51) de valeurs produites sur place.

Ces considérations générales nous offrent une base
pour résoudre le cas particulier des rapports entre
la Russie et ses États satellites. Il serait complètement
faux d'identifier ces rapports à des rapports
coloniaux classiques. Ce n'est pas de la forme
juridique de cette dépendance que nous voulons
parler ici – de ce point de vue, ces pays sont restés
« indépendants » – mais du contenu économique.
L'exploitation de ces régions ne se fait pas par
l'« exportation de capitaux russes », mais
essentiellement par un « tribut » levé par la Russie,
sous un truchement ou un autre, sur la production
locale. Les satellites ne servent pas de « débouchés »
à une surproduction russe qui n'existe pas, mais
leur production est dirigée vers le colmatage des
trous de l'économie bureaucratique russe, en sous-
production chronique par rapport à ses besoins.
Si nous pouvons utiliser le terme d'« impérialisme
bureaucratique », comme exprimant la nécessité
d'expansion pour le capital d'État, et en soulignant
les différences qui l'opposent à l'impérialisme du

capital financier, c'est uniquement dans la mesure
où les rapports de production en Russie sont des
rapports d'exploitation, exprimant la forme la plus
développée de la domination du capital sur le travail,
donc dans la mesure où les contradictions propres
du régime bureaucratique – et fondamentalement
son incapacité à résoudre le problème du
développement d'une production basée sur
l'exploitation intense des producteurs – l'amènent
nécessairement à rechercher une issue à ces
contradictions sur le plan mondial. La forme et
le contenu de cette domination d'un impérialisme
bureaucratique sur les pays satellites sont déterminés
fondamentalement par sa propre structure
économique. Dans ce sens il devient clair que la
contradiction économique fondamentale du
capitalisme bureaucratique s'exprimant par la
sous-production relative (et non pas par la surproduction relative), celui-ci est amené à rechercher non pas des débouchés, mais des pays à
spolier. D'autre part, l'étatisation et la planification
de l'économie du pays dominant impliquent une
transformation analogue dans l'économie des pays
dominés. La pénétration du capital dans les pays
arriérés entraîne la dislocation des rapports
précapitalistes, la domination impérialiste dans ces
pays ne pouvant exister que dans la mesure où des
rapports capitalistes s'y substituent graduellement
aux rapports féodaux, ce qui d'ailleurs amène, en
retour, une opposition croissante entre la nouvelle
bourgeoisie locale ainsi développée et le capitalisme
métropolitain. De même, la domination de

l'impérialisme bureaucratique sur d'autres pays entraîne nécessairement l'éviction des rapports bourgeois traditionnels et la création d'autres rapports, exprimés par l'étatisation et la planification, seules formes économiques compatibles avec cette domination. Dans ce sens, ce que l'on a appelé l'assimilation structurelle (et qui ne signifie pas l'absorption juridique pure et simple) des pays de l'Est européen par la Russie, c'est-à-dire la transformation de leur structure économique dans le sens des structures prévalant en Russie, était pour la bureaucratie russe en premier lieu une nécessité économique, indépendamment, si l'on peut dire, des nécessités politiques et du développement propre de ces pays. Sans cette transformation, l'exploitation normale et permanente de ces pays par Moscou eût été impossible. En revanche, cette transformation et cette exploitation entraînent l'apparition de nouvelles contradictions, dont la crise russo-yougoslave fut jus-qu'ici l'expression la plus claire.

Ces contradictions s'expriment par la lutte, latente ou ouverte, entre les différentes bureaucraties nationales, et principalement entre la bureaucratie russe et les bureaucraties des pays satellites.

En raisonnant abstraitement, on pourrait dire que, de même que la concentration du capital au sein de la concurrence s'accompagne de la tendance contraire vers la « diffusion » du capital, de même que la concentration internationale de l'économie et du pouvoir se développe parallèlement à des forces qui s'y opposent, de même que ces forces centrifuges, sur le plan d'une économie nationale ou de l'économie mondiale, peuvent prendre temporairement le dessus (la loi de la concentration ne signifiant que la prépondérance à la longue de la tendance centralisatrice sur la tendance contraire), de même, le passage du capitalisme à sa phase étatique-bureaucratique ne signifie pas sur le plan international la disparition immédiate des forces et des tendances centrifuges, mais leur défaite dans une longue perpective. L'essentiel de ce raisonnement est sans doute correct, mais il doit être concrétisé dans les conditions actuelles. L'apparition du capitalisme bureaucratique ne se situe pas à un moment quelconque de l'histoire du capitalisme, mais au moment précis où la concentration internationale a atteint son avant-dernier palier, par la division du monde en deux blocs, et où se prépare la lutte suprême entre groupements d'exploiteurs pour la domination mondiale. Il serait par conséquent complètement faux de s'attendre à une transformation d'abord de tous les pays en pays étatistes-bureaucratiques, après quoi la lutte entre ces bureaucraties conduirait à une concentration mondiale. L'époque est trop avancée pour qu'une telle évolution puisse avoir lieu. Les deux processus – la concentration sur le plan national, exprimée par l'étatisation, et la concentration sur le plan mondial, exprimée dans la lutte pour la domination mondiale – se déroulent parallèlement, dans une rigoureuse interdépendance.

Par conséquent, des phénomènes comme la révolte ou les tentatives de révolte des bureaucraties nationales contre la bureaucratie dominante – en l'espèce, la bureaucratie russe – sont des manifestations naturelles et organiques de la constitution de la bureaucratie en classe dans tel ou tel pays, mais ne peuvent avoir une réalisation qu'exceptionnellement et sont condamnées de plus en plus à rester à l'état de pures velléités ou de sourdes frictions de coulisse.

Mais ces considérations resteraient encore partielles et abstraites si on ne les reliait pas à la question de la nature de la bureaucratie en tant que classe. La bourgeoisie est née et s'est développée en tant que classe sur le plan national ; c'est par la constitution de la nation moderne qu'elle a trouvé son premier « espace vital », c'est au cadre national qu'elle est obligée de revenir lorsque sa crise devenue trop aiguë l'expulse du marché mondial. L'évolution qui pousse quelques-unes et en définitive une seule bourgeoisie à la domination mondiale s'accompagne de profondes modifications de sa propre structure économique et sociale, de sorte que l'on peut dire qu'en parvenant à la domination mondiale, la bourgeoisie se sera dépassée elle-même en tant que classe (52). En revanche pour la bureaucratie la nation n'est qu'un cadre formel, sans contenu véritable. Son économie n'est pas basée sur les échanges commerciaux avec d'autres nations, intégrées toutes par la division du travail au sein d'un marché international, mais sur l'unification autoritaire de toutes les unités bureaucratiques sous le commandement central d'une bureaucratie dominante. D'autre part, son accession au pouvoir, loin d'être un phénomène « purement » économique – à supposer que de tels phénomènes aient jamais existé – est matériellement inséparable d'une lutte politique et idéologique qui se mène sur le plan mondial, et d'un rapport de force existant sur ce même plan mondial. Elle est donc (par essence, et en opposition avec la bourgeoisie traditionnelle) classe internationale avant même d'être classe dominante dans le cadre « national ». Détachée de ce système bureaucratique international, seuls des facteurs conjoncturels peuvent la faire survivre. Ainsi, par exemple, la lutte russo-yougoslave eût été dénouée dans les vingt-quatre heures en l'absence d'une conjoncture internationale qui interdisait aux U.S.A. de rester indifférents face à une occupation russe de la Yougoslavie.

Résumons-nous :

La domination de la bureaucratie russe sur ses pays satellites découle des nécessités propres du régime d'exploitation en Russie. La crise du capitalisme bureaucratique, résultant de la crise de la productivité du travail, se manifestant comme crise chronique de sous-production relative, les pays satellites ne sont pas « colonisés » par la Russie dans le sens qu'ils ne lui servent pas de terrain d'exportation de capital ou même de débouchés d'écoulement de la surproduction ; ils servent la bureaucratie par le prélèvement direct de valeurs qu'elle y opère sous une forme ou sous une autre. Pour ces pays, l'exploitation de la bureaucratie russe s'ajoute donc à celle exercée par la bureaucratie

« nationale ». La lutte pour le partage du produit de l'exploitation de ces pays est à l'origine des conflits ouverts ou latents entre cette dernière et la bureaucratie russe. Dans la mesure où la domination internationale de la bureaucratie ne peut que se concrétiser à l'échelle locale ou nationale par le pouvoir particulier d'une bureaucratie déterminée, ces luttes, de même que les conflits entre différentes fractions d'une bureaucratie nationale, sont inhérentes à la nature même du capitalisme bureaucratique et existeront par conséquent aussi longtemps que le système d'exploitation qui les engendre. Cependant, elles pourront prendre de moins en moins la forme ouverte de conflit entre « États », et déjà à l'époque actuelle cette forme ne se réalise qu'exceptionnellement. La raison en est l'interdépendance directe des secteurs (technico-économiques ou géographiques) d'un système bureaucratique, qui trouve son parallèle dans la domination directe de la bureaucratie centrale sur les bureaucraties périphériques, et l'étape avancée à laquelle se trouve le processus de concentration internationale du capital, impliquant un rapport de forces qui confère une suprématie écrasante au pôle dominateur (en l'occurence, la Russie), par rapport aux unités secondaires (les États satellites) (53).

Le fond de la crise russo-yougoslave est donc à chercher dans la lutte typiquement interbureaucratique pour le partage du produit de l'exploitation. Ce que ce conflit présente de particulier dans le cas concret, c'est qu'une série de raisons conjoncturelles ont fait de la bureaucratie yougoslave (et non pas d'une autre bureaucratie vassale) le pionnier solitaire de la révolte jusqu'à la rupture politique la plus tranchée. Ces raisons conjoncturelles concernent à la fois les caractéristiques propres de la bureaucratie yougoslave et la situation internationale. Leur analyse détaillée ne présente qu'un intérêt secondaire. Rappelons simplement que parmi toutes les bureaucraties des pays satellites, la bureaucratie yougoslave a été la seule à s'être emparée du pouvoir presque exclusivement par sa propre action, donc à disposer à l'intérieur même de son pays d'une force autonome et authentique et à avoir évité, jusqu'en 1948, le contrôle russe sur le plan policier, militaire et économique. D'autre part, seule la division du monde en deux blocs, l'équilibre relatif des forces entre ces deux blocs et la position géographique de la Yougoslavie aux confins des deux mondes ont permis au titisme sinon de se manifester, tout au moins d'exister jusqu'à ce jour sans être rapidement écrasé. Mais le jeu d'équilibre, auquel se livre la bureaucratie yougoslave entre les deux colosses en présence, a une limite historique bien précise, l'explosion de la troisième guerre mondiale (g).

L'IDEOLOGIE DU TITISME

Le caractère réactionnaire de la bureaucratie yougoslave et de la lutte qu'elle mène pour le droit des peuples à être exploités par leur propre classe dominante, se reflète directement dans l'attirail idéologique qu'elle s'est créé pour justifier et fortifier aux yeux des travailleurs yougoslaves sa position. Créée de toutes pièces, étape après étape, pour les besoins de la cause, cette parure idéologique n'en livre que plus facilement son contenu mystificateur.

Il est impossible de se livrer à une critique exhaustive des élucubrations plates qui forment le plus clair du « marxisme » à la sauce titiste. Nous avons eu déjà l'occasion de parler de certaines manifestations du titisme dans ce domaine, en ce qui concerne le stakhanovisme, par exemple, ou la politique yougoslave à l'O.N.U. Ici, nous voulons seulement résumer les principaux aspects réactionnaires de cette idéologie; nous nous étendrons davantage sur la critique d'un de ses produits, la théorie du commerce extérieur de M. Popovic, dans laquelle se concrétise avec une évidence particulière le caractère réactionnaire du nationalisme bureaucratique.

Le titisme n'est qu'une forme particulière du bureaucratisme stalinien, profondément identique à celui-ci et ne s'y opposant que dans la mesure exacte où peuvent s'opposer les intérêts d'une bureaucratie subordonnée à ceux d'une bureaucratie dominante plus forte. D'une manière analogue, l'idéologie titiste n'est au fond que l'idéologie stalinienne, amendée uniquement sur les points qui opposent Belgrade à Moscou, de manière à justifier la résistance titiste.

La base économique des deux sociétés, les

fondements du pouvoir de la bureaucratie en Russie comme en Yougoslavie, sont essentiellement les mêmes : l'exploitation du prolétariat et de la paysannerie sous la forme de la propriété et de la gestion de l'économie par l'Etat, Etat qui n'est que la bureaucratie elle-même constituée en classe dominante. Sur le plan idéologique, la mystification des masses inhérente à cette exploitation se fait par la présentation de l'étatisation comme identique au socialisme et du pouvoir de la bureaucratie comme identique au pouvoir du « peuple ».

Rien de particulier ne distingue sur ce plan la bureaucratie yougoslave de la bureaucratie russe. Tous les Etats dans lesquels les partis staliniens détiennent le pouvoir sont indistinctement qualifiés de « socialistes » par les dirigeants titistes. Pour apprécier le véritable contenu qu'ils donnent à ce terme, le passage suivant d'un discours de Tito est d'une aide considérable :

« Le problème des rapports de la Yougoslavie avec les autres pays qui avancent vers le socialisme ne sera résolu que le jour où la Yougoslavie, *ayant réalisé le plan de cinq ans et achevé la construction du socialisme,* aura amélioré les conditions de vie de ses populations dans le cadre d'une économie socialiste (54). »

Le sens politique de cette phrase est suffisamment clair. « Le problème des rapports de la Yougoslavie avec les autres pays qui avancent vers le socialisme », c'est-à-dire les questions qui doivent être réglées entre les bureaucraties dominantes des pays de la zone russe, « sera résolu le jour où la Yougoslavie aura réalisé le plan de cinq ans », c'est-à-dire le jour, où étant plus forts parce qu'ayant une industrie solide, nous pourrons discuter avec vous sur des bases différentes. L'« achèvement de la construction du socialisme » est considéré ici comme équivalent à la « réalisation du plan de cinq ans » et pour cause: car pour la bureaucratie, socialisme veut dire industrialisation plus étatisation.

La Yougoslavie va donc « construire le socialisme » (c'est-à-dire s'industrialiser). Mais va-t-elle le construire toute seule? Il ne faut pas oublier que la réponse que la bureaucratie stalinienne donnait il y a vingt-cinq ans au problème du « socialisme dans un seul pays » a subi une évolution significative dans la période actuelle. Les idéologues staliniens ne mettent plus du tout l'accent sur la « possibilité de construire le socialisme dans un pays pris séparément »; laissant entendre que cette possibilité a existé par le passé pour la Russie, à cause de circonstances particulières (étendue et richesses du pays, etc.), ils insistent sur le fait qu'actuellement aucune des « démocraties populaires » ne saurait édifier toute seule le socialisme, et particulièrement sans l'aide de la Russie. Cette évolution correspond à la transformation de la situation historique réelle de la bureaucratie russe; de bureaucratie isolée au milieu du monde bourgeois, qui avait donc besoin d'une « théorie » pouvant à la fois justifier son pouvoir et entraîner le prolétariat russe à se laisser exploiter (« on ne mange pas, mais on construit le socialisme »), elle est devenue puissance mondiale, dominant et exploitant un groupe de pays, devant donc présenter une explication et une justification de l'asservissement auquel elle les soumet. La théorie du « rôle historique de l'Armée rouge dans la libération de l'Europe et l'instauration des démocraties populaires », et de l'impossibilité pour ces pays de « construire le socialisme sans l'aide de l'U.R.S.S. » sont la couverture idéologique de cet asservissement.

Les bureaucrates yougoslaves soutenaient naturellement cette conception à fond jusqu'en 1948. Ils y ont même persisté pendant la première période qui a suivi leur rupture avec Moscou. Ainsi la *Borba* du 5 juillet 1948, après avoir expliqué qu'il n'y a pas de « troisième camp », entre l'U.R.S.S. et l'impérialisme, que l'on ne peut pas mettre l'U.R.S.S., « Etat socialiste », dans le même sac que les Etats impérialistes (« ceci conduirait directement vers l'impérialisme » ajoute innocemment la *Borba*), affirme que l'U.R.S.S. ne peut pas abandonner la Yougoslavie, et que « l'édification du socialisme en Yougoslavie est possible parce que l'U.R.S.S. nous aide et nous aidera » ; autrement, dit le journal de Tito, « on ne sait ce qui se passera et d'ailleurs le problème n'a pas d'intérêt » (!) (55).

Ce n'est que trois mois plus tard, dans un article où elle nie toute liaison entre Tito et Gomulka et condamne les erreurs de celui-ci, que la *Borba* affirme timidement qu'il est « faux qu'une démocratie populaire ne puisse survivre si elle est séparée du Front Démocratique (56). »

Enfin, en décembre 1948, dans son discours devant le Congrès du P.C. croate (Congrès qui a proclamé

« la fidélité de la Yougoslavie à l'U.R.S.S. et au camp anti-impérialiste »), Tito a affirmé la possibilité « pour un seul pays pris séparément de construire le socialisme », thèse qui deviendra dorénavant l'idéologie officielle de la bureaucratie de Belgrade.

Nous allons maintenant pouvoir cueillir les fruits de cette conception, tels qu'ils sont épanouis par les soins de M. Popovic, ministre du Commerce extérieur de Yougoslavie.

LA THEORIE DU COMMERCE EXTERIEUR DE M. POPOVIC

La brochure de M. Popovic sur le commerce extérieur (57) est intéressante en tant qu'elle indique le mécanisme de mystification utilisé par la bureaucratie yougoslave, et qu'elle montre avec évidence le caractère profondément réactionnaire de l'idéologie titiste.

Le fond de la question se réduit à une chose connue depuis longtemps et qui n'a pas besoin des sauces « théoriques » de Popovic pour être comprise pour ce qu'elle est: l'exploitation des démocraties populaires par la Russie. Cette exploitation se fait par deux procédés: d'une part les « sociétés mixtes » (la Russie forme avec le pays donné une société mixte pour l'exploitation de telle richesse naturelle ou de telle activité économique; la contribution réelle de la Russie est inférieure à la moitié, et parfois pratiquement nulle; en revanche la Russie a toujours 50 p. 100 du profit); d'autre part, les traités de commerce par lesquels elle impose à ses satellites l'achat de ses produits à un prix supérieur au prix mondial, ou la vente des leurs à un prix inférieur à celui-ci. Après le pillage (ouvert ou camouflé sous le couvert des « biens allemands ») des Etats satellites pendant la période 1944-1947, ces deux procédés deviennent le mode permanent d'exploitation des pays secondaires par la Russie dans le cadre du système bureaucratique.

La réaction de la bureaucratie yougoslave face à cette exploitation fut, on le sait, une des causes déterminantes de la rupture entre la Yougoslavie et la Russie. Popovic aurait offert une contribution modeste mais réelle à la compréhension de l'histoire contemporaine en exposant sérieusement et précisément les cas concrets les plus caractéristiques où s'est manifesté cette exploitation. Malheureusement il n'en donne que peu d'exemples, et ces exemples eux-mêmes sont insuffisamment définis. En revanche, il s'adonne à de longs développements « théoriques » sur la question du commerce extérieur qui, lorsqu'ils ne sont pas d'une platitude sans pareille, sont d'une absurdité criante.

Le contenu de la brochure de Popovic peut être résumé par le raisonnement suivant: il y a actuellement un « système socialiste mondial », composé de plusieurs Etats « socialistes indépendants » (c'est-à-dire en réalité capitalistes bureaucratiques) comme l'U.R.S.S., les Etats socialistes de l'Est européen et, tôt ou tard, la Chine. Le problème de l'édification du socialisme se présente sous deux aspects : « édification du socialisme dans les limites de chacun de ces Etats », et « édification entre ceux-ci de rapports socialistes... marquant une rupture décisive avec les anciennes formes de relations capitalistes entre Etats et l'établissement de rapports nouveaux basés sur l'égalité socialiste en fait et en droit » (58). Or, dit longuement Popovic, ces rapports nouveaux ne doivent pas être des rapports basés sur la loi de la valeur, c'est-à-dire ne doivent pas être des rapports capitalistes. (On nous accusera à peine d'exagération si nous remarquons que cette importante vérité, selon laquelle les rapports socialistes ne sont pas des rapports capitalistes, avait été entrevue par certains auteurs avant l'apparition du théoricien Popovic). Les rapports entre Etats basés sur la loi de la valeur aboutissent à des échanges de valeurs non équivalentes, et, plus généralement, permettent aux pays plus évolués de s'approprier une partie de la plus-value mondiale produite par d'autres. Ceci d'une part à cause du développement plus grand de la productivité dans les pays évolués et de la péréquation du taux de profit, d'autre part à cause du fait que les pays évolués sont essentiellement vendeurs de produits finis et acheteurs de matières premières et de produits agricoles. L'exploitation des pays arriérés qui en résulte est renforcée dans la période actuelle par l'apparition des monopoles qui réalisent des super-bénéfices à leurs dépens.

Supposons que dans un pays industriel développé A, la production de l'unité d'une marchandise nécessite une dépense de 60 unités de travail mort ou passé (capital constant: machines, matières premières), et de 40 unités de travail actuel ou vivant, dont 20 unités de travail payé (capital variable: achat de la force de travail) et 20 de travail non payé (plus-value). Supposons également que dans un pays moins développé B, où par conséquent on emploie moins de machines et plus de travail actuel, la production de cette unité exige 50 unités de travail mort et 60 de travail vivant (réparties en 30 de travail payé et 30 de travail non payé). L'unité de la marchandise produite en A aura une valeur de 100 (60 + 20 + 20) ; celle produite en B, une valeur de 110 (50 + 30 + 30). Mais sur le marché mondial il y a en principe un prix unique pour chaque produit. Ce prix unique sera, dans notre exemple (en supposant que seuls les pays A et B produisent la marchandise en question, et que les volumes de leur production soient égaux), de 105; par conséquent, les capitalistes de A réaliseront un profit de 25, supérieur à la plus-value qu'ils ont extraite des ouvriers de ce pays, tandis que les capitalistes de B réaliseront un profit (de 25 également) inférieur à « leur » plus-value. Le mécanisme qui est à la base de ce phénomène (et dans l'analyse duquel nous ne pouvons pas entrer ici) a été appelé par Marx péréquation du taux de profit (ou formation d'un taux de profit moyen); il s'exprime par le fait que des capitaux de composition organique différente rapportent non pas un profit égal à la plus-value réellement produite dans l'entreprise, la branche ou le pays dans lequel chacun se trouve placé, mais un profit moyen calculé sur la base du rapport de la plus-value sociale (ou mondiale), totale au capital social (ou mondial) total. Ainsi, si le total du capital mondial dépensé en une année dans la production est de 500 milliards de dollars, dont 250 se trouvent aux Etats-Unis, et si la plus-value mondiale extraite aux ouvriers est de 100 milliards de dollars, le taux moyen de profit sera de 20 % $\frac{(100)}{(500)}$ et les capitalistes américains réaliseront un profit de $\frac{(20 \times 250)}{(100)}$ = 50 milliards de dollars, même si la plus-value réellement extraite aux ouvriers américains n'est, par exemple, que de 30 milliards. Ils absorbent ainsi 20 milliards en plus de « leur » plus-value, et ces 20 milliards seront la partie de la plus-value que les exploiteurs des autres pays ont extraite à leurs ouvriers et qu'ils ne peuvent pas s'approprier parce qu'elle dépasse le taux moyen de profit.

La somme du capital dépensé dans la production d'une marchandise et du profit moyen correspondant forme le prix de production de la marchandise en question. C'est autour de ce prix de production, et non pas autour de la valeur de la marchandise (capital + plus-value) qu'oscillent, en fonction de l'offre et de la demande, les prix réels du marché. Tout ceci vaut bien entendu dans le cadre du capitalisme concurrentiel. L'apparition des monopoles, la dislocation du marché mondial et l'étatisation croissante apportent à cette loi des modifications profondes que nous ne pouvons pas examiner ici.

Par conséquent, les pays moins développés, où la composition organique du capital est plus basse, sont exploités par les autres, et ceci par le mécanisme de péréquation du taux du profit, même s'ils ne commercent pas directement avec ceux-ci. Enfin, dit Popovic, dans la mesure où les « Etats socialistes indépendants » entretiennent entre eux des rapports d'échange sur une base capitaliste, c'est-à-dire échangent leurs marchandises d'après les prix qui prévalent sur le marché mondial, le même phénomène s'y produit, c'est-à-dire que les pays les plus développés absorbent une partie de la plus-value produite dans les pays les moins développés; par là même le « fonds d'accumulation socialiste » de ces derniers est réduit et ils sont exploités par les autres. Ceci est injuste et profondément immoral, s'écrie Popovic, il nous faut des rapports économiques justes, « basés sur l'égalité ». Et de proposer en exemple la manière dont la Yougoslavie avait réglé sur une base « socialiste » ses rapports avec l'Albanie, qui évitait à cette dernière l'exploitation.

Nous reviendrons par la suite sur cette dernière question. Voyons pour l'instant ce que signifie le raisonnement de Popovic que nous venons de résumer en quelques lignes (et qui tient, au milieu de banalités et d'exercices oratoires de toute sorte, une cinquantaine de pages de son illisible brochure).

Nous ne nous arrêterons pas au mensonge qui consiste à qualifier la Russie et ses pays satellites de « pays socialistes »; il n'y a là rien que de très naturel de la part d'un bureaucrate stalinien, et il est de plus évident que pour lui cette dénomination signifie: « pays où les partis staliniens sont au pouvoir ». Cependant, notons en passant que ce que Popovic entend par socialisme se comprend quand on voit que pour lui le fait qu'un pays socialiste puisse en exploiter un autre est très mauvais certes – surtout pour ce dernier – mais n'est nullement incompatible avec son caractère socialiste. Sur la base de la « conception » popovicienne, il serait parfaitement possible que la terre soit couverte de pays « socialistes » qui passent leur temps à s'exploiter mutuellement. C'est une chose qu'il serait bon et juste d'éviter, mais il n'y a là aucune impossibilité, ni économique, ni autre. L'idée ne vient même pas à ce mystificateur que des rapports d'exploitation à l'extérieur présupposent et impliquent des rapports d'exploitation à l'intérieur (59).

Mais dans la mesure où l'on peut sérieusement parler de la conception de Popovic, il faut commencer par voir que sa *base de départ* est déjà implicitement fausse et réactionnaire. Envisager comme séparés ces deux problèmes: *a*) édification du socialisme dans chaque pays, *b*) rapports « socialistes » entre ces « pays socialistes indépendants », là où il s'agit d'un et du même problème, n'est pas seulement une absurdité théorique, mais traduit pleinement le caractère bureaucratique réactionnaire de l'idéologie titiste. L'édification du socialisme dans un pays est une absurdité, une contradiction dans les termes. Le socialisme et sa construction ne sont concevables, déjà du point de vue matériel et technique, qu'à l'échelle mondiale. Mais Tito est allé plus loin que Staline dans ce sens. Celui-ci argumentait de la manière suivante: il est plus difficile pour la Russie de construire le socialisme étant isolée que si la Révolution avait vaincu en Europe. Cependant, même isolée, la Russie peut construire le socialisme, surtout étant donné les conditions naturelles qu'elle réunit (étendue, population, richesses naturelles, etc.). L'argument ne vaut évidemment pas lourd, il est cependant dans sa forme mois stupide et moins réactionnaire que l'idéologie titiste. Celle-ci revient à affirmer: même s'il y a plusieurs pays socialistes – ou si tous les pays sont socialistes – chacun de ces pays doit édifier le socialisme « indépendamment » des autres. Du « socialisme dans un seul pays », théorie « exceptionnaliste » de la bureaucratie russe, nous en sommes arrivés à un « socialisme dans chaque pays pris séparément », idéologie naturelle et organique de toute bureaucratie nationale. Popovic ne peut évidemment pas dire que ces pays « socialistes » s'ignorent les uns les autres. Au contraire, comme on l'a vu. Mais au lieu de partir de l'affirmation de l'unité de l'économie mondiale et du socialisme mondial, on commence par affirmer l'« indépendance » des pays socialistes, le fait que chacun « commence » à édifier le socialisme chez soi.

Mais l'unité de l'économie mondiale est une réalité trop puissante. Les relations économiques entre le fameux « Etat socialiste indépendant » et le monde sont une question de vie ou de mort. C'est alors que Popovic nous présente sa théorie des « rapports socialistes » ou « égalitaires » entre les pays socialistes indépendants. Ces rapports doivent être basés sur l'« égalité ». Mais quelle égalité ?

Cette égalité ou bien ne signifie rien du tout, ou bien est une plate et réactionnaire utopie proudhonienne. De même que les petits patrons écrasés par la concurrence capitaliste regardent avec nostalgie en arrière, vers les temps de la simple production marchande, et demandent le rétablissement virginal de l'« égalité », et de la loi de la valeur telle qu'elle était avant la « déformation » que lui a imposée la capitalisme, la concentration, le monopole, etc., de même la bureaucratie exploiteuse d'un pays secondaire proteste contre la plus forte en réclamant « l'égalité ». Que veut dire « rapports égalitaires » ? L'exploitation contre laquelle se plaint Popovic est celle qui est opérée par la péréquation du taux de profit ; le prix marchand des produits ne tient pas compte du fait que les mineurs yougoslaves mettent plus de temps à extraire du minerai que leurs camarades de Pennsylvanie, mais est établi sur la base d'une moyenne mondiale des temps de travail, d'où résulte un prix unique de la marchandise. C'est la seule base à la fois « égalitaire » et rationnelle possible dans un système d'échanges mondiaux développés entre « unités indépendantes ». C'est ce qui permet la sélection des entreprises les plus rentables et leur développement par rapport aux autres. C'est une des manifestations du caractère progressif du capitalisme, dans la mesure où la monopolisation complète de la branche donnée de la production n'est pas encore réalisée.

Mais, dit Popovic, il y a là exploitation: on échange ainsi des quantités « inégales » de travail. Nous ne discuterons pas cette exploitation: il s'agit surtout de l'exploitation des exploiteurs les moins forts et les moins aptes à survivre de la part des autres, et en tant que telle elle n'intéresse pas le prolétariat. Avec cette exploitation, Popovic mélange celle qui résulte de la monopolisation de l'économie. Bien qu'il serait fastidieux de relever en détail les erreurs et absurdités contenues dans sa compilation, faisons-le pour quelques-unes, à titre d'exemple, et pour montrer à quoi se réduit la « contribution » de la bureaucratie yougoslave à la théorie marxiste. Popovic dit que « les monopoles ont le pouvoir de fixer leurs prix à leur gré... » (p. 25). Il s'agit de délire caractérisé. Les monopoles peuvent fixer le prix *entre deux limites bien précises :* une limite inférieure, qui est le prix de production, et une limite supérieure, fonction de la demande solvable concernant le produit en question. Si même la courbe de cette demande est parfaitement définie, l'analyse économique montre qu'il y a *un prix monopolistique nécessaire,* dans le sens qu'il réalise, en fonction des quantités offertes et des coûts de production, le profit maximum vers lequel le monopole est naturellement orienté.

A la même page, Popovic soutient que les monopoles exercent « leur action sur le marché mondial de deux façons :

a) dans le sens de l'augmentation des prix des produits finis que les monopoles capitalistes produisent et vendent aux pays arriérés;

b) dans le sens de la diminution des prix des matières premières agricoles fournies par les pays peu développés et les colonies.

De là, la tendance constante d'élargir la marge existante entre les prix des produits industriels finis et ceux des matières premières et des produits agricoles, la tendance à renforcer l'exploitation des pays arriérés. » (*Ib.*)

La tendance à renforcer l'exploitation des pays arriérés a peu de choses à voir avec l'explication qu'en donne Popovic. Celui-ci oublie tout simplement que même la production (pour les matières premières les plus importantes et les industries extractives en général), mais de toute façon *le marché* des produits agricoles et des matières premières, est tout aussi monopolisé que celui des produits finis; que sur le marché mondial le prix de l'étain, du caoutchouc, du blé, du café, du pétrole, etc., font l'objet de la même réglementation monopolistique que ceux de l'acier et du textile; que si effectivement la *production* de la plupart des produits agricoles n'est pas monopolisée, à l'opposé de ce qui se passe avec la grande majorité des matières premières et des produits finis, ceci signifie simplement que la monopolisation – et par là même l'exploitation du producteur immédiat – intervient au stade de la commercialisation du produit, parce que la vente du produit de la récolte à des groupements monopolistiques d'achat est en droit ou en fait obligatoire pour le producteur; que dans l'histoire économique réelle le rapport existant entre les prix des produits primaires et ceux des produits finis a changé plusieurs fois et qu'il est absolument faux de parler d'une « tendance constante » favorisant le prix des produits finis au détriment de ceux des matières premières et des produits agricoles; que si une telle tendance existe, c'est plutôt la tendance contraire (hausse du prix des produits primaires relativement plus rapide que celle des produits finis), reposant sur le fait que la production industrielle progresse beaucoup plus rapidement que la production primaire et que l'industrialisation constante des pays arriérés agit évidemment dans ce sens, puisque à la fois elle restreint à la longue sur le marché mondial la demande de produits manufacturés et accroît celle des matières premières et de produits agricoles. Ce qui est important, c'est que l'exploitation des producteurs immédiats par le monopole, à travers l'achat monopolistique de leur production, concerne ces producteurs eux-mêmes, mais nullement le « pays » où ceux-ci se trouvent en tant que tels. Les petits producteurs argentins de blé sont en l'occurrence « exploités », mais il est ridicule de parler de l'« exploitation » que subissent les gros marchands de blé de Buenos Aires. De même la bureaucratie yougoslave vend à l'Angleterre ou à la Suisse ses œufs, son blé, son bois, son aluminium ou son cuivre au prix du marché mondial, et ce n'est pas de cette manière qu'elle pourrait être exploitée. Quant au paysan ou mineur yougoslave, lui il l'est de toute façon et de mille manières par cette même bureaucratie, et par le capitalisme mondial.

Mais qu'est-ce que vous proposez à la place?

L'échange de quantités « égales » de travail? Fort bien; voyons ce que cela peut vouloir dire.

Cela voudrait dire que, par exemple, la France socialiste devrait vendre ses automobiles beaucoup moins cher à la Yougoslavie, c'est-à-dire non pas d'après la quantité moyenne mondiale de travail cristallisée dans une automobile, mais d'après la quantité réelle de travail incluse dans les autos françaises que nous supposerons pour l'exemple moindre que la première. En revanche, elle devra acheter le charbon yougoslave d'après le travail réel qui y est incorporé, par conséquent certainement beaucoup plus cher que le charbon de la Ruhr.

Les choses se présenteront alors ainsi:

La France est, elle aussi, un pays socialiste « indépendant » et, en tant que tel, elle fait ce qu'il lui plaît, et surtout ce qui lui profite (à son « fonds d'accumulation socialiste », bien entendu). Donc elle envoie promener le « charbon réel » de Yougoslavie; elle achète du vulgaire charbon allemand (socialiste lui aussi), qui coûte moins cher, et vend ses automobiles là où elle trouve les meilleures conditions (au Danemark, par exemple, pays agricole, mais « avancé », qui de ce fait vend à des bonnes conditions son lard et ses œufs à l'Allemagne et peut s'offrir des automobiles même en les payant plus cher que ce qu'elles ont « réellement » coûté).

Résultat: les pays « indépendants » qui s'obstinent à vouloir vendre du travail « réel » et non du travail moyen sont rapidement éliminés du marché mondial, des « rapports socialistes égalitaires », et condamnés à manger leur propre travail réel jusqu'à en crever (60).

Ah! mais, s'exclame Popovic, ce n'est pas ce que l'on entendait. Les pays avancés doivent faire un effort, et vraiment nous acheter nos produits et nous vendre les leurs. – Mais puisqu'à vos conditions ils y perdent? – N'importe, c'est la moralité socialiste qui est en jeu; il faut qu'ils nous viennent en aide. – Excusez-nous, nous avions cru comprendre que vous vouliez avant tout être « indépendants ».

C'est alors que les camarades Poppard et Poppmeister, respectivement ministres du Commerce extérieur de la France et de l'Allemagne socialistes, interviennent dans la discussion pour prouver sans difficulté qu'en accordant cette « aide » à la Yougoslavie, ils laisseraient la France et l'Allemagne se faire exploiter par la Yougoslavie et tous les pays « socialistes » arriérés du monde et que ce faisant ils diminueraient le « fonds d'accumulation socialiste » de leurs pays.

Telle est l'impasse objective où aboutit la stupide et réactionnaire « théorie » des « échanges égalitaires entre pays socialistes indépendants ». Cependant, il ne suffit pas de comprendre le caractère ridicule des solutions de Popovic, il faut, ne serait-ce que brièvement, esquisser la solution des problèmes ici posés.

Le problème du développement de l'économie socialiste mondiale après la victoire de la Révolution et particulièrement le problème du rapport entre ses secteurs arriérés et ses secteurs avancés ne pourra être posé et résolu qu'en considérant cette économie mondiale comme une unité et comme un tout. Cela signifie d'abord que l'orientation de l'accumulation ne sera pas définie par le désir ou la volonté abstraite d'« industrialiser les pays arriérés », mais de permettre le développement, le plus rapide et le plus économique, des forces productives matérielles et humaines, étant bien entendu que la première tâche sera d'élever le niveau de vie et les conditions de travail des catégories les plus défavorisées des travailleurs jusqu'au niveau des catégories et des pays les plus favorisés. En ce sens il se peut que les investissements nouveaux se dirigent vers les régions les moins exploitées, mais il n'est nullement fatal qu'il en soit toujours ainsi; le contraire est dès maintenant évident pour certains cas (61). D'autre part, le « transfert » des fonds pour l'accumulation dans ces pays arriérés ne prendra pas la forme stupide d'« achat » à ces pays de leurs produits à leur « coût réel », ou de « vente au coût réel » des produits finis, mais d'investissements dans telle ou telle production, dans le cadre d'une planification unique, pour laquelle la Yougoslavie, du point de vue économique, sera envisagée du même point de vue que la Lorraine ou le

Connecticut. Si les Bantous manifestent le désir
de s'adonner à la production de microscopes
électroniques et de les vendre ensuite aux sommes
fabuleuses qu'ils leur auront coûtés, un tel désir
serait difficilement acceptable de la part des ouvriers
des autres pays; ceux-ci considéreront comme
normal d'aider les Bantous à produire ce qu'il est
le plus rentable qu'ils produisent, étant donné les
conditions de leur pays, leur degré de développement
technique et son expansion souhaitable et possible
dans l'avenir immédiat, et le coût de leur travail
qui sera de toute manière égal à celui des autres
travailleurs de la planète. De ce point de vue la
revendication de l'« indépendance » des Bantous, au
même titre que celle des Français et des Russes,
serait une bêtise réactionnaire.

Le « fonds d'accumulation socialiste » est mondial,
la planification socialiste est mondiale, le prolétariat socialiste est une classe mondiale, et l'« indépendance » des peuples socialistes est limitée
par l'indépendance du prolétariat mondial, qui est
le seul souverain dans l'affaire. Par ailleurs, une
comptabilité socialiste rationnelle, moyen
indispensable de la planification, n'est possible que
sur la base d'un calcul des coûts de production
moyens à l'échelle mondiale.

Pour revenir à notre théoricien, celui-ci essaie
d'étayer la conception des rapports « égalitaires » par
quelques vagues « données » concernant les rapports
de la Yougoslavie « avec les pays socialistes plus

petits ou moins développés qu'elle », c'est-à-dire –
il ne pourrait y avoir que celui-ci – l'Albanie.
Popovic affirme avec force que de l'aide qu'elle
accordait à l'Albanie, la Yougoslavie ne tirait aucun
profit. On n'a aucune raison de le croire; il est
de toute façon difficile de le contrôler sur la base
des « données » volontairement vagues de Popovic.

Pour commencer par la fameuse question des prix,
sur laquelle on voudrait voir en action le principe
« égalitaire » des échanges, Popovic nous informe
qu'il avait été fixé, en commun accord, des « prix
pour toutes les branches de la production
(albanaise) », sur la base d'une « marge bénéficiaire
moyenne »; on ne sait pas ce qu'était cette marge,
mais dans la mesure où elle était la même que celle
établie en Yougoslavie, et dans la mesure où Popovic
lui-même reconnaît la « productivité insuffisante de
la main-d'œuvre albanaise », vraisemblablement
inférieure à celle de la main-d'œuvre yougoslave,
cette égalité du taux de profit signifirait concrètement
le transfert d'une partie de la plus-value réelle
vers la Yougoslavie, c'est-à-dire l'« exploitation » de
l'Albanie par la Yougoslavie selon le mécanisme
longuement exposé par Popovic lui-même
auparavant. D'autre part, les marchandises que
l'Albanie recevait de la Yougoslavie « lui étaient
comptées selon les prix intérieurs yougoslaves,
inférieurs dans l'ensemble aux prix albanais », s'em-
presse-t-il d'ajouter. Mais *inférieurs aussi aux prix
mondiaux?* avons-nous le droit de demander. Car si
tel n'est pas le cas – comme il est plus que probable
– si les Albanais par ces échanges « égalitaires »

achetaient en Yougoslavie des cotonnades plus chères
que celles qu'ils auraient pu se procurer ailleurs,
est-ce que la « moralité socialiste » est satisfaite?

Popovic cite enfin le fait que la Yougoslavie
accordait à l'Albanie des crédits « sans intérêt »,
donc désintéressés, pour « prêter une aide réelle et
socialiste à un autre pays socialiste ». Mais Popovic
lui-même a vendu la mèche quelques lignes plus
haut, lorsqu'il écrit (62):

« Il s'est révélé néanmoins que l'économie
albanaise, avec son système d'accumulation socialiste
(?!), n'était pas capable d'édifier rapidement le
socialisme. L'état particulièrement arriéré de
l'Albanie ne le permettait guère et cette circonstance
eût pu, tant au point de vue économique que
politique, *compromettre l'établissement dans ce pays d'une
démocratie populaire, mettre en péril, voire empêcher la
marche vers le socialisme.* » C'est pourquoi « il a fallu
que l'accumulation socialiste yougoslave vienne en
aide à l'accumulation socialiste albanaise » (souligné
par nous). En d'autres termes, il s'agissait surtout
d'aider la conservation au pouvoir, dans un pays
très petit mais stratégiquement important, de la
clique pro-russe qui s'y était juchée à la faveur
des bouleversements d'après-guerre, et de profiter
d'ailleurs de l'occasion pour .pénétrer par le
truchement des « techniciens », spécialistes, militaires,
etc. – tous bénévoles! – aux postes de contrôle de
la vie du pays. Popovic dit lui-même que « la
Yougoslavie a pris sur elle, en 1947, d'habiller et
d'équiper entièrement l'armée albanaise; en 1948,

elle s'est chargée en plus de son ravitaillement...
Grâce à cette aide (l'aide yougoslave en général, et
particulièrement sous la forme de crédits) l'Albanie
s'est donc trouvée en mesure :

a) d'entretenir, si l'on tient compte de l'étendue
et des moyens du pays, une armée importante... »

Il convient de noter que si les crédits ne portant
pas d'intérêt et même les dons étaient une preuve
de désintéressement, alors le plan Marshall, formé
pour les 9/10èmes de « dons », serait une entreprise
socialiste. Quant au Pacte d'Assistance Militaire,
nul doute qu'il ne prouve (au même titre que
l'équipement de l'armée albanaise par les
yougoslaves) les intentions socialistes de l'état-major
américain vis-à-vis des fantassins d'Europe.

Concluons. Que la Russie exploite ses satellites
– et que ceux-ci tâchent autant que possible de
rejeter les uns sur les autres une partie de cette
exploitation – par le moyen des « sociétés mixtes »
et par la fixation arbitraire du prix d'achat et
de vente des produits, ce n'est ni douteux, ni
surprenant, sauf peut-être pour ceux qui voient en
elle un Etat « ouvrier », une économie « à bases
socialistes ». Il s'agit de faits matériels, connus avant
la rupture russo-yougoslave, inhérents à la nature
même du système bureaucratique. Point n'était
besoin des filandreuses platitudes de Popovic pour
les comprendre. Ce dernier aurait pu apporter des
éléments matériels nouveaux ou plus précis;
malheureusement il n'en est rien. Toutes les données
de sa brochure sont vagues et imprécises; par

ailleurs, même telles qu'elles sont, elles sont inutilisables car ce Monsieur semble souffrir d'une ignorance des fondements mêmes de l'économie politique, qui pour un théoricien eût été néfaste, mais pour un ministre du Commerce extérieur n'est que la preuve d'un solide esprit pratique (63).

Les produits « idéologiques » de la bureaucratie portent, dans le cas yougoslave comme dans les autres, le sceau du crétinisme de cette formation sociale rétrograde.

L'AVENIR DU TITISME

Ce qui a été dit plus haut sur l'impérialisme actuel, et particulièrement sur l'impérialisme bureaucratique, contient la réponse au problème de l'avenir du titisme: le titisme est l'expression la plus achevée de la lutte des bureaucraties locales contre la bureaucratie centrale; il devrait donc se développer, au fur et à mesure que la bureaucratie accède au pouvoir dans de nouveaux pays. Mais l'extension du pouvoir de la bureaucratie s'effectue à une époque où la concentration internationale des forces productives pose directement aux deux impérialismes en présence le problème de la domination mondiale. Des deux processus parallèles – apparition de tendances centrifuges accompagnant l'extension de la bureaucratie, accroissement énorme du pouvoir et de la puissance de la bureaucratie centrale accélérant la concentration internationale – c'est le deuxième qui est historiquement le plus fort, et qui l'emporterait incontestablement si la révolution prolétarienne échouait. On peut donc finalement dire que le titisme exprime une tendance permanente des bureaucraties subordonnées, sans aucune chance historique de réalisation quelconque.

Cela se traduit concrètement par la constatation évidente que la Yougoslavie en tant qu'État bureaucratique indépendant sera broyée par l'explosion de la troisième guerre mondiale, et qu'elle ne pourra plus se reconstituer de la même manière, quelle que soit l'issue de cette guerre. La condition de son existence actuelle est l'équilibre relatif des forces entre l'U.R.S.S. et les U.S.A., – équilibre qui rend également possible l'interlude « pacifique » de la guerre froide – et cet équilibre sera définitivement supprimé par la guerre et ses résultats.

Il est superflu d'expliquer pourquoi une révolution prolétarienne victorieuse signifierait la liquidation impitoyable de la bureaucratie titiste, au même titre que de la bureaucratie russe, ou des trusts américains. Il est tout aussi aisé de comprendre que, dans le cas d'une victoire totale d'un des deux impérialismes en présence, des révoltes ouvertes comme celle de Tito deviendraient impossibles; elles seraient rapidement liquidées si, par miracle, elles arrivaient à se manifester. Reste la question de l'évolution possible de ce régime d'ici la guerre. Laissant de côté pour l'instant l'idée absurde et ridicule d'une évolution « progressive » de ce régime vers un pouvoir ouvrier (64), nous devons envisager son sort par rapport aux possibilités qui se présentent: intégration directe à l'un ou à l'autre des deux blocs en présence, ou consolidation provisoire de la bureaucratie titiste en tant que bureaucratie « indépendante ».

L'intégration de la Yougoslavie dans le bloc russe est apparue comme impossible dès les premiers mois de la rupture entre Belgrade et Moscou. Il ne peut être question de conciliation entre Tito et Staline. D'autre part le renversement violent de la bureaucratie titiste au profit du Kominform ne pourrait pas se faire par une « révolution » intérieure. Aucune force sociale en Yougoslavie ne désire lutter contre Tito pour amener au pouvoir une fraction pro-russe: ni la bureaucratie nationale, dont le titisme exprime les intérêts de façon la plus directe, ni les travailleurs exploités de la ville et de la campagne qui, faisant l'expérience de la bureaucratie yougoslave, font en même temps l'expérience de toute bureaucratie, ni ce qui reste de la paysannerie aisée, qui voit dans Tito un relatif moindre mal. Les kominformistes en Yougoslavie ne peuvent se recruter qu'auprès des quelques bureaucrates mécontents et intrigants, à l'action desquels la police vigilante de Rankovitch pose des limites bien précises.

On connaît par ailleurs les facteurs qui excluent actuellement l'intervention militaire directe des

Russes en Yougoslavie ou qui en feraient, si elle se produisait, un préparatif immédiat à la guerre.

Il faut également exclure la possibilité d'une intégration directe de la Yougoslavie au bloc américain. Théoriquement, cette intégration ne signifierait pas nécessairement le retour de l'économie yougoslave aux formes de propriété et de gestion privée prévalant en Occident; elle ne serait pas incompatible avec le maintien des formes étatiques et le pouvoir de la bureaucratie, pourvu que cette dernière accepte le contrôle du capital américain et la participation de celui-ci à l'exploitation du pays. Mais, dans la situation actuelle, ce contrôle et cette participation sont inacceptables pour la bureaucratie yougoslave; sa révolte contre le Kremlin a été déterminée précisément par sa volonté de les éviter. Les attaches traditionnelles qui, dans les pays d'Europe Occidentale, amalgament les capitaux nationaux au capital américain et rendent ainsi la vassalisation des bourgeoisies européennes par les U.S.A. beaucoup plus supportable pour celles-là, ces attaches ont été rompues en Yougoslavie, et l'étatisation quasi intégrale de l'économie yougoslave rend presque impossible leur réapparition. Ce qui compte le plus, c'est que pendant la période en cours la bureaucratie yougoslave a non seulement la volonté – ce qui en définitive compte peu – mais la possibilité, provisoire mais réelle, de résister à cette intégration.

On ne peut en juger qu'en discutant de la

troisième éventualité : la consolidation de la bureaucratie yougoslave comme bureaucratie « indépendante ». Cette « indépendance » est à la longue impossible : à la fois pour des raisons économiques et des raisons politiques, qui, en définitive, ne sont que deux aspects d'une même chose, la Yougoslavie ne peut que s'intégrer finalement à un système plus vaste. Sur le plan économique cela signifie que la production yougoslave ne peut pas se suffire à elle-même ; soit par la voie d'une planification inter-étatique, soit par la voie des échanges et du marché, elle doit se lier à la production mondiale. Sur le plan politique, elle n'aura pas à la longue la force de résister à un impérialisme dominant le monde.

Nous sommes ainsi amenés à reprendre la discussion de la théorie du « socialisme dans un seul pays » – ou plutôt, d'un bureaucratisme dans un seul pays – sur la base beaucoup plus concrète qu'offre l'histoire de ce dernier quart de siècle. L'idée selon laquelle la construction du socialisme dans un seul pays est impossible n'a plus besoin d'être prouvée ; on doit cependant aujourd'hui la préciser, beaucoup plus qu'on n'a pu le faire en 1924 ou 1927.

La critique que Trotsky exerça contre la « conception » stalinienne du socialisme dans un seul pays, pour juste qu'elle ait été dans sa conclusion formelle, se fondait sur des idées largement fausses du point de vue du contenu. Ces idées étaient principalement :

a) la dépendance de l'économie de tout pays face à l'économie mondiale *exprimée directement comme faiblesse concurrentielle de ce pays isolé sur le marché mondial;*

b) le résultat de cette dépendance était l'alliance du capital international et des éléments bourgeois-capitalistes dans ce pays, amenant une subordination croissante de l'industrie nationalisée au capital privé, et, par voie de conséquence, *la possibilité* (65) *de la restauration de la bourgeoisie traditionnelle;*

c) enfin, la dépendance du pays face à l'économie mondiale devrait s'exprimer surtout par sa défaite économique ou politique dans la lutte contre les concurrents capitalistes et *en aucun cas par sa victoire sur eux.*

Ces idées méconnaissaient complètement les lignes d'évolution de l'économie contemporaine, dont les contradictions se situent sur un plan beaucoup plus profond que celui du « marché » et de la « propriété privée ». La bureaucratie stalinienne répondait avec raison à Trotsky que le « monopole du commerce extérieur » pouvait protéger une économie comme celle de la Russie des « fluctuations du marché mondial » et qu'à l'abri de ce monopole, l'économie russe pouvait se développer. Seulement, ce qui pouvait se développer et qui se développa effectivement de cette manière, n'était évidemment pas une économie socialiste, mais une économie capitaliste bureaucratique. Ce que Trotsky avait sous-estimé en l'occurence, c'était que le « monopole du commerce extérieur » n'était qu'une forme par laquelle s'exprimait, dans la période décadente du capitalisme, la rupture du marché mondial traditionnel. En appliquant rigoureusement ce monopole, la bureaucratie russe se soustrayait à la division internationale du travail. Est-ce que cela voulait dire que la prédominance de l'économie mondiale sur une économie nationale était supprimée ? Certainement pas; mais cette prédominance ne pouvait plus s'exprimer par le biais traditionnel de l'« invasion de marchandises à bas prix »; elle ne pouvait pas non plus prendre la forme de la dépendance de la Russie par rapport à l'approvisionnement en produits qui lui manquaient, ceci à cause d'un facteur « conjoncturel » important, c'est-à-dire la grande richesse naturelle du pays (66).

Il est évident qu'en « sortant » ainsi de la division internationale du travail, la Russie subissait de grandes pertes du point de vue de la rentabilité économique, et que d'autre part elle restait face à face avec sa pénurie extraordinaire de capital. Mais il est aussi évident que la rentabilité économique immédiate ne pouvait qu'être subordonnée par la bureaucratie à ses besoins et ses intérêts totaux – et en premier lieu aux impératifs de son existence pure et simple – et que la solution au problème de la pénurie en capital a été donnée par l'exploitation effrénée des masses.

Ainsi étaient en même temps supprimées les possibilités de « pénétration du capital privé » en Russie, seule base théoriquement plausible de la restauration bourgeoise, puisque la bourgeoisie paysanne ou urbaine russe était impitoyablement broyée par la bureaucratie et se révélait incapable de résister à l'économie étatique.

En fin de compte, la dépendance de la Russie face à l'économie mondiale s'est bel et bien manifestée en 1941, mais non pas sur le plan du « marché mondial », mais sur le plan de la guerre, qui a directement réintégré l'économie bureaucratique à l'économie internationale, cette fois au niveau de la lutte pour la domination mondiale. De cette guerre, la bureaucratie russe est sortie victorieuse (prouvant ainsi la viabilité et même la supériorité du capitalisme bureaucratique en tant que système d'exploitation face aux formes capitalistes traditionnelles), mais a ainsi démoli elle-même la théorie du « socialisme dans un seul pays » : l'économie bureaucratique a dû lutter par les armes pour sa conservation, et la situation d'après-guerre a prouvé que les contradictions du capitalisme bureaucratique conduisent à une expansion impérialiste non moins que celles du capitalisme financier.

L'expérience montre donc que la possibilité d'existence indépendante pour une économie bureaucratique *pendant une période donnée* (67) est une question concrète, dont la solution dépend de la configuration des facteurs essentiels dans la conjoncture. Pour la bureaucratie russe, par exemple, – abstraction faite du soutien que le prolétariat mondial accorda activement à la Révolution russe et à ceux qu'il croyait à tort être ses héritiers – ces facteurs, qui ont permis sa consolidation et son développement d'abord, sa survie victorieuse ensuite pendant la guerre, furent l'étendue et les richesses naturelles du pays, l'équilibre de Versailles et l'âpreté du conflit qui opposait les uns aux autres les impérialismes occidentaux jusqu'à 1945. Une modification dans ces facteurs n'aurait certainement pas altéré le développement fondamental de l'économie et de la société modernes vers l'étatisation, mais aurait pu en changer les rythmes et les modalités.

Il s'agit maintenant de concrétiser ce raisonnement dans le cas de la Yougoslavie.

Si le monde était fait d'économie pure, la bureaucratie en Yougoslavie serait dans une situation désespérée. Aucune comparaison n'est évidemment possible entre la Yougoslavie de 1948 et la Russie de 1928, ni du point de vue de l'étendue et des richesses naturelles, ni du point de vue du développement industriel préexistant. Malgré sa grande dépendance par rapport à l'économie mondiale, la Russie tsariste de 1913 était la cinquième puissance industrielle du monde, possédant déjà une industrie lourde extrêmement concentrée et moderne; à part des exceptions insignifiantes, toutes les matières premières et les cultures agricoles existaient dans cet immense pays. Le problème qui se posait était un problème d'accumulation de capital parallèlement à une assimilation des techniques industrielles modernes. Ce problème pouvait être résolu et l'a été par l'exploitation intense de la population travailleuse, car les facteurs physiques et humains de la solution étaient donnés. Rien de pareil en Yougoslavie; le fait que des richesses naturelles « nouvelles » peuvent être exploitées maintenant et que l'on peut créer certaines industries de transformation ne peut pas masquer cette vérïté évidente : par son étendue limitée, son héritage d'arriération, ses données naturelles insuffisantes, la Yougoslavie ne pourrait sortir de la division internationale du travail qu'en maintenant son économie à des niveaux de stagnation absolue. Il est évident que ceci est impossible ; l'existence de la bureaucratie, plus encore que celle de la bourgeoisie, est inséparable du développement industriel. Il est de plus évident que ce développement ne fera qu'accroître sa dépendance par rapport aux pays avancés. Il serait superflu de rappeler ici l'énorme spécialisation – et par conséquent dépendance – qu'implique l'industrie moderne, et le fait que dans l'ère capitaliste deux pays seulement – l'Amérique et la Russie – sont parvenus à créer, d'une manière ou d'une autre, un circuit productif approximativement fermé sur lui-même (du point de vue technique, et non évidemment du point de vue économique).

L'« industrialisation » de la Yougoslavie serait hors de discussion, si ce pays ne pouvait trouver à l'étranger à la fois l'équipement nécessaire et les crédits pour l'acheter. Cet équipement une fois installé, il faudra l'entretenir, le renouveler et l'étendre. Pour tout le laps de temps dont on peut raisonnablement discuter, l'« industrialisation » ne signifiera nullement une diminution de la dépendance du pays par rapport aux pays industriels fournisseurs d'équipement ; elle signifiera même une accentuation de cette dépendance du point de vue qualitatif (68).

A l'opposé donc de la Russie, la dépendance de la Yougoslavie par rapport à l'économie mondiale ne se manifeste pas seulement d'une manière dérivée et à long terme, mais directement et immédiatement. Ici il ne s'agit pas simplement des contradictions internes insolubles d'une société d'exploitation et du complexe défense-attaque, qui poussent à la lutte pour la domination mondiale; il s'agit déjà de l'impossibilité d'échapper à la division internationale du travail. Il s'agit donc de l'impossibilité d'échapper aux « échanges » avec les pays capitalistes, sous la forme que ces échanges ont pris actuellement, c'est-à-dire la dépendance par rapport à l'impérialisme américain et le contrôle absolu de celui-ci. Le monopole du commerce extérieur pourrait empêcher que cette intégration à l'économie capitaliste internationale ne prenne la forme de l'« invasion de marchandises à bon marché », mais ne saurait constituer un obstacle à l'installation du contrôle américain sur le pays.

Mais l'économie pure est une abstraction. L'économie, la politique et la stratégie sont actuellement intégrées à un tel point que des actions absurdes du point de vue « purement économique » sont d'une nécessité évidente du point de vue des intérêts généraux des classes dominantes. Le critère de la rentabilité purement et directement économique tend à être remplacé de plus en plus par le critère d'une rentabilité totale, consistant dans la meilleure défense des intérêts universels de la

classe exploiteuse, intérêts qui souvent s'opposent au
« profit maximum » à retirer de chaque opération
concrète et dépassent celui-ci. Ainsi, dans le cas
concret de la Yougoslavie, tout un complexe de
raisons politiques et stratégiques fait qu'il eût été
absurde pour le bloc occidental et particulièrement
pour les Etats-Unis de poser des conditions
économiques, même de poser n'importe quelle
condition à l'aide qu'ils accordent à Tito sous forme
de crédits ou de levée en faveur de la Yougoslavie
du blocus commercial qu'ils tendent à imposer aux
pays de la zone orientale. Qu'ils essaient d'obtenir
le maximum de concessions de la bureaucratie titiste
est parfaitement possible; qu'ils fassent de ces
concessions une condition *sine qua non* de leur aide
est absolument exclu, étant donné que la fonction
essentielle de la Yougoslavie pour les Etats-Unis
est de consolider la rupture sur un point essentiel
du bloc soviétique et de donner un exemple aux
bureaucrates des autres pays satellites. Face à ces
facteurs généraux, les quelques dollars que sous une
forme ou une autre la participation à l'exploitation de
la Yougoslavie pourrait lui procurer ne pèsent pas
lourd pour l'impérialisme américain. L'aide à la
Yougoslavie entre dans les frais généraux de la
préparation de la troisième guerre mondiale.

C'est en exploitant cette situation que Tito pourra
continuer sa danse sur la corde raide aussi longtemps
que la guerre froide durera (h).

PROLETARIAT ET TITISME

Le critère de l'attitude des militants ouvriers face à la bureaucratie titiste ne peut pas être fourni par des considérations conjoncturelles (« crise » créée par le titisme au sein des partis staliniens, « enthousiasme » des travailleurs yougoslaves par le plan quinquennal, etc.) mais par l'analyse de sa nature sociale et de son rôle historique. Aux questions qui se posent donc de ce point de vue: quelle est la nature du régime économique et social existant en Yougoslavie? que représente la bureaucratie titiste? quel est le caractère de sa lutte contre le Kremlin? il nous sera facile de répondre maintenant sur la base de l'analyse fournie précédemment.

L'économie yougoslave est basée sur l'exploitation des travailleurs. De même qu'en Russie ou dans les pays capitalistes occidentaux, les travailleurs sont dans la production de simples exécutants. La gestion de la production, l'orientation de l'accumulation, la répartition du produit consommable sont, en tant que fonctions économiques, monopolisées par la bureaucratie et exercées par celle-ci dans ses intérêts. Ces traits définissent une société d'exploitation et, dans la phase historique actuelle, une société capitaliste bureaucratique.

Face à cet élément primordial, le fait que le taux de l'exploitation en Yougoslavie est plus ou moins grand, que la plus-value accaparée par la bureacratie est utilisée dans telle ou telle proportion pour l'accumulation ou pour sa consommation improductive n'a qu'une importance absolument secondaire. La nature fondamentale du régime d'exploitation ne change pas si en Australie, pour prendre un exemple arbitraire, le taux d'exploitation est moins élevé qu'en Espagne, et les Etats-Unis n'ont pas cessé d'être le modèle de la société capitaliste lorsqu'entre 1941 et 1944 une énorme partie de la plus-value produite était immédiatement réinvestie dans la production.

En fait, nous avons vu que le taux d'exploitation en Yougoslavie doit être énorme. Nous avons vu également que la partie du produit de cette exploitation, utilisée par la bureaucratie yougoslave pour l'accumulation aux dépens de sa consommation improductive, est beaucoup plus grande que ce n'est le cas en Russie, par exemple. Mais la différence est uniquement quantitative et s'amenuisera avec le temps. La consommation improductive de la bureaucratie russe n'est devenue énorme et n'a commencé à se refléter dans l'orientation de l'accumulation qu'après la première décennie de son accession au pouvoir. Pendant toute une période, la bureaucratie yougoslave devra, si elle veut exister, développer son économie avant de pouvoir penser à autre chose et sera obligée de faire passer la production ou l'importation de moyens de production avant celle d'automobiles de luxe ou de fourrures. Sa « frugalité » actuelle ne nous attendrit pas davantage que l'avarice des bourgeois puritains du début du capitalisme, pour lesquels l'extension de leur capital était la seule chose qui comptait (69).

Mais le développement de la bureaucratie a sa logique interne. Au fur et à mesure que l'économie yougoslave s'industrialisera, la bureaucratie s'étendra, elle se consolidera, et elle différenciera de plus en plus ses revenus consommables de ceux du reste de la population. Ainsi, les revenus bureaucratiques créant une demande de produits correspondants, la structure de classe de la société se reflètera inévitablement dans l'orientation de l'accumulation elle-même. La part relative des produits consommables par la bureaucratie dans la production et l'importation de biens s'accroîtra aux dépens de celle des moyens de production, et, l'accumulation devant rester au même niveau, l'exploitation du prolétariat ne pourra que s'accroître encore.

Une fois le caractère réactionnaire et exploiteur de la bureaucratie yougoslave établi, le conflit qui l'oppose à la bureaucratie moscovite apparaît sous son véritable jour : la lutte entre deux exploiteurs pour un partage différent du produit de l'exploitation. Une telle lutte n'a rien à voir avec la lutte du prolétariat : celui-ci ne peut qu'utiliser les difficultés qu'elle provoque chez la classe dominante pour développer son action subversive. Le caractère prétendument « national » de la lutte titiste ne peut rien changer à cela: soutenir Tito en Yougoslavie sous prétexte de lutter contre l'asservissement du pays par la Russie ne serait pas moins réactionnaire que de soutenir en Allemagne un parti nationaliste bourgeois voulant expulser les Américains et restaurer l'« indépendance » de l'Allemagne – en fait, des exploiteurs allemands. A l'époque du capitalisme décadent, l'« indépendance nationale » est une idée à la fois utopique et réactionnaire. Utopique, parce que le cadre de la « nation » est constamment brisé et dépassé par l'internationalisation croissante des forces productives et de la vie sociale. Que ce soit sous la forme de la domination mondiale d'un seul Etat, ou sous la forme du pouvoir mondial du prolétariat, l'« indépendance nationale » est irrémédiablement condamnée à disparaître. Réactionnaire, car la lutte « pour l'indépendance nationale » reste un des principaux moyens d'asservissement idéologique et politique du prolétariat à sa bourgeoisie ou à sa bureaucratie « nationales ». L'intensification et l'extension incontestable de l'oppression nationale à l'époque actuelle ne pourra être supprimée que par la révolution socialiste; liée directement au problème de l'Etat et de ses rapports avec le monde, la solution de la question nationale implique directement une transformation radicale des rapports sociaux et politiques à l'échelle mondiale, et en tant que telle elle est partie intégrante du programme de la révolution prolétarienne. Laisser seulement supposer qu'il y a dans le cadre des rapports d'exploitation, une forme spécifique quelconque de lutte « nationale » possible pour le prolétariat, c'est

participer directement à la mystification des exploités
au profit d'une couche nationale quelconque
d'exploiteurs.

Il est caractéristique qu'à l'opposé de ce qui s'est
produit avec la Révolution russe de 1917, ou avec
la guerre civile espagnole de 1936, la pseudo - « révolution » yougoslave n'a eu pratiquement aucun écho
au sein du prolétariat international. Il n'y a là
rien que de très naturel. Rien de plus naturel aussi,
si jusqu'ici l'affaire yougoslave n'a provoqué de
réactions qu'auprès de certains intellectuels staliniens,
auprès de certains vassaux du P.C. aspirant à un
peu plus d'indépendance dans le cadre de la fidélité
à la bureaucratie (c'est le cas de la fraction protitiste
du P.S.U.)(i), auprès des banqueroutiers désemparés
que sont les ex-trotskistes droitiers du R.D.R., enfin
auprès des dirigeants trotskistes, en quête désespérée
d'une « réalité » quelconque où s'accrocher.

Le cas des intellectuels staliniens genre Cassou et
Cie ou des titistes du P.S.U. n'est guère intéressant.
Après s'être, des années durant, empalés eux-mêmes
sur les poutres du stalinisme, avoir pataugé dans
la boue et avalé tous les crimes et toutes les trahisons,
ils sont révoltés aujourd'hui par la paille des
accusations de « mauvaise foi » du Kominform
contre Tito. Les militants révolutionnaires et les
ouvriers assassinés depuis vingt ans aux quatre coins
du monde par Staline, l'exploitation et la terreur
que subit le prolétariat russe, ils s'en moquent; mais
Tito et sa clique les intéressent au plus haut point.

C'est que, dans son sort, ils défendent le leur ; ils demandent, tout au moins aussi longtemps qu'ils seront les plus faibles, que la dictature de la bureaucratie soit un peu une « démocratie » pour les bureaucrates eux-mêmes.

L'aventure titiste des dirigeants trotskistes est plus instructive. Le passage de la direction trotskiste, avec armes et bagages, dans le camp de la bureaucratie prouve la faillite définitive de la plate-forme trotskiste ; l'incapacité de s'orienter dans l'histoire contemporaine, d'analyser correctement l'avènement de la bureaucratie et d'en tirer les conclusions politiques nécessaires sont à la base de la capitulation devant la bureaucratie qui est le contenu le plus clair du « titisme » de la IVᵉ Internationale (70). Il est ainsi prouvé que, pendant les époques critiques de l'histoire, la soi-disant « fidélité » à des idées périmées équivaut à la pire trahison de la lutte de classe.

Le battage hystérique mené actuellement par les trotskistes et quelques consorts douteux autour de la « révolution » yougoslave ne les mènera pas loin. Les ouvriers d'avant-garde qui ont fait l'expérience de la bureaucratisation, et qui en ont dégagé les conclusions nécessaires, ne se battront pas pour la défense d'une autre bureaucratie. Le seul fruit que les dirigeants trotskistes retireront de leur campagne seront les coups de pied dont Tito les gratifié constamment (71).

L'avant-garde ouvrière tirera les conclusions précieuses qui se dégagent de l'affaire yougoslave, en comprenant que la bureaucratie constitue actuellement une réalité historique, et que les bases de son pouvoir se trouvent dans l'expropriation du prolétariat, dans la monopolisation par une couche sociale de la gestion de l'économie et de l'État. Pour les fractions du prolétariat qui suivent encore le stalinisme, l'expérience yougoslave sera un ferment qui fera germer l'esprit critique face au stalinisme et à la bureaucratie, quelle que soit sa nationalité. Ce sont là, et non dans la mobilisation des ouvriers au service de la bureaucratie yougoslave, les résultats positifs que nous pouvons attendre de l'affaire Tito.

NOTES

(1) V. plus loin, « La rupture avec Moscou ».

(2) Nous nous expliquerons plus loin sur ce terme.

(3) Et sur les formations policières « nationales » (Sécurité Nationale, Milices, etc.).

(4) Il s'est trouvé des gens assez stupides (la plus grande partie des trotskistes) pour voir dans les divers « Comités » apparus au cours de la Résistance des formes soviétiques d'organisation des masses! En fait, dans l'énorme majorité des cas, ces comités furent nommés par les chefs des partisans staliniens, les armes à la main. Aucune opposition à la politique stalinienne n'y était tolérée ou possible; les décisions étaient prises au préalable par la fraction stalinienne, et le rôle des Comités était de donner une couverture de « légalité populaire » à la dictature de la direction stalinienne.

(5) Notions suffisamment vagues et imprécises, pour permettre à la bureaucratie stalinienne d'exproprier qui elle voulait. Sous l'occupation, toutes les entreprises qui ont continué à fonctionner ont objectivement « collaboré », quel qu'ait pu être l'état d'âme de leur propriétaire. De toute façon, avaient obligatoirement collaboré toutes les entreprises importantes, que les Allemands ne pouvaient pas laisser inactives.

(6) La même cause a produit des effets analogues en Europe occidentale. Là aussi entre 1944 et 1948, seule l'intervention de l'Etat dans tous les domaines importants de l'activité économique – crédits, investissements, allocation des matières premières, fixation des prix et des salaires, dans certains cas nationalisation des entreprises – a pu permettre à l'économie capitaliste de dépasser provisoirement sa crise profonde. Mais dans ce cas, l'intégration de ces pays dans le bloc américain et le rapport des forces différent entre la bureaucratie stalinienne et les organisations bourgeoises traditionnelles qui en résultait, ont déterminé une autre évolution.

(7) A condition bien entendu qu'elle voulût s'en servir. Sous bien des rapports, la bureaucratie des Etats capitalistes actuels dispose formellement des mêmes moyens; cependant son manque d'unité et de cohésion, l'absence d'une idéologie propre, la liaison et la dépendance directe des sommets de cette bureaucratie par rapport au capital financier et, avant tout, l'impossibilité de s'appuyer sur une force sociale autonome (à l'opposé de la

bureaucratie stalinienne qui peut pendant longtemps mobiliser pour sa lutte le prolétariat) font qu'elle reste subordonnée au capital des monopoles et que, dans les pays occidentaux, la marche vers le capitalisme bureaucratique s'effectue à travers la fusion personnelle des sommets de la bureaucratie étatique avec l'oligarchie financière et non pas à travers l'extermination de cette oligarchie par une bureaucratie nouvelle.

(8) V. Tito, *Rapport politique au Cinquième Congrès du PCY*, Paris, 1948, p. 77 et 78.

(9) Tito, *ib.*, p. 107.

(10) Tito, *l. c.*, p. 137.

(11) Cette différence subtile échappe naturellement aux dirigeants trotskistes, qui ont maintenant découvert la « révolution yougoslave de 1944 ». Soit dit en passant, le ridicule désespéré de la position de ces gens s'exprime par le fait que leur imbécillité est nécessairement prouvée, qu'ils aient tort ou raison dans cette estimation : s'ils ont tort, parce qu'ils ont tort ; s'ils ont raison, parce qu'une « direction révolutionnaire mondiale » qui met cinq ans pour s'apercevoir qu'une révolution a eu lieu est tout juste bonne pour la poubelle. Le plus gai, c'est que lorsque par le passé on leur montrait qu'effectivement une certaine « révolution » avait eu lieu en Yougoslavie (et pas seulement en Yougoslavie), que la bourgeoisie y avait été liquidée et qu'un nouveau pouvoir bureaucratique correspondant à l'étatisation de l'économie s'y était installé, ces gens n'en voulaient rien entendre et maintenaient que dans ces pays la bourgeoisie était restée classe dominante! Mais leur incohérence n'a pas fini de produire des miracles. Si par les voies que nous avons décrites un pouvoir ouvrier (fût-il « déformé » autant qu'on le voudra) peut être instauré, que reste-t-il du léninisme? Pourquoi peut-on constituer des gouvernements de coalition avec la bourgeoisie en Yougoslavie et pas ailleurs? Bien naïf serait celui qui attendrait une réponse à ces questions. [V. aussi la Postface à ce texte].

(12) Tito, *l. c.,* p. 143

(13) Depuis la rupture avec le Kominform le gouvernement Tito est devenu beaucoup plus souple dans ces négociations et il admet l'inclusion dans ses traités de commerce avec les pays occidentaux de clauses d'indemnisation des propriétaires étrangers en Yougoslavie. C'est le cas, notamment, des derniers traités de commerce avec la Suisse, le Royaume-Uni et d'autres pays.

(14) Voir *RPR*, vol. I, 1, de cette éd., surtout p 220-229, 250 et suiv. Egalement *SB*, vol. I, 1, de cette éd., p. 163-175.

(15) Résumé dans le Bulletin de *Tanyug*, n° 28 du 22 septembre 1949, p. 3.

(16) Il faut supposer que les sommes indiquées par Begovitch sont données à prix constants, autrement on ne comprend pas pourquoi il les juxtapose.

(17) Car enfin on ne comprend pas quelles sont les raisons « de sécurité » ou autres qui empêchent la bureaucratie titiste de parler du revenu réel des ouvriers, cependant qu'elle monte en épingle toutes les nouvelles usines qui sont créées, en indiquant leur emplacement, leur capacité de production, etc.

(18) Selon l'organe officiel du Kominform, en automne 1948 les salaires ouvriers (réels, faut-il supposer) ne représentaient plus que 50% de ceux de 1946 (AFP, *Informations et documents*, n° 217, 11 décembre 1948, p. 28-29). Bien que les accusations du Kominform contre Tito soient *a priori* dépourvues de toute valeur réelle, cette indication n'est pas totalement indigne de foi, si l'on pense que le grand effort d'« industrialisation » commencé en 1946 n'a pu être financé autrement que par une baisse du niveau de vie déjà misérable des ouvriers. Du reste, on pourrait demander aux kominformistes pourquoi ils se sont brusquement émus des malheurs du prolétariat yougoslave juste au moment de leur rupture avec Tito et pas avant, et qu'est-ce qu'il est advenu des salaires ouvriers dans les autres « démocraties populaires » entre 1946 et 1948, et en Russie depuis 1928.

(19) AFP, *id.*

(20) On sait qu'en Russie ces avantages doivent à peu près doubler le revenu réel des couches bureaucratiques.

(21) Donc écrite trois mois avant la rupture et, comme son contenu le fait voir, nullement en vue de la rupture.

(22) Voir *Combat* du 21 octobre – 2 novembre 1949.

(23) Voir la lettre en question, publiée dans *Informations et documents* de l'AFP, n° 262, 4 septembre 1948. Il faut souligner que dans leur réponse, les titistes se taisent sur ce point.

(24) AFP, *Informations et documents* n° 187, 15 mai 1948 p. 14-18

(25) E. Kardelj, *L'édification du socialisme,* p. 87. Souligné par nous.

(26) B. Kidric, *Rapport au Ve Congrès du PC Yougoslave.*

(27) Voir le *Plan Quinquennal de développement de l'Economie nationale de la R.F.P. de Yougoslavie,* Beograd, 1947.

(28) Nous avons exprimé plus haut des réserves quant à la signification de ces chiffres. Voici un exemple qui illustrera nos motifs: le total de la valeur de la production industrielle et de la production agricole en 1939, soit (55,7 + 63,8 = 119,5 milliards de dinars, était inférieur au revenu national de cette même année (132 milliards); ce même total sera en 1951 (170,7 + 96,7 =) de 267,4 milliards c'est-à-dire supérieur au revenu national, qui sera de 255 milliards ! (*Plan quinquennal* p. 82). Dans ces conditions, on ne comprend plus ce que « revenu national » et « valeur de la production » veulent dire.

(29) *Plan quinquennal*, art. 31, p. 148-151.

(30) *Bulletin mensuel de statistique de l'O.N.U.*, février 1950, p. 8.

(31) Cette conclusion est corroborée par les données du *Plan quinquennal*, p. 81, dans lesquelles le quotient revenu national total : revenu national par habitant donne pour 1951 une population de 16.320.000.

(32) *International Financial News Survey*, 13 janvier 1950, p. 207

(33) Il semble que l'accroissement considérable de la production de pommes de terre, que nous avons signalé, a pour but de compenser cette diminution de consommation de céréales et de viande. On sait que la substitution de la consommation de pommes de terre à celle des céréales signifie une détérioration de la qualité de la ration alimentaire et forme par conséquent un indice classique de la misère d'un pays.

(34) Il ne faut pas oublier que le niveau de vie des travailleurs – ouvriers aussi bien que paysans – dans les Balkans était déjà avant guerre inimaginablement misérable, que l'expression « défendre son beafsteak » y était inconnue pour les ouvriers, de même que l'objet qu'elle désigne, et qu'on parlait de « défendre son pain », au sens propre du terme. Il ne faut pas oublier non plus que la dictature d'Alexandre et du Régent Paul, dans la Yougoslavie d'avant 1940, avait comme objet essentiel de maintenir le prolétariat yougoslave à ce niveau misérable, par une terreur policière sans bornes. Ce n'est qu'ainsi que l'on peut comprendre ce que veut dire exactement le maintien du prolétariat yougoslave à son niveau de vie d'avant-guerre.

(35) V. à ce sujet RPR, et « La consolidation temporaire du capitalisme mondial », *S. ou B.* n° 3, p. 25-28. (Dans la présente édition, vol. III, I, p. 221-224).

(36) « La force économique et *défensive* de chaque pays dépend de l'industrie lourde, et en particulier de la sidérurgie et de l'industrie des machines... Sans le développement de l'industrie lourde... nous ne pouvons équiper techniquement ni l'agriculture, ni les transports, *ni l'Armée...* » (Rapport de A. Hebrang sur le **Plan** quinquennal, *l. c.*, p. 31, souligné par nous.)

(37) Voir la citation de Tito plus loin (« L'idéologie du titisme »).

(38) Si le critère de la « progressivité » d'un régime social était simplement le fait qu'il développe les forces productives, les ouvriers devraient arrêter leur lutte contre l'exploitation dans tous les cas et toutes les fois où le produit de cette exploitation sert à l'accumulation; plus concrètement, il faudrait même conseiller aux ouvriers français ou américains d'accepter n'importe quelle baisse de salaire, à condition d'être assurés que les capitalistes investissent dans la production la plus-value ainsi extraite.

(39) *Le Travail d'organisation,* rapport présenté au Ve Congrès du Parti Communiste de Yougoslavie. (Le Livre Yougoslave, 1949, p. 50-58. Les passages soulignés, le sont par nous.)

(40) Les membres du Comité Central furent élus au Ve Congrès (juillet 1948) avec des votes de 2.318, 2.319, 2.316, 2.314, 2.322 voix sur 2.323 votants! (A.F.P., no 199, 7 août 1948, p. 20-21.)

(41) A.F.P., no 217, 11 décembre 1948, p. 28-29.

(42) A.F.P., no 235, 16 avril 1949, p. 3

(43) A.F.P., no 239, 14 mai 1949, p. 26.

(44) Tanyug, *Bulletin d'information,* no 40, 6 octobre 1949. Voir d'autres spécimens de l'efficacité de la police de Rankovitch pour amener au repentir les récalcitrants dans les no 45, 74 et 82 du même bulletin.

(45) Selon le projet yougoslave, la Bulgarie deviendrait le septième Etat de la Fédération, ce qui donnait évidemment au P.C. Yougoslave la domination absolue sur cette agglomération. V. A.F.P., no 233, 2 avril 1949. p. 5 et suivantes.

(46) E. Kardelj, *La Politique extérieure de la Yougoslavie,* Le Livre Yougoslave, p. 17-20.

(47) Dans la triste voie de la dégénérescence, qui les mène de l'opportunisme au reniement total et ouvert de la politique

révolutionnaire, les dirigeants trotskistes ont découvert que la bureaucratie yougoslave « utilise correctement la tribune de l'O.N.U. ». (*La Vérité*, 1-15 février 1950.) Est-il nécessaire de rappeler quelle fut l'attitude de la IIIe Internationale révolutionnaire face à la Société des Nations, dans laquelle cependant la domination des grands impérialistes était moins claire qu'elle ne l'est aujourd'hui sur l'O.N.U. ? « La Société des Nations, – même si elle se réalisait sur le papier – ne jouerait cependant que le rôle d'une sainte alliance des capitalistes pour la répression de la révolution ouvrière... La « Société des Nations » est un mot d'ordre trompeur, au moyen duquel les social-traîtres sur ordre du capital international divisent les forces prolétariennes et favorisent la contre-révolution impérialiste. Les prolétaires révolutionnaires de tous les pays du monde doivent mener une lutte implacable contre les idées de la Société des Nations de Wilson et protester contre l'entrée dans cette société de vol, d'exploitation et de contre-révolution impérialiste ». (*Thèses, manifestes et résolutions des quatre premiers Congrès de l'Internationale Communiste*, Paris, 1934, p. 24.) V. aussi l'appréciation de Trotsky sur l'adhésion de l'U.R.S.S. à la S.D.N. dans *la Révolution Trahie*, p. 190-200 (Paris, 10/18, 1963), par exemple : « La S.D.N. défend le *statu-quo* ; ce n'est pas l'organisation de la paix, mais celle de la violence impérialiste de la minorité sur l'immense majorité de l'humanité. » (*Id.*, p. 201.) La nature de l'O.N.U. est-elle différente ? Il suffit de se rappeler le rôle de l'O.N.U. dans la question des colonies italiennes, de l'Indonésie, de la Grèce, etc.

(48) Tanyug, *Bulletin d'information*, n° 42. Les passages soulignés le sont par nous.

(49) Dans le sens que ce partage n'était pas pendant une période donnée remis en question par des moyens violents.

(50) Nous disons: dernière guerre impérialiste, et non dernière guerre tout court. Cette guerre aboutissant à la domination mondiale d'un seul Etat, poserait par là même les bases d'une concentration mondiale du capital, et par là ouvrirait la voie – dans l'hypothèse d'une défaite de la révolution – à une évolution historique et sociale qui s'éloignerait de plus en plus du régime actuel. Nous ne pouvons pas ici examiner ce que pourraient être les moteurs et les formes des luttes violentes au sein de la classe dominante dans une telle société ; une chose cependant est certaine, qu'il ne s'agirait plus de guerres impérialistes, au sens scientifique précis de ce terme.

(51) Ainsi disparaît un des derniers aspects « progressifs » de l'exploitation capitaliste sur le plan économique. L'exploitation

intense des pays et des travailleurs coloniaux se faisait dans la période classique à travers l'exportation du capital, donc à travers des investissements qui conduisaient à un certain développement de l'économie des pays en question. Ce développement ne s'arrête pas dans la période actuelle, mais ce n'est plus l'exportation de capital métropolitain qui en est le moteur.

(52) Ce qui correspond à la modification profonde de la structure même du régime d'exploitation dans le cas où cette unification de l'économie mondiale sur des bases réactionnaires se réaliserait.

(53) Dans la société bureaucratique universelle, le caractère à la fois chronique et latent de ces luttes serait une des expressions les plus significatives de sa stagnation historique.

(54) Discours de Tito devant le Congrès du P.C. de Croatie en 1948, A.F.P., 11 décembre 1948, p. 28-29. Souligné par nous.

(55) *Borba* du 5 juillet 1948, cité dans A.F.P., n° 196 (17 juillet 1948), p. 29.

(56) *Borba* du 2 octobre 1949, cité dans A.F.P., 9 octobre 1948, p. 15-17

(57) Melentije Popovic, *Des rapports économiques entre États socialistes,* Le Livre yougoslave, Paris, 1949. Comme de juste les Pantagruels théoriques du trotskisme sont venus ajouter une note gaie à la situation, en qualifiant cette stupide petite brochure d'« importante contribution théorique au marxisme » et en en recommandant avec empressement la lecture à leurs militants. Il est clair qu'ils y ont reconnu une confusion à la mesure de la leur propre.

(58) Popovic, *l.c.*, p. 7-8.

(59) Les dirigeants trotskistes, qui n'ont pas fini d'étonner le monde par leur remarquable esprit de suite, ont perdu, depuis qu'ils ont dégainé en faveur de Tito et contre l'exploitation des pays satellites par la Russie, une excellente occasion de nous expliquer pourquoi et comment une économie « à bases socialistes » permet d'exploiter et de dominer d'autres pays et que devient dans cette optique l'idée fondamentale de Trotsky selon laquelle « le parasitisme bureaucratique n'est pas de l'exploitation au sens scientifique du terme ».

(60) Ne croit-on pas entendre les utopies délirantes du petit patron qui se plaint que la grande usine baisse « artificiellement

et immoralement » le prix des produits et qui revendique le droit de vendre son produit « ce qu'il lui a coûté ».

(61) Ainsi il faudra une bonne dose de folie pour créer des usines de machines-outils en Yougoslavie lorsque les usines correspondantes des U.S.A. travaillent à 50 ou 60% de leur capacité, comme c'est le cas actuellement, c'est-à-dire dans les conditions d'un boom économique; lorsque par conséquent, non seulement il faudra épuiser la capacité de production actuelle, mais aussi, et pendant longtemps, les investissements les plus rentables se feront par élargissement des entreprises existantes.

(62) *Id.*, p. 102.

(63) Ainsi il range la rente foncière parmi les éléments du capital constant (!) (p. 48, 49, 53); ailleurs, dans ses calculs *sui generis* sur la productivité – et un peu partout – il semble constamment oublier que le capital constant entre dans la valeur du produit et que si les mineurs hongrois produisent 50% de plus par tête et par an que les mineurs yougoslaves, cela peut tenir aussi à des différences dans la composition organique du capital, particulièrement dans la valeur de l'outillage.

(64) Nous parlerons de cette conception dans la conclusion de cet article.

(65) Et même, abstraction faite de la révolution prolétarienne, la *nécessité* de cette restauration.

(66) Les quelques matières premières inexistantes en Russie (p. ex. caoutchouc) et l'équipement hautement spécialisé pour certaines productions lui ont été fournis par le marché capitaliste, qui, à l'époque, séparait encore suffisamment le profit économique et les opérations politiques pour ne pas être incommodé par la couleur de l'argent russe, ce qui reste relativement vrai encore maintenant. La Russie paya par ses produits, vendus le plus souvent au-dessous de leur prix international (le fameux « dumping » russe) indépendamment de leur coût de production et des besoins mêmes du pays. A travers tout cela, il ne faut pas oublier que la valeur et le volume du commerce russe avec les pays bourgeois ont constamment diminué depuis 1929.

(67) Sur le plan historique, nous avons déjà dit que l'« indépendance » se confondant avec la domination mondiale, n'est à la longue possible que pour un seul Etat.

(68) Un pays agraire arriéré, même s'il importe pour ses besoins courants beaucoup plus qu'un pays industriellement développé,

peut subir beaucoup plus facilement une réduction ou une interruption totale de ses importations, en se repliant sur sa propre production rudimentaire. Un tel repli signifie la mort pour l'industrie d'un pays développé – à moins que ce développement n'ait pris des proportions gigantesques.

(69) « Accumulez, accumulez, voilà les Lois et les Prophètes! » (K. Marx, *Le Capital.*)

(70) V. l'analyse de cette évolution idéologique du trotskisme dans la « Lettre ouverte au P.C.I. » publiée dans le n° 1 de *S. ou B.* (particulièrement p. 98) [ici, vol. I, 1, p. 188-9] et dans l'article de Cl. Montal [Claude Lefort], publié dans le n° 4 (« Le trotskisme au service du titisme », p. 87-92).

(71) Voici un passage édifiant d'un discours d'un ministre yougoslave : « les divers types suspects rassemblés autour d'une IVᵉ Internationale, divers espions impérialistes, etc. » (Tanyug, *Bulletin d'information*, n° 86, p. 3. C'est de ce *Bulletin d'information* que *La Vérité* recommande instamment la lecture à la classe ouvrière). Les trotskistes « expliquent » ces ignobles calomnies par l'« ignorance » dans laquelle se trouvent les dirigeants titistes de la véritable nature de la IVᵉ Internationale. Comme disait Socrate, « nul n'est méchant volontairement ».

III

POSTFACE A
LA BUREAUCRATIE YOUGOSLAVE

Sur l'évolution de la situation sociale des pays occupés pendant la guerre par l'armée allemande, les facteurs qui y ont conditionné le développement extraordinaire des partis staliniens, notamment en Yougoslavie et en Grèce, les rapports entre ceux-ci et la bourgeoisie nationale et la dynamique les conduisant à s'emparer du pouvoir et à instaurer un régime bureaucratique à l'image du régime russe, voir aussi l'*Introduction* au volume I, 1 de la présente édition, pp. 12 à 21.

Notes (a) et (f): Sur nombre de points – interprétation de l'impérialisme, perspective de la troisième guerre mondiale, aggravation de l'exploitation du prolétariat – le texte correspond naturellement à mes conceptions de l'époque, revisées quelque temps après ; la même chose vaut évidemment pour la référence à l'imaginaire « baisse du taux de profit ». V. l'*Introduction* au Volume I, 1 de la présente édition, pp. 23 à 29. En particulier, la question de l'impérialisme est infiniment plus complexe que ne le dit le texte, ou même *SIPP*. J'y reviendrai longuement dans *Le système mondial de domination*.

Note (b). Que le capitalisme bureaucratique fait naître organiquement, et non accidentellement, un conflit entre bureaucraties « nationales », et que ce conflit entre couches dominantes et exploiteuses n'a aucun « contenu social progressif » d'un côté ou de l'autre, a été démontré depuis la rédaction de ce texte par l'évolution des rapports à l'intérieur du bloc oriental, et évidemment surtout par l'opposition frontale entre la Russie et la Chine. On sait que celle-ci a frôlé à plusieurs reprises pendant les dix dernières années le conflit armé ; elle y aurait peut-être conduit, n'était-ce la peur commune des deux adversaires de tirer les marrons du feu pour un troisième larron, les U.S.A. On laissera au lecteur trop curieux, à ses risques et périls, le soin d'en trouver l'interprétation dans les différentes littératures trotskistes et de décider si un « État ouvrier dégénéré » est plus ou moins progressif qu'un « État ouvrier déformé » (dernière perle produite par les huîtres trotskistes) et si, le cas échéant, il faudrait « défendre inconditionnellement » la Russie contre la Chine, l'inverse ou les deux à la fois.

Note (c). Bien évidemment les trotskistes, à l'époque, et longtemps après, avaient vu dans les accords Tito-Choubachitch la preuve irréfutable de la collaboration de Tito avec la bourgeoisie et du caractère « réformiste » du P.C. yougoslave. J'aurai malheureusement à revenir sur l'évolution « idéologique » du trotskisme à propos de l'histoire de la « question russe » (dans le Vol. I, 3 de la présente édition), à moins que d'ici là Wolinski ne l'ait traitée à sa manière, la seule qui lui soit vraiment appropriée.

Note (d). Voir le Volume IV, *Le contenu du socialisme*, dans la présente édition.

Note (e). A l'époque où le texte était rédigé, Tito n'avait pas encore prétendu octroyer aux ouvriers yougoslaves l'« auto-gestion ». La question est traitée dans un inédit qui sera publié dans le Volume 1, 3 de cette édition. Ce que signifie cette prétendue auto-gestion, le maintien intégral du pouvoir indiscuté de la « Ligue des communistes yougoslaves » sur le pays, et les événements qui s'y déroulent depuis un an (épurations, etc.) le montrent assez clairement.

Notes (g) et (h). L'exploitation de l'équilibre relatif URSS-USA a en effet permis au régime de Tito une survie très longue. Celle-ci est allée de pair avec une ré-insertion croissante de la Yougoslavie dans le marché capitaliste mondial, surtout depuis 1960, cependant que des « réformes » économiques répétées et récurrentes, visant à réduire les irrationalités de la gestion bureaucratique de l'économie par l'injection de doses de pseudo-« marché » et de « concurrence », étaient imposées au pays. On y reviendra dans le texte précédemment annoncé.

Note (i). Il s'agit du P.S.U. de l'époque, micro-sous-marin stalinien dont Gilles Martinet était le Capitaine Nemo.

LA BUREAUCRATIE APRES LA MORT DE
STALINE *

Les changements qui se sont produits en U.R.S.S.
et dans les pays satellites depuis la mort de Staline
sont importants à la fois en eux-mêmes et pour
la compréhension du régime bureaucratique. La
mort du personnage qui avait été pour la
bureaucratie russe depuis vingt-cinq ans à la fois
l'incarnation incontestée de son pouvoir et le despote
redouté et haï de sa propre classe, en posant
un formidable problème de succession, devait
obligatoirement provoquer des remous dans le

* Publié sous le titre *La Situation internationale* dans *S. ou B.* n° 12
(août 1953). Ecrit en collaboration avec Claude Lefort.

personnel dirigeant et risquait de faire exploser des luttes de clans comprimées jusqu'alors par le pouvoir absolu d'une personne. Elle ne suffisait cependant pas en elle-même à déterminer des changements dans la politique intérieure et extérieure. Si de tels changements sont intervenus, c'est que la situation objective en Russie et dans les pays satellites les imposait de plus en plus. La mort de Staline les a sans doute facilités, par la disparition de celui qui avait incarné l'orientation précédente, par la rupture de la pétrification des équipes et des politiques qui avait accompagné les dernières années de son règne. Elle a dû sans doute encore les accentuer et les condenser dans le temps, dans la mesure où la nouvelle équipe dirigeante veut en tirer tous les avantages qui pourraient favoriser sa consolidation au pouvoir.

Il est à peine utile de rappeler la confirmation que les événements des six derniers mois apportent du caractère de classe du régime russe, dont le pouvoir personnel de Staline était l'expression et nullement le fondement. Les journalistes réactionnaires en sont encore une fois pour leurs frais avec leur « Tsar Rouge » ; les luttes des diadoques autour de la succession de Staline pourraient, si elles atteignaient une violence extrême, favoriser l'explosion d'une révolution ouvrière en Russie – perspective extrêmement improbable pour l'instant – elles ne sauraient jamais en tant que telles amener l'écroulement d'un régime représentant vingt à trente millions de bureaucrates privilégiés et oppresseurs.

CHANGEMENTS EN U.R.S.S.

Rappelons les mesures les plus importantes qui ont été prises depuis la mort de Staline et qui semblent aller dans le même sens, celui d'un assouplissement de la dictature : 1° l'amnistie ; 2° la fin du complot des médecins ; 3° la baisse des prix ; 4° l'épuration du P.C. ukrainien. En ce qui concerne l'amnistie, son texte ne permet pas d'en apprécier l'ampleur, car il faudrait connaître et le nombre des personnes en prison et la manière dont il sera appliqué. Il est toutefois probable qu'elle est sensiblement plus étendue que toutes les amnisties précédentes. Il faut noter qu'elle exclut les délits politiques (ce qui est appelé crimes contre-révolutionnaires) quand ils ont provoqué des peines supérieures à cinq ans ; or, ce type de délit doit revêtir une extension très variable. Il n'est pas impossible que des délits politiques aient été qualifiés de droit commun et, qu'en ce sens, ils bénéficient quand même de l'amnistie ; mais il est vraisemblable que la confusion des délits jouera en sens inverse car de nombreuses fautes « économiques » qui doivent en principe être effacées peuvent avoir été ou être considérées comme contre-révolutionnaires : l'ouvrier qui a été condamné pour avoir « saboté » la production, détérioré du matériel, ou résisté aux ordres, est-il un criminel « économique » ou un contre-révolutionnaire ? L'équivoque apparaît bien dans la restriction apportée en ce qui concerne les vols de propriété d'État qui doivent recouvrir des délits très différents et singulièrement réduire la catégorie des amnisties économiques. Enfin, il n'est pas impossible que l'article 8 qui prévoit de substituer des sanctions pénales aux sanctions disciplinaires dans le cas de délit économique rende possible un allégement du régime administratif dans les usines. Au total, l'amnistie sera sûrement sensible pour les « droit commun », mais on ne peut apprécier son effet sur les autres catégories de détenus. L'ignorance dans laquelle nous nous trouvons peut être mesurée aux divergences d'interprétation auxquelles donnent lieu ces mesures : tandis que *le Monde* suppose qu'elles concerneront au maximum quelques milliers ou dizaines de milliers, l'*Economist* parle de plusieurs centaines de milliers, et l'*Observateur* (Alexandre Werth) d'au moins un million et demi de personnes.

La réhabilitation des médecins arrêtés à la fin du règne de Staline et les mesures qui l'ont accompagnée ont un sens plus précis et, par là même, nous conduisent à accorder une certaine valeur à l'amnistie. Qu'un complot soit annulé et les « erreurs » de la justice dénoncées explicitement est déjà sans précédent. En outre, la large publicité donnée à cet événement indique la volonté des dirigeants d'affirmer un changement radical dans la politique intérieure. Ceux-ci ont saisi l'occasion de condamner solennellement la discriminaion raciale et de proclamer les droits des citoyens, en principe garantis par la Constitution. L'article de la *Pravda* qui annonce la réhabilitation des médecins insiste trop fortement sur le respect de la légalité qui doit animer la vie publique en U.R.S.S. et les droits de couches particulières de la population (les kolkhosiens et les intellectuels) pour qu'il s'agisse simplement de démagogie rituelle. En outre, l'annulation du complot a été accompagnée d'une épuration du ministère de la Sécurité, qui, si elle correspond à un règlement de luttes de clans, doit aussi manifester auprès du public les limites du pouvoir de la police.

Sur un autre point apparaît le souci de revenir à des méthodes de dictature plus souples : l'épuration du Parti communiste ukrainien et la destitution de son premier secrétaire, Melnikov, est accompagnée d'une critique de la politique nationale et culturelle telle qu'elle avait été pratiquée par celui-ci : on reproche à la direction du parti ukrainien d'avoir soumis le pays à la domination russe, en mettant à tous les postes clés des éléments appartenant à d'autres régions, en tentant d'imposer la culture et la langue russes. La même mésaventure vient d'arriver à la direction du parti lithuanien.

Enfin, la baisse des prix, survenant dans ce climat de détente, est aussi un signe des nouvelles préoccupations du gouvernement. Cette baisse n'était certes pas la première (mais la sixième) ; cependant, par son ampleur, elle dépasse les précédentes. Toute une série d'articles de première nécessité sont affectés d'une baisse de 10 à 15 % ; la réduction atteint 40 % pour les légumes ; 50 % pour les pommes de terre ; 60 % pour les fruits. En même temps, une vaste campagne en faveur du bien-être du peuple, de la

construction de logements pour les travailleurs, et
d'une amélioration de la consommation occupe la
première page des *Izvestias*.

Ces mesures sont allées de pair avec des
bouleversements dans les sphères dirigeantes,
expression de la lutte de clans bureaucratiques
déclenchée par la mort de Staline. '

Pendant une première phase, cette lutte –
manifeste déjà dans les épurations des P.C.
nationaux déjà mentionnées – a dû demeurer
indécise et aboutir à un compromis provisoire. Ceci
est montré d'abord par l'affaire Ignatiev : Ignatiev,
qui fut destitué pour avoir monté le faux complot
des médecins, était ministre de la Sécurité d'Etat
– jusqu'au 7 mars, date à laquelle son ministère
fut rattaché à celui de l'Intérieur, détenu par Béria ;
il avait été désigné le 6 mars après la mort de
Staline comme l'un des trois nouveaux secrétaires,
et le 14, quand la composition exacte du secrétariat
fut établie, comme l'un de ses cinq membres. C'est
dire que la décision de l'éliminer ne fut pas prise
immédiatement après la mort de Staline et qu'elle
fit vraisemblablement l'objet d'un marchandage
entre les nouveaux dirigeants.

Il y eut donc une première phase de négociations
dans l'incertitude, qui a abouti à un partage des
responsabilités entre les nouveaux dirigeants. Cette
idée est confirmée par plusieurs faits. D'abord la
récupération des postes clés – l'Intérieur, l'Armée et
les Affaires étrangères – par trois hommes qui
s'en étaient vu retirer le contrôle effectif il y a
cinq ans : Beria, Boulganine et Molotov. Ensuite la

reconstitution du Politburo avec, aux côtés de ces trois hommes et de Malenkov, d'anciens éléments comme Mikoyan, Kaganovitch et Vorochilov. Cette reconstitution est particulièrement significative : le Politburo avait été remplacé en automne dernier par un Présidium de trente-six membres évidemment favorable à Malenkov, puisque celui-ci dirigeait le service chargé des nominations au C.C. et pouvait donc compter sur des hommes dévoués au Présidium. Or, cet organisme large, où l'autorité des anciens membres du Politburo pouvait être facilement réduite, fut aussitôt supprimé après la mort de Staline et alors qu'il avait été créé par le Congrès du parti, il ne fut même pas donné au Comité Central d'en décider l'abolition.

Cette phase vient de se clore avec l'arrestation de Béria accusé d'être un agent de l'impérialisme étranger. Il est encore difficile de savoir si cette élimination du « N° 2 » est seulement un épisode décisif dans la montée de Malenkov vers un pouvoir personnel absolu de type stalinien ou si elle traduit davantage, à savoir une lutte politique entre deux fractions bureaucratiques, et, dans cette mesure, si elle remet en question les changements intervenus ou si elle en modifie la portée pratique. Plusieurs indices tendent à faire penser que la deuxième interprétation est la plus plausible. Ainsi, Malenkov a été très étroitement associé à la direction de l'Etat pendant la dernière phase du règne de Staline, cependant que Béria était tenu quelque peu à l'écart ; on pourrait donc établir une connexion entre le retour de celui-ci et les modifications de politique intervenues depuis mars. De même, le style des accusations portées contre Béria – à l'opposé de celles portées en mars contre Ignatiev, accusé à l'époque d'incapacité – est de pure coulée stalinienne et réintroduit d'emblée l'atmosphère des années des grands procès, lors même que cette arrestation est soi-disant dirigée contre les pouvoirs excessifs de la police. Et les affirmations réitérées de la *Pravda* sur l'excellence de la direction collective et le caractère néfaste du pouvoir personnel rappellent trop les proclamations de Staline aussi longtemps qu'il n'était pas encore devenu lui-même une personne, pour qu'on leur attache une grande importance. Il faut cependant se rappeler que dans le régime bureaucratique un dirigeant et son sort ne sont pas liés à une politique et à son succès, et que Malenkov peut très bien fusiller Béria et appliquer la politique de celui-ci.

La vraie question est non de construire le roman de la direction bureaucratique mais de chercher les mobiles qui sous-tendent les oppositions des groupes dirigeants et la transformation actuelle de la politique intérieure. Avant d'y répondre, il faut écarter une interprétation simpliste qui ne tiendrait pas compte de la solidité de la classe bureaucratique et ferait de telle ou telle fraction dirigeante le représentant des intérêts d'une autre classe, le prolétariat ou les paysans. L'un comme l'autre peuvent bien par leur résistance à l'exploitation poser des problèmes au gouvernement, et en ce sens provoquer des divergences entre les groupes de bureaucrates sur les méthodes les plus efficaces de direction, ils n'influent qu'indirectement sur la politique de l'Etat qui ne représente jamais que les intérêts de la couche dominante. Les variations politiques ne peuvent être interprétées que dans le cadre de la bureaucratie. Mais cette affirmation ne signifie pas nécessairement qu'il faille rechercher la source de ces variations dans l'opposition entre couches sociales distinctes de la bureaucratie. Cette recherche qui, depuis des années, satisfait l'imagination d'anciens mencheviks employés par la presse bourgeoise, repose sur une confusion entre la bourgeoisie et la bureaucratie, entre le mode d'exploitation capitaliste classique et le capitalisme collectif et planifié. Alors qu'il y a un sens dans le premier cas à relier par exemple une certaine politique à des groupes déterminés de l'industrie, – le secteur de l'industrie légère pouvant être intéressé plus que celui de l'industrie lourde à accorder des concessions au prolétariat ou à mener une diplomatie conciliante dans telle partie du monde pour se préserver ses marchés particuliers – il est plus que douteux que ce rapport puisse être établi dans une société où la concurrence ne peut se traduire sur le plan économique. Un groupe social tel que celui des techniciens ou des directeurs d'usine peut bien posséder certaines caractéristiques qui le différencient de celui de l'Armée, par exemple, mais ces caractéristiques communes qui reposent sur une similitude de fonction ne recoupent pas un intérêt économique défini qui puisse être représenté par une politique nationale et internationale. La concurrence entre bureaucrates – qui existe aussi nécessairement que dans toute autre classe exploiteuse – suit vraisemblablement davantage des lignes d'association locale et de rivalités de personnes que celles de la structure objective du régime de production. Bref, c'est une lutte de clans, non une rivalité entre couches sociales nettement constituées et cherchant à s'approprier une partie plus large de la plus-value arrachée au prolétariat. Cette appréciation de la bureaucratie permet de rejeter les hypothèses fantaisistes sur la lutte qui aurait lieu entre le Parti, l'Armée, la Police et les administrateurs et techniciens, et sur une prétendue répartition du pouvoir entre le Parti (Malenkov), la Police (Béria) et l'Armée (Boulganine). Il est d'ailleurs évident que le Parti ne compose pas un groupe distinct mais qu'il est représenté dans tous les secteurs sociaux ; prétendrait-on que la participation des généraux ou des directeurs d'usine ne leur donne aucun pouvoir réel, cela signifierait exactement que la démarcation ne s'effectue pas horizontalement entre les prétendus groupes adverses mais verticalement entre la bureaucratie moyenne et la bureaucratie supérieure, celle-ci n'étant déchirée que par un conflit de clans et non parce qu'elle reproduit les divergences de couches entières de la société. De toutes manières, l'hypothèse se révèle particulièrement fragile quand on veut l'appliquer aux derniers changements dans la direction de l'Etat. Comment parler, comme on l'a fait dans la presse, d'une victoire de l'Armée ou d'un retour des généraux, quand le représentant de l'Armée au Secrétariat est Boulganine, qui fut toujours considéré par les militaires comme un étranger, délégué par le Parti pour les surveiller ? (Et tandis qu'un certain nombre de petits faits significatifs parlent en sens contraire : l'absence de généraux dans la tribune officielle, lors de la revue du 1er mai ; le remplacement de militaires par des civils à des postes diplomatiques clés – en Autriche et en Allemagne.) Comment, en revanche, insister sur une victoire de la Police quand celle-là – si elle existe – est acquise au prix d'une large épuration des services de sécurité, à commencer par celle de son ministre, Ignatiev ; et alors que l'amnistie et la proclamation des droits individuels tend à diminuer son emprise sur la société ? Et comment encore interpréter, dans ce cadre, la récente annihilation de Béria ?

L'essentiel, au demeurant, n'est pas de connaître le détail de la lutte de personnes ou de clans que la mort de Staline a fait exploser au grand jour mais d'apprécier correctement la portée des changements intervenus dans le régime intérieur et d'en comprendre les causes. Ces changements ont apparu jusqu'ici comme allant dans le sens d'un assouplissement de la dictature. A cette idée il faut apporter immédiatement deux précisions, qui en limitent énormément la portée : d'abord on ne sait pas dans quelle mesure cet assouplissement est effectivement appliqué (rien ne s'oppose à l'idée qu'en réalité il se réduise à peu de chose), ensuite on ne sait pas s'il est durable (l'affaire Béria indiquerait plutôt qu'il ne l'est pas, indépendamment du rôle personnel de Béria lui-même). Mais ceci n'empêche que ces mesures traduisent incontestablement une pression de facteurs réels vers l'assouplissement. Quels sont ces facteurs et jusqu'où peut aller leur action ?

Il serait faux d'identifier le régime bureaucratique russe et la dictature policière stalinienne. Un système ne se définit pas d'abord par son régime politique. En théorie, il n'est pas inéluctable que l'étape du capitalisme que nous appelons capitalisme bureaucratique – pour rendre compte du nouveau caractère de la couche dominante – soit partout et toujours associée à une politique de terreur totalitaire du style de celle à laquelle Staline a associé son nom. On peut même imaginer qu'une victoire totale du travaillisme en Angleterre, accompagnée d'une nationalisation complète de la production et d'une planification intégrale n'abolirait pas immédiatement et complètement les institutions « démocratiques » anglaises et les mœurs « libérales ». Cet exemple hypothétique ne signifie d'ailleurs pas que le régime politique puisse revêtir des formes très diverses dans un système bureaucratique. L'étatisation de l'économie et la concentration du pouvoir politique qui l'accompagne vont de pair avec une tendance à contrôler *tous* les secteurs de la vie sociale. Et la mentalité bureaucratique favorise l'institution d'une discipline rigoureuse sur les conduites et les pensées individuelles. Jusqu'à quel point le contrôle de l'Etat s'exerce-t-il et requiert-il la violence, *ceci* ne dépend pas mécaniquement de la structure économique, mais aussi de facteurs historiques (origines de la bureaucratie, situation internationale, etc.) En ce qui concerne la bureaucratie russe, qui est venue à l'existence en se fabriquant ses propres bases économiques, la terreur a été un moyen d'imposer l'unité de classe, d'utiliser l'hostilité de tous contre tous au profit du fonctionnement de l'ensemble. Certes, la grande terreur avait pris fin dès avant la dernière guerre avec l'élimination définitive de tous les opposants politiques et la consolidation économique du régime. Mais la vie publique continua d'être soumise à l'arbitraire dictatorial ; tandis que le prolétariat était purement et simplement écrasé sous le poids de l'exploitation, les bureaucrates, eux-mêmes, quelle que soit leur position sociale n'obtenaient pas la sécurité personnelle que la consolidation du système économique aurait dû leur apporter. On peut se demander, si à la longue cette situation n'est pas devenue de moins en moins compatible avec les aspirations de la plus grande partie de la bureaucratie. Il semble que les privilèges que celle-ci a peu à peu conquis – et qui permettent à l'individu d'occuper dès sa naissance (grâce aux avantages de sa famille, à son héritage, à l'éducation qu'il est destiné à recevoir) une place supérieure dans la société – aient été très insuffisants tant que la terreur de la dictature a fait peser sur chacun la menace de son élimination physique ou sociale.

Il est donc logique que la bureaucratie exerce

contre son sommet une pression pour obtenir des garanties sur le sort personnel de chaque bureaucrate, la faculté de jouir en toute sécurité de ses privilèges. Ceci suppose que la bureaucratie non seulement est entrée dans une nouvelle phase de son développement, mais qu'elle en est de plus en plus consciente : il fallait d'abord créer les privilèges, encadrer totalement la société, garantir sa position de classe dominante sur le plan social contre les autres classes du pays, le prolétariat et la paysannerie, et ensuite commencer à se penser effectivement comme bureaucratie de droit divin, s'asseoir en bonne conscience à sa place, pour exiger un statut inviolable – qui signifie que le parti doit exister pour la bureaucratie, et non la bureaucratie pour le parti. Que d'un autre côté la nature même de l'économie et de la société bureaucratiques impose une centralisation totale du pouvoir et tende à conférer nécessairement à celui-ci un caractère de dictature totalitaire, c'est là une contradiction profonde du régime, analogue à celle qui amène la ruine de la démocratie parlementaire dans la dernière phase du capitalisme des monopoles. Mais la lutte entre ceux qui incarnent socialement les deux pôles de cette contradiction n'est pas nécessairement partout et toujours résolue de la même manière. Et il est en particulier clair que la phase pendant laquelle le pôle centralisateur a été extrêmement affaibli par la mort de celui qui l'a longtemps personnifié et les luttes intestines de ses successeurs a amené ceux-ci à opérer de larges concessions sur ce plan, en accordant par le truchement d'articles dans la *Pravda* une caricature d'*habeas corpus* à leurs hommes liges.

Mais un deuxième facteur est évident aussi bien dans les mesures d'assouplissement que dans les récentes concessions, apparentes ou réelles, au niveau de vie des masses : le besoin d'atténuer la contradiction sociale fondamentale, l'opposition des travailleurs au régime. La faible productivité du travail en Russie résulte à la fois de la non-adhésion des ouvriers à une production dont ils sont frustrés et du niveau de vie misérable combiné à la terreur. La crise permanente de l'économie qui en résulte devient d'autant plus grave que le niveau technique et économique du pays s'élève. On peut creuser des canaux au moyen de concentrationnaires disciplinés par le fouet jusqu'à y laisser leur peau – mais l'industrie moderne exige une adhésion au moins partielle de l'ouvrier à sa tâche qu'on ne peut obtenir par la terreur pure et simple, et pour laquelle il faut intéresser celui-ci au résultat économique de la production. Le capitalisme américain s'est résolument engagé dans cette voie depuis longtemps – ce qui n'a en fin de compte pas diminué le poids de l'aliénation des travailleurs – sous la pression des luttes des ouvriers. Il faut penser que l'opposition des ouvriers russes à la production était devenue suffisamment forte pour obliger la bureaucratie à procéder à certaines concessions.

Les changements dans le domaine intérieur de la politique russe apparaissent donc comme une réponse à la pression croissante des contradictions du régime. Nous allons voir que cette idée est singulièrement renforcée lorsqu'on examine les changements intervenus dans la politique extérieure de l'U.R.S.S. et dans la politique des pays satellites.

Tous les gestes russes dans le domaine extérieur depuis la mort de Staline sont allés dans le même sens : créer l'impression que l'U.R.S.S. ne vise plus à intensifier mais à atténuer la guerre froide. Tandis que les Occidentaux continuaient à chercher confusément et fébrilement une politique introuvable, Moscou paraissait prendre encore une fois l'initiative des opérations, agir d'une manière concertée dans les quatre coins du monde à la fois, en Corée et en Allemagne, proclamant ses intentions de paix et envoyant les marins soviétiques visiter la Tour Eiffel. Quel est le sens de ce tournant ; s'agit-il simplement de manœuvres de propagande ou de tactique, ou bien d'une réorientation de la politique à long terme ? Si c'est la deuxième réponse qui est la bonne, quelles sont les causes de cette réorientation, jusqu'où peut-elle aller, et quels peuvent être ses effets sur le bloc oriental lui-même ? Et enfin, dans la mesure où ce tournant a nécessairement des effets sur la stratégie du bloc occidental, qu'il vise ou en tout cas aboutit à accentuer les contradictions de l'Amérique et de ses alliés, une troisième question apparaît : jusqu'à quel point ces contradictions peuvent-elles se développer, et quel est l'effet de ces contradictions les unes sur les autres ?

Reprenons notre première question : quelle est l'ampleur du tournant russe ? Il convient d'abord de remarquer que ce tournant est limité. L'U.R.S.S., malgré la violence de sa diplomatie, n'avait pas cherché à déclencher la guerre ; il paraît maintenant acquis qu'elle n'escomptait pas la contre-offensive américaine quand s'est engagé le conflit coréen. Sa ligne, depuis cette date, était certes de ne rien céder mais aussi de préserver le *statu quo* et rien d'autre. La recherche systématique d'un compromis n'est donc pas une volte-face politique.

Il est vrai que la recherche d'un armistice en Corée a amené les Sino-Coréens à céder sur une série de points qui ont, à l'échelle locale, une certaine importance (les modalités sur l'échange des prisonniers ne leur permettront de remettre la main que sur une faible partie de leurs anciennes troupes) ; mais ces points sont cependant secondaires eu égard à la situation internationale dans laquelle l'initiative stalinienne se produit. Cette initiative est avantageuse. L'opération coréenne s'était avérée non rentable : elle exigeait un effort militaire coûteux de la part de la Chine, à une époque où celle-ci devait affronter le problème crucial de se constituer une infrastructure industrielle et de consolider le nouveau régime social : de toutes manières, une victoire militaire chinoise était devenue impossible et sa recherche n'aurait pu mener qu'à une généralisation de la guerre. A proposer la paix, les Chinois et les Russes n'ont dans le présent rien à perdre ; ils sèment en revanche le désarroi chez leurs adversaires, divisent les Nations unies et la Corée du Sud, les Etats-Unis et les Anglais, affaiblissent l'effort de guerre américain.

A lui seul, le tournant coréen ne suffirait donc pas à révéler une nouvelle politique de compromis. Mais nous savons que toute une série de gestes diplomatiques vont dans le même sens : en Autriche et en Allemagne, la nomination de commissaires civils et la levée du rideau de fer ; la renonciation aux revendications à l'égard de la Turquie ; le rétablissement de liens diplomatiques avec la Yougoslavie ; la proposition de renouer des relations commerciales avec l'Europe occidentale (à quoi s'ajoute le changement de ton de la diplomatie russe). Cette nouvelle attitude ne s'est traduite jusqu'ici par aucune mesure concrète ; et par exemple le refus russe de reprendre les négociations autrichiennes sur d'autres bases que sur celles de Postdam pourrait faire penser que l'U.R.S.S. recherchait plus une détente qu'un règlement des problèmes litigieux en Europe. La nouvelle politique du gouvernement de Berlin-Est a cependant éclairé sous un jour nouveau la tactique russe. L'arrêt de la politique de collectivisation et d'industrialisation « à tout prix », la reconnaissance explicite de l'hostilité de la population et de son exode vers l'Ouest, les assurances données aux paysans et aux couches moyennes, la décision de réinstaller dans leurs propriétés les expropriés ou les fuyards, la capitulation pure et simple devant l'Eglise évangélique qui avait été désignée comme l'ennemi numéro un, toutes ces mesures ne peuvent être interprétées simplement comme un geste tactique. Très loin de là, les concessions que nous évoquons sont si importantes qu'elles nous forcent à nous interroger sur les mobiles de la stratégie stalinienne. Et il faut alors reconnaître que l'U.R.S.S. est en train de répondre à une crise sans précédent de son bloc : crise qui a de multiples aspects, sociaux et économiques, révélés par les récents événements en Hongrie, mais surtout en Allemagne et en Tchécoslovaquie. Dans ces deux pays, il s'avère que la bureaucratie locale n'a pas été capable d'assurer son pouvoir. La difficulté, dans les deux cas, vient de ce que le stalinisme s'est heurté à un prolétariat avancé, doué d'une tradition de lutte, qui a su rapidement faire l'expérience de l'exploitation bureaucratique. Les grèves tchécoslovaques et surtout les mouvements de Berlin et de Magdebourg ont prouvé que l'unification du front européen oriental était loin d'être réalisée. Il est donc problable que le souci de consolider la dictature dans ces pays et en même temps de construire une économie du même type que celle de l'U.R.S.S. a été un facteur décisif de la politique de détente.

Dans ces régions, les plus industrialisées d'Europe centrale, la bureaucratie n'était pas parvenue à liquider la résistance prolétarienne : la réduction du niveau de vie, l'extension de la durée du travail, l'accélération des cadences apparaissent pour ce qu'elles sont – une surexploitation – à un prolétariat qui ne sort pas du servage, mais a déjà derrière lui un long passé de résistance et de lutte au sein du capitalisme. A quoi s'ajoute que le prolétariat ne se sent pas écrasé par un échec révolutionnaire comme pouvaient l'être les ouvriers russes quand la dictature stalinienne s'est abattue sur eux : alors qu'ils ne se sont pas opposés à l'instauration de la démocratie populaire, qu'ils l'ont même soutenue au départ, les ouvriers allemands ou tchécoslovaques ne l'ont pas fabriquée eux-mêmes et ils perçoivent d'autant mieux qu'elle leur est extérieure et qu'ils en sont les victimes.

Ces facteurs ont trouvé leur expression la plus achevée pendant les journées de juin, en Allemagne orientale.

Face aux difficultés croissantes sur le front intérieur, et voulant en même temps créer le plus de répercussions favorables en Allemagne occidentale, les staliniens avaient pris dès le mois de mai une série de mesures de détente. Ce qui apparaît de la manière la plus frappante dans celles-ci, c'est le caractère foncièrement *anti-ouvrier* du régime bureaucratique. Ces mesures de détente s'adressaient, en effet, à toutes les couches de la population : paysans, boutiquiers, réfugiés, bourgeois, prêtres – toutes les catégories sociales, sauf une : les ouvriers. On ne les avait pas oubliés, c'étaient eux qui devaient faire les frais de l'opération, compenser ce que la bureaucratie pouvait perdre par ses concessions aux autres couches.

Le plan de production avait été révisé de manière à augmenter la production de biens de consommation aux dépens de la production d'équipement ; mais en même temps, les normes de production étaient « volontairement » augmentées de 10 % – ce qui équivalait à une réduction de salaires beaucoup plus importante. (P. Gousset, *l'Observateur,* 25 Juin 1953, p.11)

On sait comment s'est manifestée la réaction ouvrière : les grèves partielles du 15 et du 16 juin se sont transformées le 17 juin en une révolte puissante, embrassant la plupart des grands centres industriels d'Allemagne orientale. A Berlin-Est, les manifestants dominent la rue le matin du 17 juin ; dans d'autres villes, ils s'emparent même des bâtiments gouvernementaux. On donnera ailleurs une étude plus approfondie des origines du mouvement et de ses prolongements (a). Mentionnons ici les points les plus importants qui se dégagent de ces événements :

1° Sans l'intervention de l'Armée russe, il est probable que le gouvernement stalinien allemand aurait été renversé. Sa direction même était disloquée, démoralisée, incapable d'agir. Sa propre police soit l'abandonnait, soit se terrait. Les blindés russes n'ont pas eu à se battre, car leur simple arrivée était un rappel de ce que l'Allemagne orientale est jusqu'à nouvel ordre une partie de l'Empire russe. Sous réserve des répercussions probables de la révolte ouvrière au sein de l'Armée russe, ce fait montre à la fois la puissance indestructible du prolétariat et les limites des mouvements possibles aussi longtemps que le système d'exploitation reste solide dans ses deux pôles mondiaux, l'U.R.S.S. et les U.S.A.

2° L'expérience du bureaucratisme stalinien comme une simple nouvelle forme de l'exploitation est un fait acquis par le prolétariat industriel des pays satellites. On connaissait déjà, par une série de signes, l'opposition des travailleurs aux régimes bureaucratiques des pays satellites, mais maintenant les deux termes de cette opposition sont clairement explicités.

3° Les concessions auxquelles a été obligée de procéder la bureaucratie stalinienne en Allemagne orientale, puis, pour prévenir les événements, en Hongrie et en Tchécoslovaquie, contiennent une leçon fondamentale pour les ouvriers de ces pays : *la résistance, la lutte paient.* On ne saurait trop insister sur l'importance proprement révolutionnaire de cette conclusion, que les ouvriers de ces pays ont déjà tirée et qui est sans doute en train de se propager dans tout le glacis soviétique.

Mais cependant si l'opposition ouvrière réussit à s'exprimer et à mettre en péril la stabilité du nouveau régime ici et là c'est aussi parce que les couches dirigeantes ne sont pas unifiées et parce qu'elles se heurtent à des difficultés considérables dans l'édification ou la consolidation de la structure économique. Ces difficultés existent déjà par le simple fait que les nécessités de l'accumulation impliquent des sacrifices de la part de toutes les couches de la population et que l'U.R.S.S. ne peut faire face aux demandes d'investissement qui viennent à la fois de Chine, de Roumanie, de Pologne, de Tchécoslovaquie, etc. Mais elles ont été aussi accrues par la politique de l'U.R.S.S.

qui, après une période de pur pillage en Europe, n'a jamais tenté de partager le poids de l'industrialisation mais s'est au contraire accordé des avantages substantiels dans ses échanges avec ses satellites. Si une partie de la direction bureaucratique est si fortement liée à l'U.R.S.S. qu'elle ne saurait faire autre chose qu'appliquer en toutes circonstances sa politique, une autre partie, du moins, et surtout les couches plus larges sur lesquelles elle s'appuie, ne peuvent qu'être sensibles aux privilèges de l'U.R.S.S. et n'accepter qu'avec mauvaise grâce les sacrifices imposés. La scission ouverte de Tito et les diverses oppositions qui ont été sanctionnées par des épurations et des procès spectaculaires ont révélé le combat qui se livre au sein des bureaucraties nationales et qui n'est vraisemblablement pas terminé. Enfin, la présence proche des armées occidentales et la perspective d'une guerre qui permettrait de remettre en question les régimes actuels et de rétablir les situations anciennes ont alimenté l'espoir et la résistance des couches moyennes subsistant toujours et qui n'ont pas encore perdu le souvenir de leurs anciens privilèges. Tous ces facteurs qui concourent à faire des satellites européens des éléments particulièrement vulnérables du système de défense russe suffisent à nous faire comprendre les avantages d'une pause, susceptible d'amener un raffermissement. Et l'obstination qui est mise par la diplomatie orientale à rechercher des échanges avec l'Europe de l'Ouest (quelle que soit par ailleurs la valeur tactique de ces positions par rapport aux contradictions du bloc occidental) confirme la volonté de l'U.R.S.S. de pallier des difficultés économiques immédiates.

Notre intention, nous l'avons déjà dit, n'est pas de nous livrer à des conjectures incontrôlables, or nous ne pouvons actuellement apprécier l'ampleur des contradictions du bloc russe et savoir, en conséquence, jusqu'à quel point l'U.R.S.S. peut aller sous leur pression. Contentons-nous de remarquer que certaines de celles-ci ne peuvent être absolument surmontées et que la réponse qui a commencé à être donnée peut les aggraver. L'exemple le plus intéressant est le tournant effectué en Allemagne : les conséquences en sont déjà et en seront plus encore – s'il se poursuit – très importantes. Dans ce cas, nous avons vu à la fois une révolte ouvrière et un effondrement du P.C. Ces deux événements qui sont évidemment liés sont dans une certaine mesure une première réponse à la nouvelle politique du Kremlin qui déjà bouleverse les données sur lesquelles celle-ci s'était établie.

L'AMÉRIQUE ET LES CONTRADICTIONS DU BLOC OCCIDENTAL

Il serait artificiel de vouloir décrire la politique russe et les difficultés auxquelles elle répond et qu'elle rencontre sans parler de leur relation avec la politique occidentale.

Ce qui est remarquable, jusqu'ici, c'est la

confusion extrême de la politique des U.S.A. Cette confusion n'a été que renforcée par les nouvelles initiatives russes, elle est sensible depuis plusieurs années et – indépendamment des derniers événements internationaux – elle correspond à une crise de la société américaine tout entière. L'essor des forces productives et de la technique et le désordre de la lutte intermonopolistique, le souci d'organiser stratégiquement le bloc des alliés et une domination économique aveugle qui ruine ce bloc, la volonté de faire la guerre à l'U.R.S.S. et la fuite devant les charges financières qui en sont la conséquence, le morcellement du pouvoir de l'Etat en clans militaro-économiques tour à tour prédominant, l'extrême corruption des parlementaires et des fonctionnaires, l'hystérie de larges couches petites bourgeoises qui a remplacé le lynchage des nègres par la lutte contre le communisme, font de la société américaine, en l'absence d'une expression politique du prolétariat, un impérialisme en panne, qui n'a encore trouvé ni les conditions ni les moyens de réaliser *une politique*.

Pour nous en tenir aux derniers mois, il n'est que trop facile de souligner le désarroi qu'a provoqué l'offensive de paix de l'U.R.S.S. Le discours d'Eisenhower, en avril dernier, qualifié d'historique par toute la presse occidentale, est un tract de propagande composé à la hâte, répondant au seul souci de ne rien dire qui implique la paix ou la guerre. Encore se voit-il partiellement contredire par les déclarations menaçantes de Foster Dulles, à la même époque. Tandis que *le Monde*

annonce périodiquement que le Président-Général
reprend en mains les rênes du pouvoir, tous ses
gestes révèlent sa faiblesse. Il fait pression sur
le vote des crédits militaires, mais n'empêche pas
qu'ils soient partiellement réduits. Il proclame son
attachement à l'alliance européenne, mais nomme
Radford, à la place de Bradley. Tandis qu'il répond
à Taft, il se montre avant tout soucieux de le
ménager, réaffirme son opposition à l'admission de
la Chine aux Nations unies. Il évoque la possibilité
d'une conférence à quatre après les Bermudes, mais
laisse encore Dulles exclure cette conférence en
posant des conditions qui en fait la rendraient
impossible. Enfin, après avoir mis en garde la
jeunesse contre les méthodes d'inquisition qu'on veut
répandre aux Etats-Unis, il prend soin de spécifier
que son discours ne visait pas Mac Carthy et refuse
de gracier les Rosenberg.

En l'absence d'une politique concertée de la part
de leur gouvernement, les Etats-Unis accusent
cependant – et accuseront davantage si la politique
russe de détente se confirme – le coup sur le plan
économique. Le début de la récession, signalé dans
le dernier numéro de *Socialisme ou Barbarie,* pourrait
avoir des suites dangereuses, se développer et
disloquer l'économie occidentale. Le tout est de
savoir si une telle situation favoriserait le retour à
une politique du type New Deal ou l'essor du
fascisme mac carthyste, comme il paraît plus probable.
Mais en ce dernier cas, il est douteux que la
politique agressive des U.S.A. entraîne à sa suite la
majorité du camp occidental, d'autant qu'elle signifie

un ralentissement ou une suppression des crédits à l'Europe. La faculté des Etats-Unis de maintenir une relative cohésion du camp occidental ne dépend pas cependant de leur seule évolution intérieure, économique et politique, mais aussi de celle du bloc oriental, de la capacité de celui-ci à surmonter partiellement ses difficultés et d'intéresser l'Europe occidentale à la détente internationale et à des échanges commerciaux. Actuellement, le plus clair est que les Etats-Unis, installés dans la guerre froide, tout en ne se sentant pas la possibilité de la développer prochainement en guerre chaude avec succès, n'ont pas intérêt à la détente.

Les Anglais et les Français, cependant, y ont intérêt. Mais toute la difficulté vient de ce qu'il n'y a aucune possibilité pour eux de faire une politique indépendante des Etats-Unis, bien que la dépendance pure et simple soit à long terme désastreuse. La réaction anglaise au tournant russe est dictée par cette double exigence – à la fois prendre une distance par rapport aux U.S.A., pousser à la détente et ne provoquer toutefois aucune scission avec ceux-ci, car la situation ne permet pas l'existence d'une troisième force internationale. Sur le plan économique, l'Angleterre est très désireuse de reprendre le commerce avec l'Est et elle ne cesse de faire des infractions aux consignes américaines, comme l'a montré la fameuse affaire des livraisons anglaises en Chine. Un tel commerce, si le Battle Act était supprimé ou assoupli, pourrait permettre l'exportation de matières premières, de machines-

outils et de certains produits manufacturés dont le
bloc oriental a le plus grand besoin. Il ne faut
pourtant pas en exagérer l'importance. Les prévisions
de la Conférence de Genève sur les échanges Est-
Ouest étaient très modestes (3 % du commerce mondial) ; et même si ceux-ci étaient accrus, ils ne
pourraient atteindre ce qu'ils étaient avant guerre
car la structure des pays de l'Est européen s'est
modifiée et les Occidentaux ne peuvent plus compter
sur des exportations massives de céréales à bas
prix (le marché intérieur absorbant une part
beaucoup plus importante qu'autrefois de la
production agricole). La recherche des échanges
avec l'Est n'est donc pas une fin en soi pour les
Anglais : elle est aussi un moyen de pression sur
les Américains, dont les Anglais supportent de moins
en moins le protectionnisme impitoyable. Le ton
agressif du chancelier de l'Echiquier, Butler, dans
la dernière période, a montré que les Anglais
n'hésiteraient pas à recourir à un certain chantage
pour forcer les Américains à assouplir leur politique
économique. Chantage économique d'autant plus
facile à mener qu'il recoupe les intérêts politiques
de la Grande-Bretagne qui ne veut à aucun prix
la guerre, consciente qu'elle est du danger de perdre
alors définitivement son rang de grande puissance.
Il demeure que si l'Angleterre, à la différence des
Etats-Unis, a une bourgeoisie consciente de ses
intérêts et un gouvernement qui a une ligne
politique, la situation objective l'enferme dans des
difficultés qu'elle ne peut maîtriser. Le danger d'une
crise économique aux Etats-Unis l'atteint aussi

directement et la bourse de Londres, comme on l'a vu au début du tournant russe, reste particulièrement sensible à la menace d'une détente : (en 1938, une baisse de la production américaine de 4 % provoquait une chute des exportations anglaises de 41 % et du trafic de la zone sterling avec la zone dollar de 50 % ; bien que la solidarité économique des deux puissances soit considérablement réduite elle demeure assez sensible pour qu'un affaissement des U.S.A. ait des répercussions sensibles en Grande-Bretagne). Quel que soit l'intérêt de l'Angleterre à une détente, il faut donc remarquer que sur ce point encore les contradictions inter-capitalistes rendent difficile une stratégie cohérente et impossible un jeu autonome.

Ce qui est vrai de l'Angleterre l'est davantage de la France, plus intéressée encore à ce que la guerre froide ne se développe pas en conflit ouvert et cependant extrêmement dépendante des Etats-Unis. Il faut seulement noter que le capitalisme français subit au jour le jour ses contradictions sans tenter de les surmonter, ou même de les transposer en un langage politique cohérent. La persistance de l'inflation, l'extension du chômage, l'aggravation du conflit indochinois ont abouti à une crise complète du régime qui se concrétise par l'impossibilité de réunir un gouvernement. Le tournant russe a pourtant eu des répercussions sur la bourgeoisie française, comme en témoigne la tentative de Mendès France, impensable dans un autre climat international (b).

Cette tentative pourrait-elle être reprise dans le cas où la conjoncture se préciserait, cela ne signifierait pas que les possibilités d'une troisième force soient sensiblement plus larges. Il n'est pas inutile de noter que les Anglais n'ont pas accueilli l'idée d'un gouvernement Mendès avec enthousiasme et que les conservateurs l'ont ouvertement condamnée, voyant en celui-ci un bevanisme de gauche. Le rapprochement des Français avec l'Angleterre se heurte à la politique traditionnellement isolationniste par rapport à l'Europe de cette dernière.

Contradictions du bloc occidental, contradictions du bloc oriental, incapacité de chacun de mettre absolument à profit les difficultés de l'autre en raison de ses propres difficultés ; force imprévisible pour les deux systèmes, mais qui, lorsqu'elle entre en scène bouleverse toutes les entreprises des exploiteurs : le prolétariat – telles sont les caractéristiques de la situation que nous avons voulu mettre en évidence. Cette situation n'est pas entièrement nouvelle. Pas plus aujourd'hui qu'hier nous ne pensons qu'un règlement d'ensemble des conflits entre l'Est et l'Ouest puisse se produire. La Russie ne joue pas librement avec la bureaucratie allemande ; pas plus que les Etats-Unis avec la dictature de Syngman Rhee ; et pour les deux adversaires, un véritable compromis ne ferait qu'aggraver leurs difficultés internes. Pas plus hier qu'aujourd'hui nous ne croyions que le prolétariat était complètement dominé à l'échelle internationale.

Les derniers mois nous ont toutefois enseigné que le développement des contradictions des deux blocs peut ne pas mener aussi vite que nous le pensions à la guerre ; que le prolétariat peut, en revanche, bénéficier de ces contradictions et, dès avant la guerre, commencer de se rassembler sur des bases autonomes.

NOTES

(a) Voir les textes de A. Véga et Hugo Bell dans le n° 13 de *S. ou B.* (janvier 1954) ; voir aussi B. Sarel, *La Classe ouvrière d'Allemagne orientale,* Ed. ouvrières, 1958.

(b) Il s'agit de la première tentative de Mendès France d'accéder à la présidence du conseil (début de l'été 1953), qui avait échoué.

KHROUCHTCHEV ET LA DÉCOMPOSITION
DE L'IDÉOLOGIE BUREAUCRATIQUE *

Sur le plan idéologique, Khrouchtchev a placé le XXe Congrès sous le signe du « retour à Lénine ». Par un de ces paradoxes de l'histoire, qui ne le sont que pour l'observateur superficiel, cette « orientation » (prise au pied de la lettre par la presse bourgeoise) accompagne une répudiation effective du marxisme et du léninisme qui est, d'une certaine façon, beaucoup plus profonde que celle accomplie jadis par Staline. Certes, ce dernier – et l'ensemble des P.C. des divers pays – avait depuis longtemps

* *S. ou B.,* n° 19 (juillet 1956).

rompu avec le véritable marxisme. Ce qui était présenté sous ce nom depuis trente ans par la bureaucratie stalinienne était, comme théorie, un matérialisme vulgaire, mécaniste et primitif ; comme politique, l'opportunisme au sens le plus large, passant suivant les circonstances de l'aventurisme extrême à la collaboration étroite avec la bourgeoisie. Dans les deux cas, l'analyse dialectique ou simplement le raisonnement étaient remplacés par la répétition scolaire d'un nombre de formules et de citations apprises par cœur, dont on sortait tel ou tel échantillon d'après les besoins du moment. La pensée *apparente* de la bureaucratie, son idéologie, n'était rien d'autre que cette ronde rituelle de citations. Sa pensée *réelle,* celle qui la guidait dans ses actions, était l'empirisme cynique et à courte vue en quoi elle avait organiquement transformé d'après sa propre nature le réalisme politique du marxisme révolutionnaire.

Mais si cette idéologie devenue rituel n'avait plus de rapport avec la réalité – autre que celui du masque –, elle présentait au moins une certaine cohérence formelle. Lorsque Staline était forcé à effectuer un « tournant », ses valets cherchaient une citation, la délayaient, l'estropiaient, lui faisaient dire le contraire de ce qu'effectivement elle disait – mais essayaient de se créer une couverture idéologique « marxiste ». C'est que la bureaucratie sentait encore le besoin de se justifier à la fois à ses propres yeux et à ceux du prolétariat en invoquant le marxisme. Plus même : l'invocation commune de cette scolastique, à la fois monstrueusement rigide

dans son tout et entièrement arbitraire dans
n'importe quelle de ses parties, accomplissait une
fonction sociale réelle ; elle était un des facteurs
de cohésion entre les diverses couches fraîchement
privilégiées en Russie, comme aussi entre ces
dernières et les directions bureaucratiques des P.C.
à l'étranger, insuffisamment ancrées dans leurs
sociétés respectives.

Ce à quoi on assiste avec le XXe Congrès, c'est
au début de la décomposition de ce rituel lui-
même. Les éléments de l'amalgame théorique
fabriqué par Staline en combinant l'invocation de
certaines autorités – dont Staline lui-même – et un
contenu, variable selon les circonstances, se séparent.
La bouillie idéologique de la bureaucratie a tourné.

D'un côté, se succèdent les incantations
obsessionnelles autour du nom de Lénine, nécessaires
sans doute pour cautionner la répudiation de Staline,
mais aussi pour masquer et compenser l'absence
de toute vie réelle des idées. On est frappé de voir
ces hommes qui « construisent le communisme », qui
ont « gravi une montagne » et voient « les vastes
horizons de la société communiste » (Khrouchtchev)
ne pas pouvoir se passer de l'invocation d'une
autorité *mythique* – celle de Staline hier, celle de
Lénine aujourd'hui. Evidemment, les litanies autour
de Lénine visent à camoufler la trahison des
véritables idées de celui-ci ; elles ont aussi pour but
de couvrir le vide idéologique de la bureaucratie
installée. Mais leur effet réel est le contraire : elles
créent avec une force rarement égalée une impression
de stérilité totale. Il est caractéristique non seulement

que le *nom* de Lénine ouvre et clôt tous les discours prononcés au Congrès, mais que Lénine n'est effectivement cité que pour ce qu'il a pu dire en passant de plus banal : que « l'économiste doit toujours regarder en avant » (1), que l'élévation de la productivité du travail dépend de la spécialisation qui à son tour dépend de l'emploi des machines (2), que la politique du Parti ne peut aboutir au succès que si elle tient compte des exigences du moment (3), etc.

D'un autre côté, le contenu politique disparaît (4). Dans sa plus grande partie, le rapport de Khrouchtchev ressemble à s'y méprendre à un compte rendu d'un président de conseil d'administration devant une assemblée d'actionnaires. De ce point de vue, même l'hystérie rituelle des congrès staliniens avec la dénonciation des « trotskistes, zinoviévistes boukhariniens » et des « fauteurs de guerre impérialistes » avait un caractère politique ; c'était la politique de l'assassinat, et l'assassinat de la politique, – mais le cadavre était toujours dans la salle. Le XXe Congrès s'en est débarassé ; se voulant placide, la bureaucratie installée a prétendu expédier ses affaires courantes.

Dira-t-on que le nombre des vaches qui préoccupe particulièrement Khrouchtchev est une question politique, ou qu'il n'y a plus d'adversaires à combattre ? Mais on les combat entre les lignes, ou en séance secrète ; le fait est qu'on les escamote. Ceux qu'on ne peut pas escamoter – les Américains –, la vaseline de la coexistence pacifique les recouvre. Il y a certes toujours des méchants trusts outre-

Atlantique, mais la « force du camp socialiste », la « puissance du mouvement démocratique » leur imposeront – en apparence indéfiniment – de se tenir tranquilles. L'escamotage de la politique et de la lutte dépasse les frontières de l'Union, il concerne la planète entière (5).

Pour ce qui est des vaches, leur nombre est certes une question politique – non pas en lui-même, mais en tant qu'il se rapporte aux hommes qui les élè-vent, les exploitent, les consomment ; autrement dit, en tant qu'il se rapporte aux rapports réels de production et de consommation dans la société. Ceux-ci sont également et nécessairement escamotés dans le rapport de K. ; les hommes n'y apparaissent qu'en tant que bureaucrates chargés de contrôler l'exécution du Plan, et exerçant ce contrôle mal, à la fois trop et pas assez (que ce soit là la contradiction fondamentale du régime et de la classe qu'il représente, K. ne peut le voir sans cesser d'exister).

Que l'idéologie stalinienne, de même que le type extrême de terreur caractéristique du règne de Staline, étaient devenus un frein insupportable s'opposant au développement de la société russe et de la bureaucratie elle-même, est évident ; tout « le tournant » russe actuel en témoigne. Au moment où elle sent sa cohésion réelle comme classe exploiteuse assurée, la bureaucratie a beaucoup moins besoin d'une cohésion idéologique pour elle-même. Elle ressent le marxisme pour séminaristes arriérés de Staline comme un carcan, et essaie de s'en débarrasser. Le malheur veut que le même processus qui a abouti à la consolidation et l'unification de la bureaucratie a en même temps consacré sa rupture totale avec le prolétariat russe, qu'au même moment où celle-là s'affirme celle-ci éclate, que la liberté acquise d'un côté est trois fois perdue de l'autre. La répudiation du monolithisme idéologique s'avère désirable et indispensable, mais la contradiction de classe qui déchire la société russe empêche que rien ne soit mis à la place.

Autant que la critique des défauts économiques, la dénonciation de la stérilité idéologique est partout présente dans les discours du XXᵉ Congrès. Khrouchtchev et les autres membres de la direction multiplient les appels aux intellectuels, aux économistes, aux historiens, aux philosophes, aux artistes, critiquant leur « dogmatisme », leur « manie des citations », leur « rupture avec la vie », les invitant à regarder le présent et l'avenir, – en un mot, leur intimant l'ordre de créer spontanément et authentiquement.

Que ne donnent-ils donc l'exemple ?

Khrouchtchev et les autres dirigeants critiquent les économistes russes, les accusent de stérilité, de répétition mécanique, etc. Ils leur reprochent de s'en tenir, en matière d'analyse de l'économie capitaliste, à quelques schémas traditionnels. Mais quelle est l'« analyse » de l'économie capitaliste fournie par K. dans son rapport ? Une comparaison du rythme de développement de l'industrie des pays bourgeois et de l'industrie russe, d'où il ressort que celle-ci se développe beaucoup plus rapidement que celle-là ; quelques chiffres sur les salaires réels dans les pays capitalistes, montrant leur augmentation nulle ou lente – au total, la description la plus superficielle et la plus schématique ; en guise d'*analyse* économique réelle, la version la plus crue de la théorie dite de la « sous-consommation » (explicitement répudiée par ce même Lénine qu'il ne cesse d'invoquer), à savoir, l'explication de la crise du capitalisme par la stagnation des salaires ouvriers et la limitation des débouchés qui en résulte.

Khrouchtchev n'est pas, dira-t-on, ni n'est obligé d'être un économiste. Mais les économistes russes, eux, sont obligés de l'être ; tout au moins K. veut les obliger à le devenir. Que doivent-ils, que peuvent-ils dire sur le capitalisme ? Khrouchtchev répudie le « schématisme » des soi-disant analyses de Staline et invoque Lénine pour prouver que la production capitaliste peut encore progresser. Ainsi il enlève aux économistes la possibilité de présenter l'un des systèmes comme stagnation absolue, l'autre comme progrès absolu. Doivent-ils comparer les rythmes relatifs de développement ? Mais pendant combien de temps ? Des chiffres cités par K. lui-même, il résulte que le taux annuel d'expansion de la production industrielle en Russie a été de 20% de 1929 à 1937, de 18% de 1946 à 1950, de 13% de 1950 à 1955 et qu'il sera de 10,5% de 1955 à 1960. Ce ralentissement prouve ce que nous en avons toujours dit, à savoir que, dans la mesure où les chiffres russes ne sont pas en partie gonflés, ils traduisent l'avance rapide d'un pays où des masses énormes sont transférées de l'agriculture vers l'industrie, où le niveau bas de la technique permet de s'assimiler d'emblée des méthodes productives perfectionnées mises au point ailleurs, où un taux inouï d'exploitation permet une accumulation très rapide du capital, où la direction de l'investissement par l'Etat élimine le sous-emploi des hommes et des machines dû aux fluctuations du marché (6). Mais il montre en même temps que la différence des rythmes d'expansion devient de moins en moins impressionnante. De fait, l'augmentation annuelle de la production industrielle dans les pays capitalistes a déjà connu des rythmes analogues et parfois supérieurs à ceux réalisés en Russie : 22 % aux Etats-Unis de 1939 à 1943, 11 % en Allemagne occidentale de 1951 à 1955, 10 % en Italie de 1948 à 1955. On peut symboliser l'opposition du Bien et du Mal par celle du zéro et du quelque chose, mais il est difficile de l'incarner dans la différence entre 8 et 10 pour cent.

L'analyse comparée des deux systèmes économiques montre en fait que l'économie bureaucratique n'augmente pas la productivité du travail plus rapidement que l'économie capitaliste ; en fin de compte, son avantage se réduit à l'élimination des crises de surproduction.

Et c'est en effet aux « crises » que reviennent les contradictions du capitalisme pour K. Que peuvent en dire les économistes russes – à qui évidemment il est impossible de parler de la contradiction fondamentale de l'économie capitaliste, privée ou bureaucratique, qui consiste à traiter le sujet de la production comme objet ? Qu'elles sont dues, leur enseigne K., à ce que les salaires n'augmentent pas. Cette conception, soit dit en passant, a été traditionnellement une des bases idéologiques du réformisme ; elle mène à la conclusion que si les ouvriers arrachent suffisamment d'augmentations, ils aideront le capitalisme à surmonter ses crises. Indépendamment de cela, elle est fausse théoriquement ; si l'accumulation se fait à un rythme suffisamment rapide, il n'est point nécessaire que les salaires augmentent pour que l'expansion capitaliste puisse continuer. Et dire que l'économie capitaliste privée ne peut pas assurer la stabilité du rythme de l'accumulation n'appelle pas le socialisme, mais l'étatisme, tout simplement. La « nationalisation de l'investissement », sous une forme ou une autre, a été le drapeau des néo-capitalistes keynésiens et le demeure. Enfin, la conception de K. est fausse matériellement ; si les économistes russes se débarrassent du « schématisme », il faudra bien qu'ils découvrent que les salaires ont augmenté depuis un siècle.

Les ouvriers n'ont pas pour autant cessé de poser des revendications, et de le faire de façon de plus en plus pressante, obligeant la plupart du temps les capitalistes à reculer, de sorte que, en gros, la répartition du produit entre salaires et profits est restée à peu près constante à travers l'histoire du capitalisme. La même chose, sous une autre forme, est en train de se passer en Russie. Mais cela n'a pas diminué la tension dans l'usine capitaliste – de même que les baisses de prix en Russie n'ont pas diminué les tensions dans l'usine russe, comme en témoigne d'un bout à l'autre le XXe Congrès lui-même ; ce qui prouve que le véritable problème est ailleurs, dans le refus par les ouvriers des rapports de production capitalistes au sein desquels ils sont dominés par une couche de dirigeants personnifiant le capital. C'est là l'origine de la crise de la productivité du travail dans l'usine moderne – à Detroit comme à Coventry, à Billancourt comme à Stalingrad. Les économistes russes peuvent-ils en parler ?

Peuvent-ils parler de l'économie russe véritablement ? Certes, ils peuvent continuer à accumuler les chiffres sans signification à longueur de pages, à décrire l'appareil administratif de l'économie, – en somme, comme M. Bettelheim en France, bavarder pour ne rien dire. Souslov, dans son excitation, leur demande de parler de la loi de la valeur – pour ajouter immédiatement qu'il s'agit de réduire les coûts de production. Mais la loi de la valeur conduit à la question de la plus-value – de la répartition du produit social entre les diverses catégories. Même si les économistes continuent à noyer les revenus de la bureaucratie dans la masse des « salaires », une analyse tant soi peu précise de l'économie russe sous l'angle de la valeur ne manquerait pas de faire apparaître l'énorme spoliation de la paysannerie par l'Etat – c'est-à-dire la bureaucratie. Comment est déterminée la répartition du revenu social ? Comment est déterminée la répartition des investissements ? Qui la détermine ? Avant d'être répartie, la valeur doit être produite ; comment l'est-elle – autrement dit, comment est organisée l'usine russe ? Qui la dirige ? Ses lois diffèrent-elles de celles décrites par Marx à propos de l'usine capitaliste ? Poser la moindre de ces questions, c'est faire voler en éclats toute la mystification « socialiste » de la bureaucratie. Les économistes russes ne sont pas à la veille de le faire.

Si Khrouchtchev n'est pas économiste, il est, par profession, politicien ; c'est comme tel qu'il a mis en avant la conception de la « diversité des formes de passage au socialisme », saluée par les « communistes » comme une importante contribution à l'analyse politique marxiste. La signification politique immédiate de cette orientation est certes claire : il s'agit de consacrer une liberté de manœuvre élargie pour les P.C., leur permettant d'adapter tant bien que mal leur ligne aux nécessités de la « coexistence pacifique », en même temps que de créer l'apparence d'une autonomie plus grande des pays satellites. Sous ce rapport, elle a incontestablement une valeur du point de vue de la bureaucratie. Mais quelle est la conception théorique qui la sous-tend, la valeur de l'argumentation qui la justifie ? K. commence par dire en substance que les conditions dans les différents pays sont différentes – tautologie en apparence innocente, sous laquelle se cache, comme d'habitude, un sophisme. Car la question n'est pas de savoir si l'existence de pays différents signifie l'existence de conditions différentes, mais si ces condi-

tions sont différentes au point de rendre une révolution
nécessaire ici et superflue ailleurs. Les pays sont
différents, – mais en même temps sont tous des
pays *capitalistes*. Les passages seront incontestablement
différents – mais ce seront tous des passages au
socialisme. Si ces passages sont des *passages du
capitalisme au socialisme,* des conséquences valables
dans tous les cas en découlent ; quelles sont-elles ?
Pour un marxiste, ce « passage » signifiait essentiellement une chose : la destruction du pouvoir et de l'appareil de l'Etat existant, son remplacement par un Etat qui n'en était déjà plus
un, car il n'était que la population travailleuse en
armes. Lénine a écrit des centaines de pages pour
montrer que l'essence du passage du capitalisme
au socialisme était la supression de l'Etat en tant
qu'organisme séparé de la masse du prolétariat. Sur
cette *identité* fondamentale des « formes de passage »,
qui est en même temps l'identité du *contenu* du
socialisme où qu'il se réalise, K. se tait avec soin.

A la place, il invoque Lénine qui admettait la
possibilité d'une évolution pacifique de la révolution
russe... *en avril 1917,* c'est-à-dire *après* une première
insurrection victorieuse et *en fonction* de l'existence
des Soviets, organismes du pouvoir de la classe
ouvrière. Il escamote en même temps le fait que
Lénine lui-même a rapidement tiré les leçons de
la situation qui se développa alors et s'orienta vers
une deuxième insurrection prolétarienne. Il escamote
le fait que Lénine, écrivant à la même époque *L'Etat
et la Révolution,* et citant Marx qui parlait de la
nécessité pour toute révolution sur le Continent de

briser l'appareil d'Etat, prenait soin d'expliquer que l'exception faite par Marx dans le cas de l'Angleterre s'appuyait sur le fait que dans ce pays, en 1871, le militarisme et « à un degré considérable, même la bureaucratie » n'existaient pas ; et qu'il ajoutait qu'« aujourd'hui » (en 1917) à la fois l'Angleterre et l'Amérique sont caractérisées par l'existence d'Etats militaristes-bureaucratiques, dont la « destruction », la « mise en pièces » sera la « chose essentielle » de toute « révolution réelle ». Inutile d'indiquer combien plus forte est devenue cette idée aujourd'hui, avec la croissance monstrueuse de l'appareil de l'Etat et son identification progressive avec l'appareil d'exploitation.

Khrouchtchev, supprimant toute analyse de la structure et du rôle de l'Etat dans les sociétés contemporaines, invoque des « changements » intervenus dans la situation historique ; la modification du rapport des forces en faveur de la classe ouvrière « de différents pays capitalistes » (?) permettrait à celle-ci de « conquérir une solide majorité du Parlement » et de transformer celui-ci « en instrument de la véritable volonté populaire ». Mais lorsque Lénine traitait de social-traîtres ceux qui avant K. avaient soutenu cette « orientation », ce n'était pas parce qu'ils avaient prétendu qu'ils pourraient instaurer par voie parlementaire le socialisme... en étant minoritaires au Parlement. Les réformistes que Lénine qualifiait de « laquais léchant les bottes des impérialistes » prétendaient précisément que le « rapport des forces » allait permettre un jour le passage pacifique au socialisme

par conquête de la majorité parlementaire. A cela,
Lénine ne se bornait pas à opposer des arguments
« conjoncturels », montrant qu'il est impossible que
le Parlement reflète la volonté de la majorité de
la population dans un pays bourgeois (à quoi on
pourrait ajouter, avec l'expérience historique des
trente dernières années, que là où une majorité
parlementaire « socialiste » ou « socialiste-
communiste » a été réunie, elle n'a fait que préserver
l'ordre bourgeois). Il démontrait, par une analyse
sociologique de la nature de l'Etat et du Parlement,
que celui-ci ne pouvait pas être l'instrument du
passage au socialisme, qu'il s'appuyait sur une
séparation radicale, entre le peuple et ses « représentants », consubstantielle au régime d'exploitation,
que le socialisme ne peut commencer qu'avec la
destruction totale de l'appareil d'Etat existant et
l'institution du pouvoir des organismes des masses
armées. Mais Khrouchtchev ne peut pas dire que
la nature de l'Etat capitaliste et du Parlement a
changé depuis Lénine, et ne veut pas dire que ce
qui a changé, c'est la nature du socialisme – que
ce qu'il entend par socialisme n'est que le pouvoir
des bureaucrates des P.C., dont à la limite il est
en effet concevable qu'il puisse s'instaurer – le poids
du « camp puissant des pays du socialisme et de
leurs 900 millions d'habitants » aidant – par voie
parlementaire.

Enfin, en même temps qu'il dénonce sévèrement
la stérilité des historiens, Khrouchtchev leur offre
sans le vouloir un exemple de comment il ne faut

pas écrire l'histoire : ce sont ses « explications » sur le culte de la personnalité et en particulier son « rapport secret », imputant à Staline, et à Staline seul, tout le passif du bilan bureaucratique.

Claude Lefort, dans son article publié par ailleurs [voir note (4)], dit ce qu'il faut penser de ce monstrueux « culte de la personnalité à l'envers », qui consiste à charger un seul individu de toutes les « fautes » et les « crimes » d'une période historique. Mais on n'insistera jamais assez sur ce point : le niveau de méthodologie historique de ce rapport est inconnu en Occident depuis vingt-cinq siècles. Ramené à sa substance, le rapport affirme ceci : depuis un quart de siècle l'histoire d'une nation de deux cents millions d'individus et par là même de l'ensemble de l'humanité a été déterminée pour une part essentielle par la « folie des grandeurs », la « méfiance maladive » et la « manie de la persécution » d'un individu. Les rédacteurs de *Match* hésiteraient avant d'offrir à leurs lecteurs une telle conception.

Nous n'allons pas, bien entendu, adopter nous-mêmes la méthodologie de Khrouchtchev et expliquer la qualité de son rapport par sa stupidité, son ignorance ou sa superficialité. Khrouchtchev eût-il été Thucydide, son rapport n'aurait pas pu être différent. Placé devant la tâche impossible qui consistait à répudier certains des traits du système – qui en ont été et pour une bonne partie continuent à en être les produits organiques et nécessaires – pour mieux sauver le système lui-même, il ne pouvait s'en tirer autrement qu'en les présentant comme

accidentels. Et l'accident dans l'histoire a nom
individu.

Mais, dira-t-on, vous prenez ce rapport pour ce
qu'il n'est pas ; vous jugez sur le plan théorique
un discours qui n'était qu'une opération politique,
visant pour telles ou telles raisons à démolir le mythe
de Staline. Nous disons précisément cela : que la
bureaucratie ne peut plus maintenir la cohérence
entre ses opérations politiques et un système
théorique. Staline traitant tout opposant d'agent
d'Hitler voulait imposer à l'univers un délire, sans
rapport avec la réalité dans son ensemble et dans
ses moindres détails ; mais ce délire était cohérent.
Khrouchtchev démolissant Staline ne peut démystifier
qu'en mystifiant, ne peut faire passer une ligne
politique qu'en détruisant presque ouvertement la
conception du monde que cette ligne prétend servir
par ailleurs. Une fois sortie de la chape de plomb
stalinienne, la bureaucratie ne peut revêtir que
l'habit d'arlequin.

Habit dont il suffit de tirer un fil pour le voir
en lambeaux. Il est à peine nécessaire d'égrener le
chapelet interminable de questions que fait surgir
l'explication de l'histoire par les vices de l'individu
Staline. Staline étant ce que Khrouchtchev dit qu'il
était, que faisait le Bureau Politique ? Le Comité
Central ? Les Congrès du Parti ? Le peuple, dans
la démocratie « la plus parfaite » de la terre ?
Qu'est-ce que ce régime dans lequel un individu
peut agir de cette façon ? Pourquoi Khrouchtchev
ne fera-t-il pas demain sa propre crise de folie ?

Qu'est-ce qui est changé réellement ? Quel est ce XXe Congrès de 1.355 marionnettes délibératives et de 81 marionnettes consultatives où personne ne pose ces questions ? Pourquoi, si ces choses sont importantes, ne doivent-elles pas être discutées en public ? Qui croit que Béria était un agent des impérialistes ? Quelles formes de la « légalité socialiste » ont été observées par Khrouchtchev et sa clique lorsque, le lendemain du Congrès, il faisait fusiller Baguirov et son équipe ? Qui peut croire que la direction actuelle n'a pas été la complice de Staline dans l'essentiel de sa ligne ? Quelle est cette direction communiste qui traite les partis « communistes » de l'étranger comme des quantités négligeables (d'après l'aveu des staliniens américains, anglais, italiens et français) ? Qu'est-ce que cette folie étrangement *sélective* de Staline, s'exprimant uniquement par les fusillades, les statues et les mappemondes ? Staline ne dirigeait-il pas l'économie ? Qui avait le dernier mot sur les plans ? Ces membres du Bureau Politique qui, d'après Khrouchtchev, tremblaient chaque fois que Staline les invitait chez lui, retrouvaient leur courage s'il s'agissait de discuter économie, salaires ouvriers, par exemple ? ou conditions de vie de la paysannerie ? Ce régime de terreur et d'arbitraire, prévalait-il seulement entre Staline et son entourage immédiat ? Chacun des membres de la direction du P.C. n'était-il pas un Staline pour son propre milieu ? Et aux échelons les plus bas ? Dans les usines ? Les ouvriers avaient-ils un seul mot à dire ? Ont-ils un seul mot à dire ?

Toutes ces questions ont été en fait posées –
en Russie, dans les pays satellites, au sein des partis
communistes des pays occidentaux. Togliatti, même
Thorez, ont été à leur tour obligés à en poser
quelques-unes. Khrouchtchev apprenait ainsi à ses
dépens qu'on ne peut jouer impunément avec le
culte de la personnalité – ni dans un sens, ni dans
l'autre. A la fin, la révolte de Poznan lui enseignait
brutalement que la réalité a sa logique, si les
discours des bureaucrates n'en ont pas. La résolution
du Comité Central du P.C.U.S. du 2 juillet, dont
on peut dire qu'elle a été imposée au Kremlin
par les ouvriers polonais (même si la crise ouverte
par le XXᵉ Congrès la rendait chaque jour plus
nécessaire) revient largement en deçà du « rapport
secret » et traduit un nouveau durcissement.
L'efficacité politique de ce nouveau coup de barre,
qui sera sans doute suivi de plusieurs autres, ne
peut pas être grande. Mais ce qu'il démontre
clairement, c'est que la bureaucratie est obligée de
tuer dans l'œuf la critique à laquelle elle s'imaginait
pouvoir laisser quelque latitude ; qu'elle est forcée
d'interrompre en juillet une discussion qu'elle a elle-
même ouverte en février. L'idéologie se répercute
à un tel point sur la réalité, et cette réalité est à
son tour tellement explosive, que la marge de liberté
que la bureaucratie peut s'accorder, à elle-même et
à ses « penseurs », s'évanouit à l'instant même où
elle semble naître.

Le lecteur aura compris que notre propos n'était
pas de polémiquer avec Khrouchtchev et ses collègues

comme s'ils se plaçaient sur le terrain du marxisme, encore moins d'apprécier leurs mérites de théoriciens, mais de comprendre les facteurs objectifs qui d'ores et déjà obligent la bureaucratie à abandonner l'idéologie stalinienne et en même temps l'empêchent de la remplacer par une autre.

C'est que la bureaucratie ne peut penser véritablement ni son propre système, car son essence est l'exploitation qu'elle est obligée de présenter comme « socialisme », ni le capitalisme traditionnel, car cela ne peut être fait sans poser la perspective d'une révolution fondamentale des rapports sociaux – non pas des simples formes de propriété – perspective qui, du fait de l'identification croissante du capitalisme privé de l'Ouest et du capitalisme bureaucratique de l'Est, les englobe tous les deux et donc met en question la bureaucratie elle-même.

Nous n'avons voulu insister que sur les contradictions profondes qui interdisent de plus en plus à la bureaucratie de se constituer une idéologie cohérente. Ces contradictions devraient naturellement porter la bureaucratie vers cet éclectisme qui caractérise depuis longtemps la culture bourgeoise, et qui faisait timidement son apparition dans le XXe Congrès. Mais ces facteurs ne sont évidemment pas les seuls. La structure totalitaire du système fait que non seulement, d'une façon mécanique, l'expression tant soit peu indépendante est empêchée, mais aussi que (avec l'exception relative des sciences exactes et des arts les plus abstraits) tout ce qui est dit ou fait dans un domaine affecte les autres. Encore une fois, Poznan en témoigne.

Ne pouvant ni maintenir le monolithisme idéologique de Staline, que la structure de la société russe moderne repousse, ni s'adonner à l'éclectisme, que son organisation nécessairement totalitaire contredit, la bureaucratie voit s'approcher le jour où elle sera réduite au silence.

NOTES

(1) Discours de N. Boulganine, p. 148 de l'édition des *Cahiers du communisme*.

(2) *Ibid.*, p. 152.

(3) Souslov, p. 226. – Il est tout autant caractéristique que (imitant en ceci Staline) les orateurs baptisent « loi » le simple énoncé de faits. Staline avait découvert, en l'attribuant d'ailleurs à Lénine, la « loi du développement inégal du capitalisme » – pompeuse tautologie signifiant simplement que les choses diffèrent entre elles. Khrouchtchev et les autres parlent de la « loi » de la priorité de l'industrie lourde sur l'industrie légère, de la « loi » de la diversité des formes de passage de divers pays au socialisme, etc. Chaque fois qu'on tourne une page du compte rendu du XXe Congrès, on s'attend à tomber sur une « loi de la lactation des vaches » ou une « loi de la dureté du fer ».

(4) Le contenu explicite, bien entendu. Claude Lefort montre dans son article publié par ailleurs le contenu politique effectif du discours de Khrouchtchev – sa signification comme moment de la lutte de la bureaucratie contre le prolétariat et contre elle-même. (Claude Lefort, « Le totalitarisme sans Staline », *S. ou B.* N° 19, reproduit maintenant in Claude Lefort, *Eléments d'une critique de la bureaucratie*, Droz, Genève-Paris, 1971, p. 130-190.)

(5) Certes, K. parle à propos de divers pays des partis communistes, d'alliance avec des socialistes, etc. Mais à aucun moment les classes, les partis, les tendances, les orientations des camps en présence ne sont définis ; la plupart du temps, ils ne sont même pas *nommés*.

(6) Le sous-emploi résultant de l'anarchie bureaucratique est un autre problème.

UN PARTI DE VIEUX BUREAUCRATES *

D'après le rapport de la Commission des Mandats du XXe Congrès du P.C.U.S. (pp. 218-225 du recueil publié par les *Cahiers du Communisme*), assistaient à ce Congrès 1.355 délégués avec voix délibérative. Contrairement à la tradition des congrès bolcheviques, l'origine sociale des délégués (encore moins la composition sociale du parti lui-même) n'est pas indiquée. On dit seulement que parmi les délégués il y avait 2,7 fois plus d'ouvriers et 2 fois plus de kolkhoziens qu'au XIXe Congrès, ce qui ne veut rien dire.

Cependant, si les chiffres cités par la Commission sont exacts, on peut reconstituer approximativement

* *S. ou B.*, n° 19 (juillet 1956).

la composition sociale du Congrès. Suivant le rapport de la Commission, « sur le nombre global des délégués avec voix délibérative, 438 travaillent directement dans la production : 251 dans l'industrie et les transports, et 187 dans l'agriculture ». Cela signifie : moins de 20 % des délégués proviennent de l'industrie, moins de 15 % de l'agriculture, et, si l'arithmétique courante s'applique à la Russie « socialiste », 65 % sont des intellectuels et des bureaucrates de tout acabit.

Il serait faux d'ailleurs de penser que les 251 délégués « travaillant directement dans l'industrie » soient tous, ou même en majorité, des ouvriers, et les 187 « travaillant directement dans l'agriculture » des paysans. Le rapport indique, en effet, que « sur 1.355 délégués ayant voix délibérative, 758 ont une instruction supérieure, 116 une instruction supérieure incomplète, et 169 une instruction secondaire ». Comme cela fait au total 80 % des délégués, il faut admettre que la moitié environ des délégués « travaillant directement dans la production » le font en qualité de directeurs, techniciens, agronomes ou, à la rigueur, contremaîtres. Ainsi le prolétariat russe est représenté au Congrès de « son » parti par un dixième des voix et la paysannerie par un peu moins encore.

Quant à l'âge des délégués, le Rapport indique triomphalement que « plus du cinquième des délégués avec voix délibérative (20,2 %) ont moins de 40 ans ! »

Si le communisme est la jeunesse du monde, de quoi le khrouchtchevisme est-il la vieillesse ?

RIDEAU SUR LA METAPHYSIQUE DES PROCÈS *

> *Et comment se peut-il qu'une personne confesse des crimes qu'elle n' a pas commis ? D'une seule manière : à la suite d'applications de méthodes physiques de pression, de tortures, l'amenant à un état d'inconscience, de privation de son jugement, d'abandon de la dignité humaine. C'est ainsi que les confessions étaient obtenues.*

(Khrouchtchev, « Rapport secret au XXe Congrès du P.C.U.S. » *le Monde*, 9 juin 1956).

---

* S. ou B., n° 19 (juillet 1956).

Khrouchtchev ne parle que de certains procès, et non des plus importants. Ceux sur qui il s'apitoie sont en général ses semblables : de vrais staliniens, qui, après avoir maintenu la tête des victimes de Staline sur le billot ont à peine eu le temps de sentir la hache s'abattant sur leur propre nuque. Postychev, Kossior, Antonov-Ovseenko ont été pris dans le fonctionnement de cette même machine infernale qu'ils avaient aidé à mettre en place, à laquelle Khrouchtchev et la direction actuelle, plus chanceux, plus habiles, plus serviles aussi peut-être, ont pu échapper.

Khrouchtchev ne parle que de certains procès. Mais son explication vaut pour tous. *Dans tous les procès, les aveux étaient la SEULE « preuve »*. On reconnaît maintenant qu'ils étaient obtenus par la torture. Par ailleurs Khrouchtchev regrette que la répression contre les « trotskistes, zinoviévistes, boukhariniens » ait été poussée trop loin, et qu'une politique correcte ne les ait pas ramenés dans le Parti. Les trotskistes les zinoviévistes et boukhariniens ont été condamnés en ayant avoué qu'ils étaient des agents d'Hitler, qu'ils travaillaient pour déclencher la guerre et démembrer l'U.R.S.S., qu'ils empoisonnaient des ouvriers, qu'ils faisaient dérailler les trains. Dire qu'il fallait les ramener au Parti, c'est dire, dans la manière gluante et lâche qui est celle de Khrouchtchev, que tout cela était faux, que ces aveux avaient été arrachés par la torture – donc que ces procès aussi étaient des machinations pures et simples. Enfin, dans la plupart des pays satellites de la Russie, on a hâtivement

« revisé » les procès des dirigeants staliniens – Rajk, Kostov, etc. – qui avaient pourtant « avoué » leur trahison, et on les a « réhabilités » (1).

Des procès, il ne reste plus rien.

Rien de la métaphysique qu'on avait voulu bâtir sur leur exemple. Rien de la théorie de la culpabilité objective, des choix déchirants entre la politique et la moralité, de la crise de la dialectique marxiste qu'ils auraient traduite (2). Le raisonnement : l'opposition avait besoin d'alliés, elle aurait pu utiliser les koulaks, ceux-ci auraient pu échapper à son contrôle et réussir à restaurer le capitalisme – *donc,* l'opposition aboutissait objectivement à préparer la restauration du capitalisme, ce sorite absurde saute, ne nous laissant que les éclats de l'amalgame du procureur, auquel le philosophe avait essayé de conférer à son propre usage un sens factice.

Factice, car tout d'abord on interprétait les procès en les situant dans une perspective révolutionnaire qui n'a jamais été la leur. Depuis de longues années, les accusés des procès avaient abandonné le terrain de la lutte prolétarienne : comment les conflits possibles de la conscience de Boukharine ou d'un autre auraient-ils pu dans ces conditions traduire une crise de la dialectique marxiste ? Tout au plus, auraient-ils pu témoigner d'une de ces oppositoins insolubles entre la « morale » et l'« efficacité » qui appartiennent organiquement à la politique bourgeoise. Nous ne voulons pas dire qu'une politique révolutionnaire ne peut jamais, par définition, se trouver devant des contradictions insurmontables sur l'instant même, que pour elle la solution de tout conflit possible est garantie d'avance. Mais de telles contradictions n'apparaissent que dans des situations-limites, elles marquent un arrêt du développement du processus révolutionnaire, leur persistance au cours de ce processus est inconvenable. Dire qu'un conflit entre « morale » et « efficacité », entre « intentions » et « résultats », entre « programme » et « réalité » a pris à la gorge les dirigeants et les opposants russes de 1923 à 1939, c'est tout simplement dire que ces dirigeants et ces opposants (quelles qu'aient pu être leurs « intentions ») ne pouvaient plus se situer sur le terrain de la problématique révolutionnaire *objectivement* (parce que la configuration du processus historique et la place qu'ils y avaient assumée leur interdisait de le faire) ; c'est dire que la société russe après 1923 a été dominée par cette même scission fondamentale entre la vérité et l'efficacité, l'intérieur et l'extérieur, la direction – qui sait, calcule et agit – et l'exécution – qui ignore, attend et subit – qui est constitutive d'une société d'exploitation. On est alors renvoyé à une analyse historique concrète de la société russe contemporaine, de la nature économique et sociale de la bureaucratie, du rôle du stalinisme. Fuyant cette analyse et discutant les problèmes des politiciens du système, dirigeants ou opposants, en les plaçant dans une perspective révolutionnaire dont il ne se demande pas si elle peut désormais être la leur, le philosophe crée une opposition imaginaire entre une réalité – redevenue la simple réalité de l'exploitation et de l'aliénation – et sa projection sur un écran révolutionnaire, projection arbitraire dont il est seul responsable. On aurait pu discuter des contradictions insolubles auxquelles peut se heurter une politique révolutionnaire, non pas à propos des procès de Moscou, ni même des « capitulations » de 1928 qui les commandent, mais à propos de Kronstadt, par exemple. On se serait alors aperçu qu'elles ne traduisent pas simplement une crise de la dialectique marxiste, mais beaucoup moins et beaucoup plus à la fois : une crise, un arrêt et un recul de la révolution tout court. Et certes, cet arrêt, de même que le nouveau départ de la révolution, ne laisse pas de poser des problèmes, qu'il eût fallu examiner. Mais en même temps, il eût été alors impossible de ramener Boukharine à Socrate, Lénine à Œdipe et Trotsky à l'Apprenti sorcier, de supprimer les questions propres à la révolution par le « maléfice de la vie à plusieurs » et d'aboutir à ce désert du scepticisme politique où, quoiqu'on dise par ailleurs, tout se vaut, où tous les projets se fânent tôt ou tard, où toute perspective d'action rationnelle est finalement abolie.

Factice, cette métaphysique l'était aussi en un autre sens ; les « révélations » de Khrouchtchev confirment que les procès ne traduisaient même pas des oppositions politiques au sein de la bureaucratie, du genre de celles pouvant exister pour une politique bourgeoise. Même à la dissertation classique sur les conflits de l'intention et du résultat, de la fin et des moyens, au sein d'un monde aliéné, ils ne sauraient servir d'exemple. L'épuration d'une partie de la bureaucratie par son noyau dirigeant n'a certes pas été le résultat de la folie de Staline, ni d'un culte de la personnalité tombé du ciel, comme voudrait le faire croire Khrouchtchev ; les procès ont accompli une fonction sociale – la terreur a cimenté la bureaucratie et glacé pour quelque temps le peuple – et une fonction politique – ils ont consacré sans contestation possible le groupe dirigeant et la personne incarnant la classe bureaucratique. Mais à aucun moment ils n'ont traduit un conflit politique actuel, vécu comme tel par les protagonistes. L'exécution de quelques ex-opposants marquants parmi les milliers de staliniens sacrifiés ne visait pas à liquider des divergences politiques, abandonnées ou tues depuis de longues années, mais à fournir à la fois un prétexte et un masque politique à cette auto-épuration de la bureaucratie, à terroriser les éventuels opposants vrais en leur montrant l'horrible sort de tout opposant – même fictif.

Rien des « explications » des aveux par les « mystères de l'âme russe », ou, plus élégamment sinon plus sérieusement, par la complicité des accusés et du tribunal, par le fait que ceux-ci adhéraient en somme à la théorie de la culpabilité objective et se prêtaient librement à la mise en scène la plus efficace. Boukharine, a-t-on dit, s'inclinait devant l'histoire, et se reconnaissait coupable parce que vaincu. Boukharine, dit en fait Khrouchtchev, ne reconnaissait rien du tout ; la torture l'avait amené « à un état d'inconscience, de privation de son jugement, d'abandon de la dignité humaine » tel qu'on pouvait lui faire tout dire.

Certes la torture n'est pas un absolu, et si les hommes y cèdent c'est en fonction d'une psychologie et d'une perspective politique. L'« explication » de Khrouchtchev, si elle est superficiellement correcte, comme description des faits matériels, est en même temps incomplète et mécaniste, et traduit par là précisément encore une fois la mentalité bureaucratique de l'interprète. A Moscou la torture n'a eu de prise que sur des gens qui étaient déjà des cadavres idéologiques. Comme le faisait remarquer à l'époque Victor Serge (3), *pas un opposant révolutionnaire authentique n'a jamais figuré aux procès.* La torture n'a pu jouer que contre des gens politiquement brisés depuis longtemps, ayant capitulé, s'étant reniés, ayant en fait complètement abandonné, non seulement toute perspective révolutionnaire, mais toute attitude politique. D'ailleurs, la torture n'a été efficace que dans la minorité des cas ; il y a eu des suicides, les plus nombreux des fusillés l'ont été sans jugement public. On n'amenait aux procès que ceux dont on était sûr ; même parmi ceux-là certains, comme I.N. Smirnov pendant le procès des Seize, ont failli tout compromettre.

Ce n'est pas devant le tribunal qu'il y a eu « complicité » des accusés. La « solidarité » des condamnés avec le système qui allait les fusiller, il faut la chercher ailleurs : dans leur capitulation, dans leur participation à l'idéologie et à la mentalité bureaucratiques. Le ressort moral qui permet à un

révolutionnaire de résister à la pression physique et
à la torture est solidaire de tout ce qu'il pense,
de tout ce qu'il est : de sa haine irréconciliable du
système d'exploitation et du type humain représenté
par les exploiteurs, leurs procureurs et leurs policiers ; de la perspective humaniste positive qu'il
se pense en droit de leur opposer. Ce qui apparaît
comme l'héroïsme du révolutionnaire, c'est que
certaines idées collent encore plus fermement à son
corps que ses ongles et sa peau, – et ces idées
ne sont que la critique menée jusqu'au bout de
la société d'exploitation et le projet d'une société
humaine. La force de cet héroïsme est la conscience
d'une scission radicale avec les oppresseurs, de
l'opposition absolue de deux mondes. Or les accusés
des procès – qu'il s'agisse de ceux de Moscou avant
guerre, ou de ceux des pays satellites après la guerre
– étaient en fait solidaires du système d'oppression
qui venait de s'établir. Les groupes successifs des
capitulards ex-bolcheviques – qu'ils fussent auparavant
des opposants « de gauche » ou « de droite » ou
des fidèles de Staline – n'avaient jamais critiqué,
si ce n'est superficiellement, le régime qui s'établissait
depuis 1923 ; ils avaient plutôt contribué à l'établir ;
encore moins étaient-ils capables de lui opposer une
perspective sociale fondamentalement différente. La
Russie restait pour eux un pays socialiste, et le
socialisme le pouvoir de la bureaucratie – qu'ils
auraient voulu moins brutal. Où donc auraient-ils
puisé la force de s'y opposer ? Cela est encore plus
clair dans le cas des épurations des pays satellites
d'après-guerre. Les Rajk, les Kostov, les Slansky,

quelles qu'aient pu être leurs particularités
individuelles, en quoi différaient-ils *politiquement* – et
nous donnons à « politique » le sens marxiste d'une
philosophie de l'histoire et d'une conception de
l'homme devenues pratique quotidienne – des
Rakosi, des Gottwald ? Pour les uns et pour les
autres, il s'est toujours agi d'utiliser la révolte
de la classe ouvrière afin de s'emparer du pouvoir
par tous les moyens, d'établir une planification
économique et une dictature totalitaire (qu'au fond
d'eux-mêmes ils appellent cela « socialisme » et le
considèrent comme le salut de l'humanité importe
peu, aussi bien en général que pour notre discussion). Que le système se retourne contre eux, quelle
motivation leur reste pour lutter ? Aucune autre que
le salut personnel – et dès lors, l'« aveu » abrège
la torture et permet de s'accrocher à l'espoir d'une
grâce, dont la lueur apparaît d'autant plus forte que
l'accusé se sait perdu.

En ce sens, il est vrai que les « aveux »
impliquaient que les accusés reconnaissaient leur
identité finale avec les juges – non pas qu'ils
reconnaissaient en ceux-ci des révolutionnaires
victorieux, mais qu'ils reconnaissaient en eux-mêmes
des bureaucrates vaincus.

Dès les premiers grands procès de Moscou, il
apparaissait clairement que les accusations étaient
forgées de toutes pièces. Pour tous ceux qui
persistaient à vouloir penser, les réquisitoires n'ont
jamais été que des énormes accumulations de faux
monstrueux, fabriqués par des procureurs maladroits

et médiocrement intelligents, à qui la censure totalitaire et l'appareil publicitaire international de la bureaucratie permettaient de bâcler leurs dossiers, inventant à plaisir des hôtels inexistants, des atterrissages d'avions qui n'avaient jamais eu lieu, etc. (4).

Cela ne signifie pas qu'il y ait eu, à l'extérieur des cercles staliniens, une clameur contre l'imposture des procès. Au contraire. Il faut certes rappeler face à la nouvelle mystification qui déjà se développe, que les dirigeants russes actuels ont autant de sang sur les mains que Staline ; que Khrouchtchev, Malenkov, Mikoyan, Molotov, Kaganovitch écrivaient ou faisaient écrire à longueur de journée pendant les procès : *Fusillez les chiens enragés !* ; que Thorez, Duclos, Togliatti, Pollit, Gallacher, etc. ont participé activement aux assassinats, en propageant les faux, en faisant le silence sur tous les démentis, en traitant quiconque osait douter de fasciste et de policier ; qu'ils ont beau vouloir passer du rôle de chefs géniaux et infaillibles à celui de crétins avalant pendant vingt ans toutes les inventions d'un « fou » et d'un « espion britannique », il reste qu'ils ont eux-mêmes assassiné tant qu'ils ont pu les opposants révolutionnaires – trotskistes, anarchistes, poumistes, socialistes de gauche – partout où ils ont pu – en Espagne, en France, en Grèce, en Indochine –, à une échelle d'autant plus vaste qu'ils se sentaient plus proches du pouvoir ; qu'ils continuent les mensonges et les amalgames tous les jours, puisque *l'Humanité,* depuis quatre mois, n'est qu'un long mensonge pour ce qui concerne le XXe Congrès, puisque la résolution de leur Bureau politique n'est qu'un mensonge de plus lorsqu'ils y prétendent « avoir tout ignoré » – eux, sans l'aide active et consciente de qui une bonne partie des crimes de Staline eût été impossible.

Mais il faut rappeler plus. *Il faut rappeler que les crimes de Staline ont joui de la complicité de toute la société établie*. Car, dans la mesure où l'on exterminait les militants révolutionnaires, ou les représentants, même « capitulards », même avilis, de 1917, bourgeois aussi bien que réformistes s'en réjouissaient. En fait, ce n'est qu'après 1945, lorsque la guerre froide les poussa à chercher des arguments pour leur propagande anti-russe, lorsque, tout mouvement révolutionnaire leur paraissant impossible, ils ne craignirent plus de renforcer une opposition ouvrière au stalinisme, lorsque aussi les victimes des procès commencèrent à être recrutées parmi les bureaucrates staliniens purs et simples, qu'ils ont commencé à « dénoncer » les procès. Jusque-là, ils ont été presque tous complices : la S.F.I.O., dont *le Populaire* s'est tu depuis 1934 sur les crimes du Guépéou (le rapprochement Staline-Laval d'abord, le Front Populaire ensuite l'exigeaient !) ; les socialistes espagnols, laissant les mains libres à ce même Antonov-Ovséenko, dont Khrouchtchev pleure aujourd'hui l'injuste exécution par Staline – combien injuste, en effet, puis-que Ovséenko a été, en même temps que Marty, l'organisateur de la répression contre-révolutionnaire en Espagne républicaine ; les socialistes norvégiens, au pouvoir en 1935-36, dont le ministre de la

« justice », Trygve Lie, bâillonnait Trotsky pendant trois mois en 1936, en plein procès des Seize, l'isolant et l'empêchant de se défendre contre une machination qui le visait en premier ; la Ligue des Droits de l'Homme française, dont le président, Victor Basch, trouvait la procédure des procès de Moscou parfaitement normale ; les journalistes « objectifs », comme M. Duranty, les juristes « socialistes », comme Mr. Pritt, conseiller de Sa Majesté britannique, qui, invité à Moscou pendant les procès, trouva la procédure impeccable et les verdicts justifiés, etc.

Complices, tous les intellectuels « de gauche », à des rares exceptions près – et nous ne parlons pas des staliniens avérés, mais de toute la vaste catégorie de « sympathisants » proches ou lointains ; les saints et les efficaces, les Romain Rolland et les Jean Cassou, couvrant de leur autorité morale l'ignoble opération, et tous les autres qu'il serait fastidieux d'énumérer.

« Ignoraient-ils », eux aussi ? Lamentable excuse ! Il suffisait d'une trace d'intelligence pour s'apercevoir à la lecture des comptes rendus officiels que cela *ne pouvait pas être vrai ;* il suffisait d'une trace d'objectivité pour prêter un quart d'oreille au principal accusé, Trotsky, et pour trouver dans ses déclarations à la presse, ses articles, ses livres, les preuves écrasantes, irréfutables de l'imposture. Non, il n'y avait pas d'ignorance. Pour une partie, l'intérêt jouait, directement ou indirectement, comme toujours. C'est le cas qui nous importe le moins.

Pour les autres, il s'agissait du « sacrifice de la conscience », d'« efficacité », de « réalisme » – de cette reprise de la vieille morale conservatrice qui, camouflée sous des lambeaux de marxisme, permet aux intellectuels « de gauche » de se mystifier eux-mêmes et de donner une valeur idéologique à leur aliénation. Ils se vouent à l'adoration de la « dure réalité de l'histoire » – en fait la prosternation devant la force brute, à la sublimation de l'« incarnation » – en fait l'opportunisme devant le pouvoir établi, d'autant plus confortable moralement que le pouvoir se présente comme « révolutionnaire ». Ils ont dit, ils disent et diront encore que la vérité porterait préjudice à la cause de l'U.R.S.S. – refusant de se demander jusqu'à quel point une cause *vraie* peut être défendue par le mensonge, et confondant, dans de stupides sophismes, le mensonge d'un révolutionnaire persécuté par la police et le mensonge d'une police de persécuteurs se prétendant révolutionnaires. Seul le résultat compte, disaient-ils, qui est de renforcer le socialisme. Mais Khrouchtchev dit aujourd'hui que les procès ont « considérablement affaibli » la Russie. Donc, d'après les résultats de leurs actions, tous ceux qui ont fourni à Staline la couverture idéologique et la caution morale, qui, au lieu de dresser devant lui un barrage d'opinion, lui donnèrent le sentiment qu'il pouvait tout se permettre et lui rendirent ainsi objectivement possible de fusiller un, puis dix, puis cent, puis mille – tous ceux-là ont « objectivement » contribué à affaiblir la Russie ; ils seraient donc à fusiller d'après leurs propres normes. Beaux paradoxes de la « morale du résultat » ; ces gens ont poussé les accusés dans la fosse, parce que l'opposition au régime les transformait « objectivement » en agents de la Gestapo ; mais eux-mêmes étaient, ce faisant, « objectivement » des agents de la police anglaise et de l'espion Béria – et ne peuvent s'en excuser aujourd'hui que sur leurs intentions.

Sommes-nous naïfs, notre indignation est-elle de mauvais aloi ? N'est-il pas indécent de mentionner les victimes devant les bourreaux, impoli d'insister sur les erreurs des autres ? N'est-il pas normal que les cadavres se trouvent sous terre et les assassins au pouvoir, qu'on puisse se tirer de tout en disant « excusez, il y a eu erreur », que les poètes de la cour chantent Néron après Caligula ? Le cynisme des dirigeants et des intellectuels staliniens, s'il est plus grand que celui des autres, en est-il au fond différent ? Les cadres nazis ne se promènent-ils pas tranquillement à Bonn, ne récupèrent-ils pas jour après jour les postes dirigeants ? Mollet n'est-il pas président du conseil, ne fait-il pas la guerre en Algérie après avoir été élu en promettant qu'il l'arrêterait ? N'est-ce pas de cela qu'est faite la société contemporaine, et, plus ou moins, toute l'histoire des sociétés d'exploitation ?

Oui, certes. Et il ne s'agit pas d'indignation. Notre propos est de montrer une fois de plus, sur l'exemple des procès, que la bureaucratie « communiste » est une partie intégrante de cette société, que ses méthodes et son attitude sont les méthodes et le comportement séculaires des oppresseurs, qu'elle ne combat un système d'exploitation démodé que pour mettre à sa place un autre plus moderne et parfois plus horrible, que sa politique, tout comme l'autre, exprime le même divorce radical entre les prétentions et la réalité, les discours et les faits.

C'est aussi de montrer que sous cet angle, le seul important, rien n'a été fondamentalement changé avec la « destalinisation ». C'est de lutter contre la nouvelle mystification qui se prépare. Car ceux mêmes parmi les staliniens qui vont aujourd'hui le plus loin dans la reconnaissance des « erreurs » du passé – et en fait, combien sont-ils ? – ne le font en apparence que pour pouvoir *dans le fond* continuer à mystifier les autres et à se mystifier eux-mêmes. Que voit-on en effet ? Chez presque tous, la hâte, après avoir prononcé du bout des lèvres et en regardant ailleurs quelques excuses, d'escamoter ce qui s'est passé et sa signification, et de retourner aux affaires courantes. Chez quelques-uns le « repentir », l'étalage public des tortures de leur âme – que personne ne demande, car personne ne s'y intéresse – au lieu d'une analyse, d'un essai, d'un effort de voir clair dans ce qui s'est passé et dans leurs propres actes. La révolution prolétarienne ne punit ni ne venge, elle essaie de construire consciemment l'avenir ; elle n'a pas besoin de repentirs, mais d'une analyse lucide de l'histoire. Cette analyse, les intellectuels désorientés, qui, après avoir trouvé un substitut du catholicisme dans le stalinisme, se voient aujourd'hui suspendus dans le vide, sont moins que jamais capables de la faire. Leur « repentir » montre qu'ils restent inexorablement attachés à l'univers bourgeois-bureaucratique au moment même où ils croient s'en détacher le plus ; il a pour fonction politique de fournir une couverture morale à la mystification continuée du P.C. Le sacrifice de la conscience – de soi-même et surtout des autres – persiste. Peu importe, si Claude Roy le vit désormais comme un déchirement et non comme une virilité.

Mais, dira-t-on, tout le monde demande cette « analyse ». En effet : Thorez et Togliatti demandent une analyse à Khrouchtchev ! Que ne commencent-ils donc pas par eux-mêmes ? Mais Khrouchtchev aussi demande une analyse ! A qui ? Est-il la peine d'insister ? Si le P.C. « demande une analyse », ce n'est pour lui qu'un moyen d'enterrer la question, de tranquiliser les militants les plus troublés, d'ajourner indéfiniment le discussion. La manière dont il la demande, le sujet sur lequel il voudrait qu'elle porte – « déterminer l'ensemble des circonstances dans lesquelles le pouvoir personnel de Staline a pu s'exercer » – montrent qu'il ne s'agit que d'un camouflage. Tout se tient dans un système social. Comme on essaye de le montrer par ailleurs (a), les rapports de Khrouchtchev (aussi bien le public que le secret) signifient pour un marxiste un éclatement de l'intérieur de l'idée « U.R.S.S., pays socialiste ». Ni Khrouchtchev, c'est-à-dire la bureaucratie russe, ni Thorez, c'est-à-dire la bureaucratie du P.C.F., ne peuvent fournir d'analyse de l'« ensemble des circonstances » sans se renier eux-mêmes et le système qu'ils représentent, d'un bout à l'autre. Prenons date, et parions qu'à quelques exceptions près, les intellectuels staliniens se contenteront en fin de compte d'« analyses » peu différentes de celles où l'« espion Béria » joue le rôle principal.

NOTES

(a) Voir plus haut, « Khrouchtchev et la décomposition de l'idéologie bureaucratique » et le texte de Claude Lefort qui y est cité dans la note 4.

(1) Sauf Slansky, que Prague s'obstine à considérer – seul parmi ses coaccusés aujourd'hui « réhabilités » – comme agent de l'hitlérien Tito, qui, il est vrai, n'est plus hitlérien, mais un honnête dirigeant communiste calomnié par l'espion anglais Béria, à en croire du moins Khrouchtchev, dont on ne sait encore pour le compte de qui il travaille. Le mépris de l'humanité que traduit l'incohérence et le cynisme des mensonges des staliniens n'a jamais été égalé dans l'histoire, pas même par les chefs du nazisme.

(2) M. Merleau-Ponty, *Humanisme et terreur*, Paris, 1947.

(3) *Destin d'une révolution* (1937), p. 255.

(4) L'accusé Goltzman « avoua » avoir rencontré Trotsky à Copenhague en 1932 à l'hôtel Bristol – qui avait été détruit par un incendie en 1917. – Piatakov « avoua » s'être rendu en Norvège par avion le 12 ou le 13 décembre 1935 et avoir atterri à Oslo. La presse norvégienne ayant immédiatement affirmé qu'aucun avion étranger n'était arrivé à Oslo en décembre 1935, Vychinski fit dire à Piatakov à l'audience, deux jours plus tard, qu'il avait atterri « près » d'Oslo, et produisit un communiqué de la représentation commerciale de l'U.R.S.S. en Norvège affirmant que l'aérodrome de Kjeller, « près d'Oslo », recevait toute l'année les avions étrangers. Le surlendemain, le directeur de l'aérodrome de Kjeller déclarait qu'on pouvait constater sur les registres de l'aérodrome qu'aucun avion étranger n'y avait atterri entre le 19 septembre 1935 et le 10 mai 1936. Ce fait, en même temps que le témoignage que Trotsky n'avait certainement pas pu rencontrer Piatakov en décembre 1935, furent portés à la connaissance du « tribunal » de Moscou avant la clôture des débats par télégramme de Konrad Knudsen, député socialiste norvégien, hôte de Trotsky pendant son séjour en Norvège. Le « tribunal » ignora naturellement cette déposition d'un témoin non cuisiné par le Guépéou, et Piatakov n'en fut condamné et fusillé que plus rapidement. Sur tout cela, et une foule d'autres faits analogues, v. *Les Crimes de Staline* de Trotsky (1937).

L'INSURRECTION HONGROISE :
QUESTIONS AUX MILITANTS DU PCF *

Depuis quatre semaines, les politiciens et la presse de la bourgeoisie se livrent, à propos des événements de Hongrie, à une démagogie d'un cynisme rarement égalé dans le passé.

Que Bidault, Laniel et Triboulet se découvrent d'un coup un amour sans bornes pour les travailleurs — pourvu qu'ils habitent Budapest ; que les massacreurs de Malgaches, de Vietnamiens et d'Algériens trouvent inacceptable l'attaque armée contre un peuple – pourvu que cette attaque soit faite par d'autres qu'eux-mêmes ; que *l'Aurore* et *Paris-Presse* se déchaînent en faveur de la révolution

* S ou B., n° 20 (décembre 1956)

– pourvu qu'elle ne soit pas dirigée contre la bourgeoisie, ces farces ignobles nous avaient déjà été offertes en spectacle par le passé. Mais c'est *au moment même* qu'ils faisaient débarquer leurs troupes en Egypte que Mollet et Pineau osaient s'indigner contre l'intervention russe en Hongrie. C'est sur la même page que *le Figaro* se réjouissait de la « nouvelle vigueur » insufflée à la politique française par Mollet – vigueur que mesurent à la fois les milliers de cadavres de civils à Port-Saïd et la déconfiture lamentable de l'aventure égyptienne – et condamnait avec véhémence l'impérialisme russe. C'est en même temps que les dirigeants de Force Ouvrière et de la C.F.T.C. refusent la moindre action contre la guerre d'Algérie – ils ne font pas de politique, voyez-vous – et appellent à la grève... contre la guerre en Hongrie.

La bourgeoisie et les « gérants loyaux du capitalisme » que sont les dirigeants d'un parti inexplicablement intitulé socialiste, utilisent les événements de Hongrie pour couvrir leurs propres crimes. C'est clair. Mais cela ne change rien à la signification de ces événements ni au devoir impératif pour tous les travailleurs de connaître et de comprendre ce qui s'est passé. La lutte des travailleurs contre l'exploitation et l'oppression est une et la même sous tous les régimes et sous toutes les latitudes. Cette information, cette compréhension sont rendues pour beaucoup d'ouvriers en France d'autant plus difficiles, que la presse bourgeoise a présenté les insurgés hongrois comme luttant à peu près pour la restauration d'une démocratie capitaliste

« à l'occidentale » et que la presse du P.C.F. a surenchéri sur *l'Aurore,* en les présentant comme des fascistes purs et simples.

Les pages qui suivent veulent dissiper le brouillard de la propagande, dont on se sert de tous les côtés pour dissimuler la réalité sur la révolution hongroise, et montrer les véritables tendances, prolétariennes et socialistes, de cette révolution.

Dans son exposé du 2 novembre (publié dans *l'Humanité* du 3) Fajon a dit vouloir « répondre aux camarades peu nombreux – une douzaine » qui se sont plaints de l'attitude de *l'Humanité* à l'égard des événements de Pologne et de Hongrie, reprochant au journal d'« avoir informé incomplètement ou mal ses lecteurs ». La réponse de Fajon est que « la tâche de *l'Humanité* n'est pas de publier sans discernement toutes les informations d'agence, toutes les opinions formulées par tel ou tel dirigeant d'un parti frère sur tel ou tel problème politique. Sa tâche est de publier des faits vérifiés et importants, en même temps que le point de vue du P.C.F. sur les grandes questions posées ».

Or voici comment *l'Humanité* a informé ses lecteurs sur les événements de Hongrie. Le 25 octobre, elle titre : « Graves émeutes contre-révolutionnaires mises en échec à Budapest ». Le même jour, page 3, longue dépêche de l'Agence Tass suivant laquelle « l'ordre est rétabli à Budapest ». – Le 26 octobre, titre : « L'émeute contre-révolutionnaire a été brisée ». – Le 27, elle reproduit une dépêche de Tass affirmant que « le Gouvernement est cependant maître de la situation ».

233

– Le 28, *Huma-Dimanche* titre : « La contre-révolution vaincue à Budapest ». – Le 29, lorsque Nagy a cédé devant les insurgés refusant de déposer les armes et qu'à sa demande les troupes russes, sérieusement éprouvées, se sont retirées de Budapest, *l'Humanité* écrit : « L'armée hongroise, soutenue par des éléments soviétiques, s'est rendue maître au cours de la matinée des derniers îlots ».

1° *Ces informations étaient-elles des « faits vérifiés » ou des mensonges purs et simples ?*

Le 6 novembre, dès la formation du gouvernement Kadar et la deuxième intervention russe, *l'Humanité* annonce « la victoire complète du pouvoir populaire... le travail reprend ». Le 7 novembre, elle ne parle que des « secours envoyés par l'U.R.S.S. à la Hongrie ». Le 8, les journaux du matin n'ont pas paru ; mais le 9, les quelques lignes qu'elle publie sur la Hongrie laissent croire qu'il ne s'y passe rien... sauf la reprise du travail. De même, à la lire le 10, le 12, le 13, le travail ne fait que reprendre. Pourtant, le 13, elle reconnaît indirectement, en citant Michel Gordey, sans le démentir, que les combats ont continué au moins jusqu'au vendredi 9 novembre.

2° *Est-ce, oui ou non, un fait vérifié que* l'Humanité *a constamment menti à ses lecteurs, en leur cachant que pendant six jours – du dimanche 4 novembre à l'aube du vendredi 9 novembre – la popu-*

lation de Budapest s'est battue contre l'armée et les blindés russes ?

L'Humanité ne se borne pas à affirmer continuellement, depuis le 6 novembre, que « le travail reprend » et que « la situation est redevenue normale », infligeant ainsi chaque matin un démenti à ce qu'elle écrivait la veille. Elle écrit, le 12 novembre : « S'appuyant sur les travailleurs le gouvernement Kadar remet le pays en route ». Pourtant, le même jour, *Libération* – qui n'est qu'une succursale de *l'Humanité* à l'usage des « progressistes » – cite le correspondant du journal yougoslave *Politika* qui résume ainsi la situation : « Les masses hongroises sont inquiètes… Nagy n'a pas réussi, or la tâche de Kadar est bien plus difficile. » Le 14, un incroyable reportage d'André Stil, qui à la fois contredit tout ce que *l'Humanité* a écrit jusqu'alors et se contredit lui-même à plusieurs reprises (on y reviendra), affirme qu'à Budapest « une foule pressée se rend au travail ». Or, le même jour, *Libération* écrit : « Budapest continue à être privée de tous transports publics. Devant les rares magasins autres que des magasins d'alimentation ayant rouvert, des gens stationnent autant que devant les boulangeries. Une foule considérable circule lentement… sur les grandes artères qui ont subi les dégâts les plus terribles. Toutes les façades sont incendiées et quelques murs sont écroulés. Des gravats ou des morceaux de vitres tombent parfois des maisons. Des centaines de personnes stationnent devant les hôpitaux. On

entend partout répéter : « C'est pire qu'en 1945 ».
(En 1945, Budapest avait été pendant des semaines
le théâtre de batailles acharnées entre les divisions
allemandes et les divisions russes.)... On constate que
l'industrie lourde et demi-lourde de la région est
encore complètement arrêtée... Les invitations des
Russes d'il y a quelques jours et celles présentes
du gouvernement Kadar à la reprise du travail se
heurtent à une désorganisation de fait. Bien que la
plupart des ministères n'aient subi que peu de
dégâts, il est difficile de trouver quelqu'un à son
poste. Les habitants de Budapest ignorent encore
où se trouve le Gouvernement, le Parlement reste
portes closes. Il ne semble pas qu'une grève
systématique puisse se prolonger bien longtemps.
Très peu de travailleurs peuvent se permettre le luxe
de ne pas toucher leur salaire. »

3° *N'est-il pas clair qu'André Stil est un menteur ?*

4° *N'est-il pas clair que, loin de « s'appuyer sur les travailleurs », Kadar se trouve, dix jours après la
« victoire complète du pouvoir populaire », face à
une grève quasi totale ?*

5° *N'est-il pas clair que Kadar, comme un gouvernement
ou un patron capitaliste, compte sur la faim pour
réduire la résistance des travailleurs et que, pour
un ouvrier hongrois, avoir une opinion sur le
gouvernement de son pays est, comme l'avoue
cyniquement Libération, « un luxe qu'il ne peut
pas se permettre » ?*

Pendant les quinze premiers jours des événements de Hongrie, *l'Humanité*, l'agence Tass, Radio-Moscou n'ont parlé que de « bandes fascistes », « émeutiers contre-révolutionnaires », « provocateurs payés par les Américains », etc. Le lecteur de *l'Humanité* devrait croire qu'il n'y avait rien d'autre dans l'insurrection hongroise.

En Espagne, en 1936, Franco disposait de la plus grande partie de l'armée de métier, il était soutenu par les propriétaires fonciers et la bourgeoisie qui détenaient le pouvoir dans le pays, par des organisations fascistes qui se préparaient de longue date ; il était aidé par Mussolini et Hitler qui lui envoyaient des armes, des avions et même des divisions entières. Il lui a pourtant fallu deux ans pour vaincre la résistance des travailleurs.

6° *Est-il concevable qu'en Hongrie, pays, la veille encore, entièrement contrôlé par le « parti des travailleurs » (communiste), des « bandes fascistes » aient pu après six jours de combat (du mardi 23 au dimanche 28 octobre) venir à bout des forces gouvernementales, aussi bien dans la capitale que dans toutes les villes importantes de province et aient obligé les forces russes à se retirer de Budapest ?*

7° *Est-il concevable que, à partir du dimanche 4 novembre, le commandement russe ait eu besoin de jeter dans la bataille de nombreuses divisions nouvelles amenées en toute hâte (estimées généralement à 200.000 hommes et plusieurs milliers de chars) pour liquider quelques « bandes fascistes », et qu'avec des forces aussi écrasantes, des blindés, des armes automatiques modernes, etc., il ait eu encore besoin de six jours pour écraser toute résistance organisée ?*

8° *Ces faits seraient-ils possibles s'il n'y avait pas eu, dans l'insurrection hongroise, une participation massive de la grande majorité de la population et une neutralité favorable à l'insurrection du reste ?*

A plusieurs reprises, pendant la première semaine de l'insurrection hongroise, *l'Humanité* affirme que le gouvernement s'appuie sur les ouvriers, qui participeraient à la lutte contre les « émeutiers fascistes ». Mais Stil, dans *l'Humanité* du 14 novembre, crache le morceau et avoue les mensonges de son propre journal : « Ce qu'il faudra expliquer, c'est comment les travailleurs, après tant de sacrifices pour un régime qu'ils savaient être le leur, ont pu, tout en réprouvant les émeutiers fascistes, se laisser troubler au point de ne pas intervenir avec force et résolution pour défendre contre eux ce régime ».

9° *Le fait que* l'Humanité *mentait en parlant de lutte des ouvriers contre les insurgés n'est-il pas maintenant établi par le témoignage de Stil ?*

10° *N'est-il pas plutôt infiniment probable que les ouvriers armés se sont battus contre le gouvernement et les Russes ? Sinon, comment expliquer la défaite des forces gouvernementales et des troupes russes pendant la première semaine de l'insurrection ? Les combats acharnés qu'ont dû livrer ensuite, du 4 au 9 novembre, les troupes russes renforcées pour écraser l'insurrection ? La grève générale après la victoire militaire des Russes ?*

11° *Ne peut-on pas parier que ni André Stil, ni aucun autre dirigeant du P.C.F. n'« expliquera » jamais pourquoi les travailleurs « ne sont pas intervenus pour défendre ce régime », pourquoi ils l'ont plutôt combattu jusqu'à la mort ? Cette explication ne serait-elle pas que les travailleurs, au bout de dix ans d'expérience, ont conclu que ce régime les exploitait et les opprimait ?*

Après avoir imprimé pendant deux semaines que dans l'insurrection hongroise il n'y avait *que* des fascistes, *l'Humanité,* s'infligeant à elle-même un démenti, commence maintenant à expliquer qu'il y avait aussi des travailleurs, trompés ou « intimidés » (!) par les fascistes. Stil a le front d'écrire, les 14 et 15 novembre, que les fascistes « usant de la démagogie autant que de l'intimidation », maintiennent en grève les usines.

12° *Si l'on pense qu'après plusieurs années de régime « socialiste » et de pouvoir du « parit des travailleurs », la majorité des ouvriers, des paysans et de la jeunesse de Hongrie est capable de se mettre en lutte à l'instigation des fascistes, de se faire tuer pendant trois semaines — il y a eu des dizaines de milliers de morts à Budapest, ville de 1.500.000 habitants — et de rester en grève par la suite, après que les fascistes se soient démasqués « en assassinant*

les militants ouvriers », comme dit l'Humanité,
*ne faut-il pas conclure que la société est
irrémédiablement vouée au fascisme ? Peut-on rester
un militant communiste avec de telles croyances ?*

13° *Cette idée, que quelques démagogues au service de
buts inavoués, peuvent faire ce qu'ils veulent de
la masse, n'est-elle pas la base de toute l'idéologie
et de toute la pratique politique du fascisme ?
N'est-ce pas cette même idée que depuis des années
à propos de Berlin-Est, de Poznan, de la crise
polonaise d'octobre 1956, de la révolution hongroise,
soutiennent quotidiennement les dirigeants du P.C.
russe et du P.C.F. ? Que faut-il penser d'eux ?*

En parlant du soulèvement de Poznan, que
l'Humanité a présenté et continue à présenter comme
l'œuvre de provocateurs et de gangsters, Gomulka
a dit devant le Comité Central du parti polonais :
« Tenter de présenter la tragédie de Poznan comme
une œuvre des impérialistes et des provocateurs
fut d'une grande naïveté politique. Les agents de
l'impérialisme et les provocateurs peuvent se
manifester en tous lieux, en tous moments. Mais
jamais et nulle part ils ne peuvent déterminer
l'attitude de la classe ouvrière... C'est chez nous,
c'est à la direction du Parti, au gouvernement, que
se trouvent les causes véritables de la tragédie
de Poznan et du profond mécontentement de la
classe ouvrière. Le feu couvait déjà depuis plusieurs
années ». (Comme le P.C.F. n'a pas publié à ce jour

le discours de Golmuka, nous le citons d'après le texte publié dans *France-Observateur* et dans *l'Express*.)

14° *Indépendamment de son application aux événements de Poznan, cette phrase ne contient-elle pas une vérité générale ? Ne pourrait-on pas l'appliquer avec beaucoup plus de force aux événements de Hongrie ?*

Fajon, dans son discours du 2 novembre, a refusé d'accepter l'explication de Gomulka sur les événements de Poznan, qu'il a qualifié de « défaitiste », et a continué à prétendre que le soulèvement ouvrier de Poznan était l'œuvre de provocateurs, etc. Pourtant, avant même Gomulka, Cyrankiewicz, Président du Conseil polonais, et Ochab, Secrétaire général du parti polonais, avaient reconnu que les ouvriers s'étaient soulevés parce qu'ils avaient des motifs justes de mécontentement.

15° *A qui est-il plus facile de mentir, à Gomulka, Cyrankiewicz, etc., parlant devant les Polonais de choses que ceux-ci ont vécues, ou à Fajon, à Paris, devant les cadres du P.C.F. ?*

16° *Le marxisme est-il une conception matérialiste de l'histoire pour laquelle l'action des classes sociales est déterminée par leurs intérêts, leur place dans la production et la conscience qu'elles développent à partir de leur situation — ou bien est-il une conception policière de l'histoire suivant laquelle l'humanité est formée par des masses aveugles, que des espions et des provocateurs mènent à volonté ?*

17° *La « conception » de Fajon, suivant laquelle la classe
ouvrière peut être menée à volonté par les espions
et les provocateurs, ne traduit-elle pas un profond
mépris de la classe ouvrière ? N'est-ce pas plutôt
cette conception qui serait profondément défaitiste ?
Préférant présenter les ouvriers comme des imbéciles
sans espoir plutôt que d'admettre les crimes de
l'appareil bureaucratique qui ont conduit le
prolétariat à la révolte, Fajon ne se montre-t-il pas
comme un bureaucrate ennemi irréconciliable des
ouvriers ?*

Après avoir constamment écrit que l'insurrection
hongroise était l'œuvre de fascistes et de hortystes,
l'Humanité publie, le 12 novembre, sans s'expliquer
et sans rougir, le discours de Kadar, diffusé le
11 par Radio-Budapest, qu'elle résume ainsi :
« Revenant sur l'origine des combats, Janos Kadar
a déclaré que le mécontentement des masses était
justifié mais que les contre-révolutionnaires ont
exploité ce mécontentement légitime dans le but de
renverser le pouvoir populaire. Ces forces, a dit
Janos Kadar, risquaient de prendre le dessus ».

Cependant, même ce résumé de Kadar – qui
inflige un cinglant démenti aux calomnies que
l'Humanité a déversées pendant quinze jours sur les
travailleurs hongrois – est falsifié par *l'Humanité*.
Voici le texte du discours de Kadar publié le
même jour par *Libération* : « L'indignation des masses
était justifiée. Elles ne voulaient pas renverser la
démocratie populaire mais corriger les erreurs du
passé. Cependant des contre-révolutionnaires se sont

infiltrés dans les rangs du peuple et ont exploité l'*action* légitime des masses dans le but de renverser le pouvoir populaire. Ces forces risquaient de prendre le dessus, etc. ». Nous avons souligné le mot « action » qui montre bel et bien que l'insurrection a été l'œuvre des masses. D'ailleurs, le programme du gouvernement Kadar (publié par l'*Humanité* du 5 novembre) comportait comme point 3 : « Le gouvernement n'admettra pas que les travailleurs soient poursuivis pour avoir participé aux événements de ces derniers jours »- .

18° *Kadar n'avait-il pas tout intérêt à dire lui aussi, comme* l'Humanité, *comme l'agence Tass, comme Radio-Moscou, qu'il n'y avait parmi les insurgés que des fascistes ?*

19° *S'il est obligé de reconnaître que* « *les travailleurs ont participé aux événements de ces derniers jours* » *et que* « *l'action des masses* » *était* « *légitime* », *n'est-ce-pas parce que, étant en Hongrie, il ne peut .matériellement pas mentir sur des faits auxquels la grande majorité de la population a participé, et qu'il essaie désespérément de se réconcilier avec les travailleurs, après les avoir fait tuer par les blindés russes ?*

20° *Comment expliquer le fait que ni Kadar ni les Russes n'ont été capables de gagner à eux les éléments de l'insurrection qui* « *voulaient corriger les erreurs du passé* » *et de les opposer à ceux qui* « *voulaient renverser le pouvoir populaire* » ? *N'est-ce pas là une faillite politique sans précédent ? Ne résulte-t-elle pas de ce que personne en Hongrie n'accorde la moindre confiance ni à Kadar ni aux Russes ? A quoi cela serait-il dû ? Serait-ce la conclusion que la population a tiré d'une expérience de dix ans ?*

De 1948 à 1954, les dirigeants russes, ceux du P.C. français et de tous les P.C. du monde qualifiaient Tito d'hitlérien, d'assassin, etc., et le régime yougoslave de régime de fasciste. Puis, brusquement et sans aucune explication, ils ont tous déclaré simultanément que la Yougoslavie était un pays socialiste qui suivait « sa propre voie pour réaliser le socialisme ».

21° L'Humanité, *pendant six ans, publiait-elle des « faits vérifiés » sur la Yougoslavie, ou des mensonges invraisemblables sur commande ? Le « point de vue du P.C.F. sur les grandes questions posées » comme dit pompeusement Fajon ne consistait-il pas à prendre un pays « socialiste » pour un pays « fasciste », c'est-à-dire le jour pour la nuit ?*

22° *La différence entre socialisme et fascisme est-elle une nuance si délicate pour que de telles erreurs soient possibles, ou bien faut-il penser que les dirigeants du P.C.F. et du P.C. russe qualifient toujours de fascistes ceux qui s'opposent à leur volonté ?*

La seule « explication » donnée sur le tournant du P.C. russe concernant la Yougoslavie a été la

piteuse phrase de Khrouchtchev arrivant à Belgrade :
« Nous avons été trompés par Béria. »

23° *L'appréciation politique et sociale d'un régime dépen-
drait-elle donc pour les dirigeants russes des
informations secrètes d'un chef policier ? Béria pourrait-il faire croire à Khrouchtchev ou à Thorez
que la France, par exemple, est un pays socialiste ?*

24° *Est-il concevable que les directions des P.C., qui se
veulent les états-majors du prolétariat mondial, se
trompent pendant six années consécutives, non pas
sur les agissements d'un individu, mais sur la nature
d'un régime qui fonctionne au grand jour, est visité
par les journalistes et tous ceux qui le désirent, etc. ?*

25° *Est-il concevable qu'on dise aujourd'hui le contraire
de ce qu'on avait dit la veille sans expliquer
sérieusement ni pourquoi on s'était trompé, ni
pourquoi on a changé d'avis ?*

26° *De tels changements de position sans explication contri-
buent-ils à élever la conscience des militants et des
ouvriers, ou à les plonger dans la confusion et la
démoralisation ?*

27° *N'est-il pas clair, sur l'exemple de la Yougoslavie,
auquel on pourrait facilement ajouter des dizaines
d'autres, que la direction du P.C. russe comme du
P.C. français refuse toute discussion avec ceux qui
peuvent être en désaccord avec elle, caractérise
immédiatement tous ceux qui ne se plient pas à*

sa volonté de « fascistes », essaie de les briser par la calomnie et la terreur ? Ces procédés ne sont-ils pas typiquement fascistes ? Ne faut-il pas se demander pour quelle raison la direction du P.C. recourt à ces procédés et ne peut tolérer aucune discussion ?

28° *Si les divisions russes étaient stationnées en 1948 en Yougoslavie, ne seraient-elles pas intervenues comme maintenant en Hongrie, contre le « fasciste Tito » ? Thorez et l'*Humanité *ne les auraient-ils pas approuvées ? Qu'en serait-il alors advenu de la « voie propre de la Yougoslavie vers le socialisme », solennellement reconnue six ans plus tard ?*

L'argument sur lequel se rabat constamment l'*Humanité* pour étayer ses calomnies contre les travailleurs hongrois, c'est le fait que la presse bourgeoise et les politiciens bourgeois font de la propagande contre l'intervention russe en Hongrie.

29° *Aussi longtemps, que la Russie et les P.C. attaquaient Tito, la presse bourgeoise n'a-t-elle pas « soutenu » Tito et la Yougoslavie ? Les Etats-Unis, l'Angleterre et la France n'ont-elles pas fourni au grand jour à Tito des centaines de millions de dollars, des armes, etc. ? Tito n'a-t-il pas conclu un pacte militaire avec les gouvernements réactionnaires de Grèce et de Turquie, pacte qui est toujours en vigueur ? Tout cela empêche-t-il Khrouchtchev et Thorez de voir aujourd'hui dans la Yougoslavie un « État socialiste » ?*

30° *Les directions des P.C. de 1948 à 1954, n'avaient-elles pas utilisé ces faits pour prouver que Tito était un « agent de l'impérialisme américain » ? l'Humanité n'a-t-elle pas monté en épingle, pendant ces six années, tous les signes d'aide des Occidentaux à Tito pour prouver la « collusion » de celui-ci avec les Américains ? N'est-ce pas là ce qu'elle fait aujourd'hui à propos de la Hongrie ?*

31° *La presse bourgeoise et les politiciens bourgeois n'ont-ils pas, pour une bonne partie, « approuvé » et « félicité » Khrouchtchev pour s'être délimité de Staline ? Faut-il en conclure que Khrouchtchev est un agent de l'impérialisme américain ?*

32° *L'attitude de la presse et des politiciens bourgeois face aux événements de Hongrie ne s'explique-t-elle pas plutôt par ces facteurs :*

a) *Qu'ils accueillent favorablement au départ tout ce qui pourrait affaiblir le bloc russe (voir le cas yougoslave) ?*

b) *Que l'intervention militaire russe leur donnait des magnifiques armes de propagande, dont ils avaient bien besoin pour couvrir leurs entreprises impérialistes passées, présentes et à venir, et spécialement en Algérie et en Egypte ?*

c) *Que l'ouverture d'une période de luttes politiques ouvertes en Hongrie leur faisait croire qu'ils allaient désormais avoir des possibilités d'action politique dans ce pays ?*

L'Humanité, Kadar, Radio-Moscou, etc. ont parlé de « terreur blanche » qui aurait régné à Budapest pendant la deuxième semaine de l'insurrection. Il est possible que des attentats terroristes ou des actes individuels injustifiables contre des innocents aient été commis – il y en a toujours dans toute révolution : en tout cas, après ce que l'on vient de voir, le fait que *l'Humanité* le dise est loin d'en constituer la preuve.

33° *Dans un pays où la classe ouvrière s'est armée et a constitué des Conseils, l'instauration d'une « terreur blanche » est-elle possible ? Les ouvriers n'auraient-ils pas immédiatement réagi si de véritables militants ouvriers étaient l'objet d'une persécution systématique ?*

Il est en revanche incontestable que des exécutions sommaires des membres de la police secrète. A V. H. ont eu lieu sur une grande échelle.

34° *Savez-vous que l'insurrection a commencé parce que le 23 octobre la police secrète a ouvert le feu sur la foule de manifestants non armés ?*

35° *Qu'était la police secrète en Hongrie ? En quoi différait-elle de la Gestapo ? Rajk et des centaines d'autres n'ont-ils pas été exécutés comme traîtres pour*

*être réhabilités cinq ans après ? N'avaient-ils pas
« avoué » leurs crimes ? Comment les avaient-ils
« avoués » puisqu'ils ne les avaient pas commis ?
N'était-ce pas sous la pression d'atroces tortures ?
Khrouchtchev n'a-t-il pas reconnu devant le XXe
Congrès du P.C.U.S. que la police stalinienne faisait
avouer par la torture aux accusés des crimes
imaginaires ? Gomulka n'a-t-il pas dit dans son discours : « Chez nous également... des gens innocents
ont été envoyés à la mort; d'autres innocents,
nombreux, ont été emprisonnés, et quelquefois pendant
de longues années; parmi eux, il y avait des communistes: des
hommes ont été soumis à des tortures bestiales; on a semé la
peur et la démoralisation » ? Ces membres de la police secrète
hongroise, n'étaient-ils pas des tortionnaires ?*

*36° Si vous aviez un frère, père, fils, qui, arrêté par
la police et torturé, avait « avoué » des crimes
imaginaires et avait été fusillé, et que, après une
insurrection victorieuse vous mettiez la main sur ces
tortionnaires, êtes-vous certain de ce que vous feriez ?
N'y a-t-il pas eu des exécutions sommaires après
l'écroulement du nazisme, en France et dans d'autres
pays ?*

L'Humanité a présenté pendant presque trois
semaines l'insurrection hongroise comme une émeute
de fascistes. A l'en croire, personne d'autre ne s'y
est manifesté sauf les hortystes, les anciens capitalistes
et propriétaires fonciers, qui auraient déjà quelques
jours après l'insurrection commencé à rentrer en

possession de leurs terres (!). On a vu que Kadar
a avoué qu'il s'agissait d'une « action légitime des
masses » au sein de laquelle, d'après lui, des éléments
contre-révolutionnaires « *risquaient* de prendre le
dessus ».

37° *Quelle base, parmi les masses de la population,*
pourraient se créer des organisations politiques
réactionnaires ? Des partis visant à rendre les usines
aux capitalistes et la terre aux gros propriétaires
fonciers pourraient-ils avoir un écho quelconque
auprès des ouvriers et des paysans, qui forment
l'énorme majorité de la population hongroise ? Les
ouvriers, armés et revendiquant la gestion des usines
(voir plus bas), auraient-ils toléré l'existence des
partis demandant la restauration de la bourgeoisie ?
Les paysans, exploités pendant des siècles par les
féodaux, auraient-ils accepté qu'Esterhazy récupère
ses domaines (comme l'Humanité *a eu la bêtise*
de le prétendre) ?

La presse bourgeoise a essayé de gonfler autant que possible l'importance qu'avaient pu avoir,
pendant la deuxième semaine de l'insurrection, les
organisations politiques traditionnelles hâtivement
reconstituées, pour prouver que les Hongrois
n'aspiraient qu'à ce bonheur suprême – une
république parlementaire du type occidental.
L'Humanité a été, sur ce point, absolument d'accord
avec *le Figaro* et *l'Aurore*. Elle a, comme la presse
bourgeoise, essayé de cacher toutes les manifestations
révolutionnaires du prolétariat hongrois, les
revendications qu'il a mises en avant, le fait qu'il

s'est organisé dans des Conseils (c'est-à-dire des véritables Soviets, dont les membres, élus démocratiquement par les ouvriers, sont révocables à tout instant par leurs électeurs). De tels Conseils ont existé dans toutes les villes industrielles importantes de la Hongrie. C'est le Conseil des ouvriers de Szeged qui a le premier mis en avant la revendication d'*auto-gestion ouvrière des usines*. Après s'être longtemps tue sur les Conseils, *l'Humanité* écrit le 15 novembre par le truchement d'André Stil que les Conseils sont « constitués par des aventuriers et des éléments du lumpen-prolétariat ». Stil est en retard d'un mensonge, car le lendemain du jour où il écrivait cela, le gouvernement Kadar était forcé, par la grève générale, à entrer en négociations avec le Conseil Central des Ouvriers de Budapest et à lui promettre que toutes ses revendications seront satisfaites, pour obtenir la reprise du travail.

38° *Le silence de* l'Humanité *et les ignobles calomnies de Stil ne prouvent-ils pas que la direction du P.C.F. craint par dessus tout une chose, l'organisation autonome des ouvriers dans des Conseils, qui sont le véritable et seul instrument du pouvoir ouvrier ?*

Les revendications de plusieurs de ces Conseils ont formé l'essentiel du programme formulé par la direction des syndicats hongrois. Voici le texte de ce programme, tel qu'il a été reproduit dans *le Monde* du 28-29 octobre 1956 :

« – Constitution de conseils d'ouvriers dans toutes les usines.

– Instauration d'une direction ouvrière. Transformation radicale du système de planification et de direction de l'économie exercée par l'Etat.

– Rajustement des salaires, augmentation immédiate de 15% des salaires inférieurs à 800 forint et de 10% des salaires de moins de 1.500 forint. Etablissement d'un plafond de 3.500 forint pour les traitements mensuels.

– Suppression des normes de production, sauf dans les usines où les conseils d'ouvriers en demanderaient le maintien.

– Suppression de l'impôt de 4% payé par les célibataires et les familles sans enfants. Majoration des retraites les plus faibles. Augmentation du taux des allocations familiales. Accélération de la construction de logements par l'Etat. »

39° *Pourquoi l'Humanité n'a-t-elle pas mentionné ce programme ?*

40° *Ce programme est-il réactionnaire, ou bien profondément socialiste ?*

41° *Le socialisme consiste-t-il en ce qu'un appareil de bureaucrates dirige les usines et la production, ou bien en ce que des Conseils d'ouvriers dirigent, comme le demandent les travailleurs hongrois ?*

42° *Pourquoi les ouvriers hongrois demandent-ils la suppression des normes de production sauf là où les Conseils d'ouvriers en demanderaient le maintien ? Comment sont déterminées les normes de travail dans les démocraties populaires et en Russie ? Le sont-elles autrement que dans les pays capitalistes ? Etes-vous conscients de ce que signifie pour les ouvriers la détermination des normes de travail par d'autres qu'eux-mêmes ? Croyez-vous que les ouvriers sont capables d'établir eux-mêmes une discipline dans la production, ou bien qu'il faut les y forcer par les normes, le salaire aux pièces ou au rendement, et la contrainte exercée par les contremaîtres ?*

Cette dernière position n'est-elle pas celle de M. Georges Villiers (a) et de tous les patrons du monde ?

N'est-ce pas celle qui est appliquée en Russie et dans les démocraties populaires ?

43° *Pourquoi les ouvriers hongrois demandent-ils une réduction considérable de la hiérarchie ? Est-ce une revendication réactionnaire ? Pourquoi en France la C.G.T. soutient pratiquement toujours le maintien ou l'aggravation de la hiérarchie ?*

44° *Pourquoi les ouvriers hongrois demandent-ils l'établissement d'un plafond aussi bas pour les traitements mensuels (3.500 forint, le salaire moyen semblant se situer autour de 1.000 forint) ? Cette revendication à elle seule ne démontre-t-elle pas qu'il devait y avoir un gonflement exorbitant des revenus des « mensuels », c'est-à-dire des bureaucrates ? L'existence d'une hiérarchie étendue des traitements ne rétablit-elle pas une répartition des revenus personnels comparable à celle qui existe dans la société capitaliste, si l'on tient compte du fait que le bureaucrate utilise tout son revenu pour sa consommation personnellle, l'accumulation étant faite par l'Etat ? Existe-t-il ou non, dans les démocraties populaires et en Russie, des traitements vingt, cinquante ou cent fois supérieurs au salaire moyen des ouvriers ? Cela n'équivaudrait-il pas en France à des traitements ou à des revenus mensuels de six cent mille francs, trois millions ou six millions ?*

Pendant les deux premières semaines de l'insurrection, il s'est constitué à Budapest un « parti révolutionnaire de la jeunesse ». On sait que la jeunesse a joué un rôle de premier plan dans toute l'insurrection. Le programme de ce parti, publié par *le Monde* du 3 novembre, déclarait « qu'il n'est pas question de rendre les usines aux capitalistes, ni la terre aux propriétaires fonciers ».

45° *La constitution de ce parti ne montre-t-elle pas que, en plus des Conseils ouvriers, des forces révolutionnaires saines, qui voulaient rompre avec un passé répudié par tout le monde et avancer vers le socialisme, étaient en train de s'organiser ? Que Kadar n'a ni pu ni voulu s'y appuyer ? Que l'intervention armée des Russes a abouti à les écraser ?*

Parlant des événements de Pologne et de Hongrie dans *l'Humanité* du 25 octobre 1956, Marcel Servin attribue les « difficultés matérielles qui subsistent encore » dans ces pays aux destructions subies pendant la guerre, à l'effort de défense, enfin à « des erreurs commises par certains partis des pays de démocratie populaire, notamment dans l'établissemnt de leurs plans économiques, erreurs reconnues, corrigées ou en voie de correction ».

Quelques jours plus tard, Etienne Fajon, dans son discours à la Maison des Métallurgistes reproduit dans l'*Humanité* du 3 novembre, disait :

« C'est ainsi qu'en Pologne, dès 1953, le revenu national avait doublé par rapport à l'avant-guerre ; la production industrielle avait presque quadruplé... L'année dernière, la consommation de viande par tête d'habitant était deux fois plus élevée qu'avant la guerre, la production de chaussures dix fois plus élevée... Des transformations analogues avaient été enregistrées en Hongrie... la production de l'industrie alimentaire y avait triplé... »

46° *Si les données fournies par Fajon sont exactes, n'est-il pas évident que Servin essaie de noyer le poisson en parlant des destructions dues à la guerre, onze ans après la fin de celle-ci, et lorsque tout le monde sait que dans tous les pays européens, de l'Est comme de l'Ouest, la reconstruction avait été achevée au plus tard en 1949-1950 ? Et n'est-ce pas le même sophisme auquel se livre Fajon plus loin dans son discours en parlant lui aussi des « effroyables destructions de la guerre », après avoir dit que dès 1953 — trois ans avant les événements actuels —*

le revenu national en Pologne avait doublé par rapport à l'avant-guerre ?

47° *Si les données de Fajon sont exactes — consommation de viande doublée, production de chaussures décuplée, production des industries alimentaires triplée, etc. — c'est-à-dire si les masses travailleuses dans ces pays avaient connu une amélioration aussi importante de leur niveau de vie, y aurait-il eu la moindre chance pour les anciens exploiteurs ou les agents américains de fomenter une insurrection qui dure des semaines ? Les travailleurs seraient-ils à ce point dépourvus, non pas même de conscience de classe, mais du sens de la réalité ?*

Sur l'évolution du niveau de vie en Pologne, voilà ce que dit Gomulka dans son discours du 20 octobre devant le Comité Central du parti polonais, radiodiffusé dans tout le pays (d'après le texte publié dans *France-Observateur*) :

« Le plan sexennal économique que l'on a prôné dans le passé avec beaucoup d'impétuosité comme étant une nouvelle étape en vue d'un accroissement élevé du niveau de vie a trompé les espoirs des larges masses de travailleurs. La jonglerie des chiffres, chiffres qui ont indiqué une augmentation de 27% des salaires réels au cours du plan sexennal, n'a pas réussi ; cela n'a fait qu'irriter davantage les gens ».

48° *Croyez-vous que Gomulka pouvait mentir sur une telle question dans un discours porté à la connaissance*

*de toute la population polonaise ? Si non, n'est-il
pas évident que Fajon et la direction du P.C.F.
falsifient les faits ?*

Personne ne conteste qu'il y ait eu une
augmentation importante de la *production* dans les
pays de démocratie populaire. Il y en a une d'ailleurs
également dans les pays capitalistes. Mais à qui
profite-t-elle ?

49° *Si, comme le dit Gomulka dans le passage cité plus
haut, parler d'une augmentation des salaires réels
en Pologne n'est qu'« une jonglerie des chiffres qui
ne trompe personne », à quoi a-t-on utilisé le
supplément de production ? A construire des usines ?
Mais le capitalisme ne construit-il pas lui aussi des
usines ? A quoi sert l'augmentation de la production
dans le capitalisme, sinon à construire des nouvelles
usines et à augmenter la consommation des priviligiés,
les salaires n'étant augmentés que dans la mesure
où les ouvriers luttent pour arracher des augmentations ? La situation dans les pays de démocratie
populaire est-elle différente à cet égard ? En quoi ?
Pendant que les salaires ouvriers stagnent en Pologne,
qu'advient-il des traitements des bureaucrates, de
ceux dont les ouvriers hongrois demandaient
justement la limitation ? Si l'on construit des usines
automobiles, par exemple, pendant que les salaires
ouvriers stagnent, à qui sont destinées les automobiles
produites ?*

O. Lange, économiste du Parti Ouvrier Unifié

(communiste) de Pologne, a écrit dans un article qui a servi de base au programme économique élaboré au VIIe Plenum du Comité Central de ce parti (juillet 1956, donc avant le retour de Gomulka au pouvoir) et qui a été traduit dans le numéro de septembre-octobre 1956 des *Cahiers Internationaux* (revue dont le Comité de patronage comprend Alain Le Léap) :

« Pour cela (pour surmonter les difficultés économiques existantes), il faut également liquider l'appareil bureaucratique pléthorique qui a proliféré dans tous les domaines de l'économie nationale. Cet appareil freine le bon fonctionnement de l'économie et absorbe de façon non productive une partie excessive du revenu national. Les masses laborieuses le savent, elles qui considèrent comme un signe de gaspillage et de mauvaise gestion ce trop important appareil bureaucratique. »

50° *Si l'appareil bureaucratique « absorbe d'une façon non productive une partie excessive du revenu national », s'agit-il là d'une « erreur » ? Cet appareil ne vit-il pas par l'exploitation du travail productif des travailleurs ?*

51° *Pourquoi Thorez et Fajon, ni dans leurs allocutions du 2 novembre, ni nulle part ailleurs, ne parlent-ils pas de cet appareil bureaucratique, de ses privilèges basés sur l'exploitation des masses, mais parlent seulement d'« erreurs de planification », comme si un ingénieur s'était trompé avec sa règle à calcul ? N'est-ce pas parce qu'ils sont eux-mêmes, et quelques*

milliers de cadres du P.C.F., candidats à ce rôle de bureau-
crates-exploiteurs au cas où ils accèderaient au pouvoir ?

Personne ne conteste l'augmentation de la *production* dans les démocraties populaires. Mais comment est-elle obtenue ? Gomulka constate, dans son discours, qu'au cours du plan sexennal (1950-1955), la production de charbon de Pologne est passée de 74 à 94,5 millions de tonnes. Mais, en ce même temps, « les mineurs ont fait, en 1955, 92.634.000 heures supplémentaires, ce qui constitue 15,5 % du nombre global d'heures réalisées au cours de cette période. Cela représente 14.600.000 tonnes de charbon extraites en dehors des heures normales de travail... En 1949, l'extraction houillère, au cours d'une journée-travail, était de 1.320 kg par mineur. En 1955, cette production est tombée à 1.163 kg, c'est-à-dire de 12,4 %. Si nous considérons seulement l'extraction calculée par équipe de fond, cette diminution de l'extraction s'élève à 7,7 % pendant ce temps par journée-travail ».

Dans un autre extrait de son discours, cité par *l'Express* du 26 octobre, Gomulka dit :

« La politique économique, en ce qui concerne notre industrie minière, a été caractérisée par une légèreté criminelle. On a institué comme règle le travail du dimanche, ce qui ne pouvait que ruiner la santé et les forces du mineur, et rendre impossible l'entretien adéquat de l'équipement minier. On a imposé à beaucoup de nos mineurs un travail de soldat et de prisonnier ».

52° *Les méthodes utilisées pour augmenter la production de charbon en Pologne ne sont-elles pas comparables aux pires méthodes d'exploitation capitaliste (heures supplémentaires, travail du dimanche, discipline de « soldat » et de « prisonnier ») ?*

53° *Si le mineur polonais est soumis à ce régime pendant son travail et si, parallèlement, son niveau de vie n'augmente pas, en quoi la « nationalisation » et la « planification » ont-elles changé sa situation réelle ?*

54° *La diminution du rendement par mineur, citée par Gomulka, relève-t-elle des « erreurs » et des « dispro-portions » dont parlent Servin, Thorez et Fajon, ou bien exprime-t-elle une attitude des mineurs face à la production ? Dans tous les régimes où les travailleurs se savent exploités, leur première réaction n'est-elle pas le refus de coopérer à la produc-tion ? Dans les usines capitalistes, n'observe-t-on pas quotidiennement un conflit insurmontable entre les ouvriers et l'appareil de direction autour du ren-dement ?*

On pourrait penser que cette situation est particulière à l'industrie minière. Voilà ce que dit, concernant l'économie dans son ensemble, O. Lange dans son article déjà cité (pages 73 et 78) :

« Nous observons, depuis plusieurs années déjà, une indifférence croissante à l'égard du travail, dans l'appareil administratif, de distribution et des services. Cette indifférence paralyse notre vie quotidienne. Actuellement, elle gagne également les rangs de la classe ouvrière qui, étant la partie la plus consciente – du point de vue social et politique – de la nation, s'y était le plus longtemps opposée. Toutes les possibilités de diriger à l'aide de slogans moraux et politiques et d'ordres de nature juridique et administrative sont aujourd'hui épuisées... L'attitude nihiliste d'une grande partie des travailleurs découle tant du bas niveau de vie que du fait qu'ils doutent que la politique économique qui exige des masses laborieuses de tels sacrifices, soit juste et fondée. »

55° *Y a-t-il des raisons de penser que, sur les points essentiels, la situation en Hongrie ou dans les autres démocraties populaires soit substantiellement différente de ce qu'elle est en Pologne ?*

56° *Ce que Lange appelle, dans son langage de bureaucrate, « attitude nihiliste des travailleurs », est-il autre chose que la juste réaction de classe des ouvriers qui se savent exploités, ne croient pas aux mensonges qu'on leur raconte, et refusent leur coopération à la production autant qu'ils le peuvent ?*

57° *Pour que cette réaction de classe des ouvriers arrive à « paralyser la vie quotidienne » – chose qu'on n'a presque jamais vu dans aucune société d'exploitation – ne faut-il pas que l'exploitation et l'oppression soient devenues intolérables ?*

58° *Lorsque à partir d'une telle situation des ouvriers, au lieu de sombrer dans le désespoir et le « nihilisme »,*

prennent les armes, se révoltent, forment des Conseils
et exigent la gestion ouvrière de la production,
comme ils l'ont fait en Hongrie, êtes-vous avec eux
ou avec « l'appareil bureaucratique qui freine le bon
fonctionnement de l'économie et absorbe de façon
non productive une partie excessive du revenu
national » ?

Le vendredi 2 novembre, le gouvernement de
Pékin a publié une déclaration dans laquelle il
est dit :

« Certains pays socialistes ont négligé le principe
de l'égalité des nations dans leurs rapports entre
elles. Une telle erreur, dont l'essence est de nature
chauvine-bourgeoise, peut, particulièrement lorsqu'elle est commise par une grande puissance, causer
un grand tort à la cause et à la solidarité des
pays socialistes... Ce sont de telles erreurs qui ont
provoqué des situations tendues qui autrement ne
se seraient pas produites, comme celles de la
Yougoslavie naguère, de la Pologne et de la Hongrie
actuellement. »

Cette déclaration a été reproduite par *le Monde* du
4-5 novembre 1956, mais non par *l'Humanité*. C'est
peut-être une des ces « opinions de tel ou tel
dirigeant d'un parti frère » que, d'après Fajon,
les lecteurs de *l'Humanité* n'ont pas le droit de
connaître. Toutefois, d'une façon émasculée, on
retrouve la même idée dans la déclaration soviétique
du 30 octobre (publiée dans *l'Humanité* du 31) où il est
dit : « ...Plus d'une difficulté a surgi, plus d'une tâche n'a pas été résolue, et des erreurs pures et simples

ont été commises, en particulier en ce qui concerne les relations entre pays socialistes. Ces violations et ces erreurs ont réduit la portée des principes de l'égalité en droits dans les relations entre les pays socialistes ».

59° *Que signifie en français clair « négliger le principe de l'égalité des nations dans leurs rapports entre elles » ? Cela ne veut-il pas dire qu'une nation — « une grande puissance », comme dit la déclaration de Pékin, avec une délicatesse toute chinoise — c'est-à-dire la Russie, domine les autres ? Est-il concevable que de plusieurs pays « socialistes » il y en ait un qui domine les autres ? Comment, non pas tel acte de tel dirigeant, mais la politique d'un pays « socialiste » pendant des années et ses rapports avec d'autres pays « socialistes » peuvent-elles présenter des « erreurs d'essence bourgeoise-chauvine » ? Ces « erreurs » n'ont-elles pas des racines économiques et sociales aussi bien en Russie même que dans les autres pays « socialistes » ? Lorsque la Russie prend l'uranium hongrois ou tchèque, le charbon polonais, le tabac bulgare et vend à ces pays ses produits, en fixant souverainement dans les deux cas le prix, est-ce une « erreur » ou de l'exploitation ? Cette exploitation, même si elle prend des formes différentes, n'aboutit-elle pas aux mêmes résultats que l'exploitation des pays coloniaux par les pays impérialistes occidentaux ? Comme dans le cas de l'Algérie et de la France, la domination politique et l'exploitation économique ne se conditionnent-elles pas alors l'une l'autre ?*

60° *Si le gouvernement russe parle aujourd'hui – et pour l'instant il ne fait rien de plus que parler – de redresser ces « erreurs », est-ce parce qu'il est devenu meilleur ou parce que la résistance des Polonais et des Hongrois l'y oblige ? En quoi diffère-t-il des colonialistes français qui n'ont commencé à se retirer du Maroc et de la Tunisie que lorsque la résistance de ces peuples les y a forcés ? (b)*

NOTES

(a) Président du C.N.P.F. à l'époque.

(b) La bibliographie sur la révolution hongroise comportait déjà plus de 2000 titres en 1963 : I.L. Halasz de Beky, *A Bibliography of the Hungarian Revolution, 1956,* U. of Toronto P., 1963. Voir aussi : *La révolte de la Hongrie d'après les émissions de la Radio hongroise, octobre-novembre 1956,* Préface de F. Fejtö, Paris, Horay, 1957 ; les nᵒˢ 20, 21, 22 et 24 de *S. ou B.* (où l'on trouvera des textes et des témoignages de camarades hongrois) ; Balasz Nagy, *La formation du Conseil central ouvrier de Budapest en 1956,* Paris, Correspondances Socialistes, 1961 . F.Fejtö, *Budapest 1956,* Paris, Julliard, 1966 ; et le recueil de documents publiés par J.-J. Marie, B. Nagy, P. Broué : *1956, Pologne, Hongrie,* Paris, EDI, 1966.

LA RÉVOLUTION PROLÉTARIENNE
CONTRE LA BUREAUCRATIE*

Le mouvement du prolétariat d'Europe orientale contre la bureaucratie et son régime d'exploitation et d'oppression frauduleusement présenté comme socialiste, explose maintenant au grand jour. Il est resté pendant de longues années enfoui dans les usines, s'exprimant par le refus chaque jour renouvelé des ouvriers de coopérer avec leurs exploiteurs. Il a envahi les rues de Berlin-Est en juin 1953. Il a pris les armes en juin 1956, à Poznan. Il a fait trembler de rage et de peur les maîtres de la Russie et les a obligés finalement de reculer .

* S. ou B., n° 20 (décembre 1956).

en octobre 1956 en Pologne. Il monte à l'assaut du ciel depuis sept semaines en Hongrie, où il réalise l'incroyable : il pulvérise en quelques jours la classe dominante, son Etat, son parti et son idéologie comme nulle part classe, Etat, parti ou idéologie n'ont été pulvérisés ; il lutte les mains nues contre les tanks et les mitrailleuses de l'armée la plus puissante que la terre ait jamais portée ; il retrouve, le lendemain de sa « défaite » militaire, encore plus de force, de clarté, de conscience et d'organisation qu'auparavant.

La révolution hongroise est la pointe la plus avancée de ce combat. Cela veut dire qu'elle ne présente que l'expression la plus claire, la plus achevée des tendances et des buts des ouvriers à notre époque. Sa signification est absolument universelle. Ses causes profondes se retrouvent dans tous les pays dominés par la bureaucratie soi-disant « communiste » – comme dans les pays capitalistes occidentaux. Ses leçons valent pour les ouvriers russes, tchèques ou yougoslaves – comme elles vaudront demain pour les ouvriers chinois. Elles valent également pour les ouvriers français, anglais ou américains. Aux usines Csepel, à Budapest, comme aux usines Renault, à Paris, les ouvriers subissent, aux formes et au degré près, la même exploitation, la même oppression. Ils sont frustrés du produit de leur travail, ils sont expropriés de la direction de leur propre activité, ils sont soumis à la domination d'une couche de dirigeants despotiques affublés de masques « démocratiques » ou « socialistes ». Donc ici, comme là-bas, quelles

que soient ses formes, la lutte des ouvriers est
finalement la même. Ici, comme là-bas, les ouvriers
visent et ne peuvent que viser les mêmes buts :
supprimer l'exploitation, diriger eux-mêmes leur
travail, créer une nouvelle organisation de la société.
Les ouvriers hongrois ont poussé cette lutte jusqu'à
sa forme finale. Ils ont pris les armes, ils ont
constitué des Conseils, ils ont mis en avant les
éléments essentiels d'un programme socialiste :
limitation de la hiérarchie, suppression des normes
de travail, gestion ouvrière des usines, rôle dirigeant
des Conseils d'ouvriers dans la vie sociale. Obligés
de cesser le combat armé devant la bestiale
intervention des blindés russes, ils n'ont pas pour
autant abandonné leur lutte. Depuis cinq semaines,
leur grève générale, leur refus de coopérer avec
Kadar, le courage incroyable avec lequel ils
maintiennent leurs revendications en narguant les
tanks et les mitrailleuses de Khrouchtchev, malgré
la faim, le froid et les déportations, montrent au
monde bouleversé l'impuissance des oppresseurs et
l'inanité de leurs crimes devant la force immense
d'un prolétariat conscient. Même si elle était
momentanément vaincue, la révolution hongroise
aura été une défaite profonde pour les exploiteurs,
et ses répercussions, qui ne font que commencer,
auront transformé le monde en cette deuxième
moitié du XXe siècle.

Pour la première fois, un régime totalitaire
moderne est mis en morceaux par le soulèvement
des travailleurs. Ce régime, depuis dix ans, n'avait

fait qu'exterminer toute opposition ; il avait enserré
tout le pays dans un réseau de policiers et de déla-
teurs ; il avait prétendu contrôler toutes les activités
des hommes et jusqu'à leurs âmes. Et d'un coup,
le système scientifiquement organisé de l'oppression
totalitaire a volé en éclats devant la décision et
l'héroïsme de la population hongroise, pratiquement
sans armes. Après six jours de combats acharnés,
les divisions russes elles-mêmes ont dû reconnaître
leur défaite et cesser le feu le dimanche 28 octobre.
L'écrasement de la résistance armée par la deuxième
intervention russe, après le 4 novembre, qui a exigé
une semaine de combats et vingt divisions blindées,
ne diminue pas l'exactitude de cette constatation :
elle la renforce. Aucune « opération de police » ne
pouvait venir à bout de l'insurrection hongroise. Il
a fallu que plusieurs corps d'armée engagent des
opérations militaires régulières pendant six jours,
pour vaincre la population civile d'un pays de dix
millions d'habitants. Et, sur le plan politique, la
« victoire » de l'impérialisme russe se solde par une
défaite sans précédent. Dominer un pays, ce n'est
pas dominer des ruines ni s'attirer à jamais la haine
inexpiable de toute sa population à l'exception d'une
poignée de traîtres et de vendus.

Pour la première fois, le prolétariat se bat de
front contre le régime bureaucratique, qui ose se
dire « ouvrier », et qui représente en réalité la
dernière forme, la plus achevée, des régimes
d'exploitation et d'oppression. La totalité presque
absolue de la population d'un pays se soulève et

combat un régime prétendument « populaire ». Par leur lutte, les travailleurs hongrois ont arraché le masque « communiste » à la bureaucratie et l'ont fait paraître aux yeux de l'humanité dans sa hideuse nudité : une couche exploiteuse, pleine de haine et de peur des travailleurs, en décomposition politique et morale absolue, incapable de s'appuyer sur autre chose que les blindés russes pour dominer et prête à faire massacrer « sa » population, à réduire « son » pays en ruines par une armée étrangère pour se maintenir au pouvoir.

La révolution hongroise démolit, non pas par des discussions théoriques mais par le feu de l'insurrection armée, la fraude la plus gigantesque de l'histoire : la présentation du régime bureaucratique comme « socialiste » – fraude à laquelle avaient collaboré bourgeois et staliniens, intellectuels « de droite » et « de gauche », parce qu'ils y trouvaient tous finalement leur compte. L'usurpation du marxisme, du socialisme et du drapeau de la révolution prolétarienne par la couche d'exploiteurs totalitaires qui dominent en Russie et ailleurs apparaît d'ores et déjà comme une insulte intolérable aux yeux de larges masses de travailleurs. Il devient clair même pour les moins avertis que les staliniens au pouvoir représentent la classe ouvrière autant que le garde-chiourme représente le forçat.

La crise polonaise et la révolution hongroise font éclater au grand jour la crise terrible du régime bureaucratique, qu'elles intensifient à leur tour au centuple. Elles forcent la bureaucratie à ouvrir, ne serait-ce qu'en partie, ses livres de comptes et ses archives de police secrète. Ce qui en ressort n'est pas simplement l'image de l'exploitation et de l'oppression la plus inhumaine ; c'est aussi l'image du chaos incroyable de la société bureaucratique, l'anarchie effrayante de l'économie soi-disant « planifiée », l'incapacité totale de la bureaucratie de gérer sa propre économie, son propre système. Par leur action, les ouvriers polonais et hongrois ont également montré la fragilité extrême de ce régime. Le « bloc » russe n'est pas moins fait de pièces et de morceaux que le « bloc » américain ; l'un comme l'autre sont incapables d'organiser leur domination sur leurs satellites. La classe bureaucratique n'est pas plus solidement tissée à la société que la classe bourgeoise ; quelques jours d'insurrection suffisent pour faire disparaître son régime, son appareil d'Etat, son parti.

La révolution hongroise a réduit à néant la « démocratisation » et la « déstalinisation ». Elle a montré que pour la bureaucratie, comme pour toute classe exploiteuse, il ne pouvait jamais être question de concessions portant sur l'essentiel. Le vrai visage de la « démocratisation », les ruines de Budapest et les infâmes mensonges de Radio-Moscou le montrent aux travailleurs du monde. Plus encore : la révolution hongroise a montré l'incapacité où se trouve désormais la bureaucratie, tout comme la bourgeoisie, d'avoir une politique cohérente quelconque, « démocratique » ou non. Il est logique, pour une classe exploiteuse, de tuer les gens pour une politique, mais il est clair que le massacre pur et simple n'est pas, en lui-même, une politique, qu'il traduit plutôt l'absence de politique et l'incapacité d'en avoir une. De même que l'impérialisme français aux abois est à la fois incapable de dominer par la force en Afrique du Nord et de l'abandonner purement et simplement, de même la bureaucratie russe est à la fois incapable de se retirer de la Hongrie et de s'y maintenir. Obligée d'arrêter la « démocratisation » qui se transformait en révolution, incapable de revenir au système stalinien désormais inapplicable, elle en est réduite à l'usage spasmodique de la violence qui ne résout rien et se retourne immédiatement contre elle. Khrouchtchev, gaffeur hystérique et bavard aviné, est la digne incarnation de la période actuelle de la bureaucratie tout autant que Staline, perfide, taciturne, borné et cruel, l'était de la période précédente.

Face à cette bureaucratie exploiteuse, corrompue, décomposée, que la peur pousse à l'assassinat d'un peuple, se dresse la figure humaine du prolétariat hongrois. Dix ans lui ont suffi pour faire l'expérience d'un régime nouveau d'exploitation, et pour en tirer les conclusions. La terreur totalitaire et la misère ne l'ont ni réduit ni démoralisé ; elles ont au contraire éclairci sa conscience, affermi sa détermination. Sans aucune organisation préalable, sans que personne leur ait enseigné quoi que ce soit, les ouvriers hongrois s'organisèrent dès les premiers jours de l'insurrection dans les Conseils. Seule une armée étrangère les empêcha et les empêche encore de s'emparer du pouvoir. Et pendant qu'une poignée de traîtres essaie sans succès de reconstituer un appareil d'Etat, les Conseils sont la seule forme d'organisation sociale qui subsiste. Leur force est telle, qu'ils ont pu réaliser ce miracle jamais vu auparavant : un grève générale de plusieurs semaines *après* la défaite militaire de l'insurrection. Leur programme égale et même dépasse celui de toute révolution prolétarienne à ce jour : limitation de la hiérarchie, gestion ouvrière des usines, suppression des normes de travail. Ils présentent des revendications politiques, qui montrent qu'ils sont la seule force politique organisée dans cette société en ruines, et exigent en fait un rôle politique dirigeant. Ce sont eux qui demandent le retrait des troupes russes, le droit de publier leurs propres journaux, la constitution de Conseils de travailleurs dans tous les secteurs de l'activité nationale, la reconnaissance de leur représentativité et de leur fonction politique par le gouvernement.

Les joualistes et les intellectuels de droite et de gauche verront dans tout cela une foule de choses : l'incapacité de certains dirigeants, la lutte de tendances au sein de la bureaucratie, le hasard, la tendance vers le « socialisme national », une crise particulière au régime bureaucratique, des nouvelles possibilités pour le réformisme. Ils y verront tout ce qu'ils veulent y voir – sauf la chose fondamentale, la seule qui importe : la lutte de la classe ouvrière contre l'exploitation, la lutte de la classe ouvrière pour une nouvelle forme d'organisation de la société. Ils ne verront pas que derrière les événements d'Europe orientale, comme derrière toute l'histoire depuis un siècle, il y a un facteur qui façonne la société moderne et lui donne ses traits caractéristiques : le développement du prolétariat et de sa lutte pour une société sans classes.

Il n'y a pas de crise particulière de la bureaucratie et de son régime, le capitalisme bureaucratique, dès qu'on considère le fond des choses. Bien sûr, la bureaucratie des pays satellites, plus récente, moins homogène, n'est pas aussi solide que la bureaucratie russe. Mais que celle-ci traverse, avec des délais différents, la même crise à l'intérieur de son propre pays, le XXe Congrès est là pour en témoigner. Et c'est cette même crise qui rend vains tous les efforts des classes dirigeantes de l'Occident visant à stabiliser leur régime et diriger leur société. C'est elle qui cause l'incapacité du capitalisme français de rationaliser la gestion du pays, ou de régler ses rapports avec ses ex-colonies, l'incapacité des capitalismes anglais ou américain de discipliner leurs ouvriers, de dominer leurs satellites. Le capitalisme bureaucratique en Russie et en Europe orientale ne fait qu'appliquer à l'ensemble de l'économie et de la société les méthodes que le capitalisme privé a créées et appliquées à la direction de chaque usine particulière. Ces méthodes, basées sur la domination d'une couche de dirigeants sur la masse des producteurs, sont de moins en moins capables de permettre un fonctionnement même modérément rationnel et harmonieux de la vie sociale. A l'Est comme à l'Ouest, les régimes doivent faire face à ce problème qui domine notre époque : aucune classe particulière n'est désormais à l'échelle nécessaire pour diriger la société. La vie du monde moderne, faite des activités entrelacées et constamment changeantes de centaines de millions de producteurs conscients, échappe à l'emprise de toute couche dirigeante qui s'élève au-dessus de la société. Ce monde, ou bien il s'enfoncera de plus en plus dans le chaos, ou bien il sera réorganisé de fond en comble par les masses des producteurs, faisant table rase de toutes les institutions établies et en instaurant de nouvelles, permettant le libre déploiement des capacités créatrices de millions d'individus, qui seules peuvent venir à bout des problèmes créés par la vie des sociétés modernes. Cette réorganisation ne peut commencer autrement que par la gestion ouvrière de la production, le pouvoir total et direct des producteurs organisés dans leurs Conseils sur l'économie et sur toute la vie sociale.

Depuis des années nous nous sommes acharnés à montrer – comme d'autres groupes révolutionnaires l'ont fait dans d'autres pays – que le capitalisme bureaucratique ne résolvait nullement les contradictions de la société contemporaine ; que, tout autant que la bourgeoisie, la bureaucratie creusait elle même son tombeau ; que les prolétaires des pays dominés par elle ne pouvaient être ni mystifiés par un « socialisme » imaginaire, ni réduits à l'état d'esclaves impuissants ; qu'au contraire, faisant l'expérience de la forme la plus achevée, la plus concentrée du capitalisme et de l'exploitation, ils mûrissaient pour une révolution dépassant dans la clarté et la détermination les révolutions précédentes.

Aujourd'hui, c'est le prolétariat d'Europe orientale qui est à l'avant-garde de la révolution mondiale.

Nous nous sommes acharnés à montrer que la conclusion claire, définitive et irréfutable de l'expérience de la révolution russe était qu'un parti distinct de la classe ouvrière ne pouvait être l'instrument de la dictature du prolétariat, que celle-ci était le pouvoir des organismes soviétiques des masses ; mais aussi et surtout que la dictature du prolétariat n'avait pas de sens si elle n'était pas d'abord et en même temps gestion ouvrière de la production.

Aujourd'hui, c'est la classe ouvrière hongroise qui fait spontanément son programme de la *gestion ouvrière* et du rôle prépondérant des *Conseils des travailleurs dans tous les domaines de la vie nationale.*

De ces idées, la révolution hongroise est en train de faire la conscience commune des travailleurs de tous les pays.

Par là même, par son exemple héroïque et quel que soit son sort ultérieur, elle bouleverse les classifications politiques existantes, elle crée une nouvelle ligne de séparation aussi bien au sein du mouvement ouvrier que dans la société en général. Elle crée une nouvelle période historique. Une foule de problèmes sont vidés de leur contenu. Une foule de discussions deviennent purement et simplement oiseuses. Le temps des subtilités et des faux-fuyants est révolu. Pendant les années à venir, *toutes les questions qui comptent* se résumeront en celle-ci : Etes-vous pour ou contre l'action et le programme des ouvriers hongrois ? Etes-vous pour ou contre la constitution de Conseils des travailleurs dans tous les secteurs de la vie nationale et la gestion ouvrière de la production ?

L'ECONOMIE BUREAUCRATIQUE
ET L'EXPLOITATION DU PROLETARIAT

La « planification » bureaucratique

Jusqu'ici, la propagande stalinienne – aidée par les subtils avocats « objectifs » de la bureaucratie, dont Bettelheim est le représentant typique en France – avait réussi à persuader le public que la « planification » telle qu'elle est pratiquée en Russie et dans les pays satellites représentait un mode à la fois nouveau et supérieur de direction de l'économie, infiniment plus efficace que l'orientation aveugle de l'économie réalisée par le marché capitaliste.

Il s'agit d'un mythe. La planification bureaucratique n'est rien d'autre que l'extension à l'ensemble de l'économie des méthodes créées et appliquées par le capitalisme dans la direction « rationnelle » des grandes unités de production. Si l'on considère l'aspect le plus profond de l'économie, la situation concrète faite aux hommes, elle est plutôt la réalisation la plus achevée de l'esprit du capitalisme, elle pousse à la limite ses tendances les plus significatives. Exactement comme la direction d'un grand ensemble de production capitaliste, elle est effectuée par une couche séparée de dirigeants formée par les bureaucrates de l'économie, de l'Etat et du parti. Son essence consiste, comme celle de la production capitaliste, à réduire les producteurs directs au rôle de purs et simples exécutants d'ordres reçus, d'ordres formulés par une couche particulière qui poursuit ses propres intérêts. Cette couche ne peut pas diriger convenablement, tout comme l'appareil de direction des usines Renault ou de Ford ne peut pas diriger convenablement ; le mythe de l'efficacité productive du capitalisme au niveau de l'usine particulière, mythe que partagent les idéologues bourgeois et staliniens, ne tient pas devant l'examen le plus élémentaire des faits, et n'importe quel ouvrier de l'industrie (1) pourrait dresser un réquisitoire écrasant contre la « rationali- té » capitaliste *jugée de son propre point de vue à elle*.

Tout d'abord, la bureaucratie dirigeante ne *sait* pas ce qu'elle doit diriger : la réalité de la production lui échappe, car cette réalité n'est rien d'autre que l'activité des producteurs et les producteurs n'informent pas les dirigeants, capitalistes privés ou bureaucrates, sur ce qui a lieu réellement ; très souvent, ils s'organisent pour que les dirigeants ne soient pas informés (pour éviter une augmentation de l'exploitation, par antagonisme ou tout simplement par manque d'intérêt : ce ne sont pas *leurs* affaires). En deuxième lieu, toute

279

l'organisation de la production est faite contre les travailleurs, à qui l'on demande toujours, d'une façon ou d'une autre, davantage de travail sans contrepartie équivalente. Les ordres de la direction rencontrent donc inévitablement une résistance acharnée de la part de ceux qui doivent les exécuter. Par là même, l'appareil dirigeant, qu'il se trouve en France ou en Pologne, en Amérique ou en Russie, passe la plupart de son temps non pas à organiser la *production,* mais à organiser la *contrainte,* directe ou indirecte. En troisième lieu, l'appareil dirigeant bureaucratique, autant sinon plus que celui d'une usine capitaliste privée, est déchiré par des conflits internes ; les diverses « catégories » professionnelles de bureaucrates, auxquelles se superposent des coteries « politiques », et même des clans et des cliques à proprement parler (clans et cliques dont les luttes, dans un régime « fonctionnarisé », sont une donnée sociologique fondamentale) se tirent dans les pattes, se trompent mutuellement, se rejettent réciproquement les responsabilités, etc.

Tout cela fait que la « planification » bureaucratique est un mélange de rationalité et d'absurdité comportant un degré de gaspillage comparable à celui de l'économie capitaliste traditionnelle. Car le gaspillage qui surgit dans toute usine capitaliste du fait de la scission radicale entre la classe dirigeante et la classe exécutante et l'opposition irréconciliable des intérêts et des attitudes de ces deux classes, existe tout autant dans l'usine bureaucratique ; et l'extension de ce mode de direction à l'ensemble de l'économie, où les problèmes, beaucoup plus complexes, sont beaucoup plus difficiles à résoudre, fait que l'économie « planifiée » présente un degré d'anarchie qui est finalement équivalent à celui qu'on observe, sous d'autres formes, dans l'économie capitaliste privée.

La planification bureaucratique est un chaos autant que le marché capitaliste.

Les staliniens et leurs apologistes parlent évidemment, depuis quelque temps, de certaines « erreurs » de la planification. Il ne s'agit pas d'« erreurs » ; il s'agit d'une anarchie qui est organiquement inhérente à la planification par la bureaucratie. On voudrait faire croire, presque, que quelque part dans les Bureaux du Plan, un calculateur s'est trompé lors d'une multiplication. En fait, il s'agit d'un phénomène social et historique fondamental : la bureaucratie est incapable de diriger rationnellement l'économie, tout autant que le capitalisme privé.

La démonstration empirique exacte de cette constatation était jusqu'ici extrêmement difficile, du fait que la bureaucratie cachait systématiquement les données économiques de son système. Maintenant, certaines statistiques commencent à être publiées.

Notons en passant que ce changement d'attitude traduit précisément cette crise dont nous parlons ; en termes voilés, Khrouchtchev et d'autres orateurs du XXe Congrès du parti russe ont avoué que le mensonge de la bureaucratie se retournait contre elle-même, puisqu'il la rendait incapable de connaître même la vérité officielle sur sa propre économie. Bien entendu, la bureaucratie ne peut guérir un de ses maux qu'en s'en créant un autre : la publication de statistiques, même truquées, ne peut manquer de provoquer des discussions et des fermentations dans les milieux intellectuels, qui ne sont pas tous, il s'en faut, définitivement acquis au régime.

Au niveau de l'ensemble de l'économie, le gaspillage de la planification bureaucratique se révèle d'abord par le manque de proportionnalité, de rapport technique rationnel, entre le développement des divers secteurs de production. On exploite les ouvriers pour construire de nouvelles usines, mais ces usines ne fonctionnent pas ou fonctionnent très en deçà de leur capacité de production, – parce que les secteurs qui devraient leur fournir des matières premières ou utiliser leurs produits n'ont pas été développés de façon correspondante. Ainsi, d'après les chiffres officiels (2), la production visée par le plan tchécoslovaque pour 1956 doit rester de loin inférieure à la capacité de production installée dans les principaux secteurs. Voici les chiffres :

A : Plan pour 1956

B : Capacité de production

(par millions de tonnes)	A	B
Charbon.	23,4	28,9
Lignite.	40,6	63,5
Minerai de fer.	2,95	6,4
Produits laminés.	3,21	4,75
Ciment.	3,16	5,12

(par milliers de tonnes)

	A	B
Acide sulfurique	427	484
Engrais azotés........................	69	94
Engrais phosphatés.	106	203

Les ouvriers tchécoslovaques ont crevé de faim depuis dix ans pour construire des usines qui ne tournent qu'à moitié de leur capacité ! Que se passe-t-il d'autre sous le capitalisme privé ? En fait, des pourcentages d'utilisation de la capacité installée aussi bas que ceux qui résultent du tableau ci-dessus (de 60, 50 et même 40 %) n'apparaissent, en économie capitaliste privée, qu'en année de dépression très sévère.

Ce n'est pas là une situation particulière à la Tchécoslovaquie. En Hongrie, « la capacité n'est pas pleinement utilisée », disait au mois d'août, la Commission Economique pour l'Europe, aussi bien dans les industries mécaniques que dans *les industries textiles et alimentaires,* et cela pendant que la population était sous-alimentée au degré que l'on sait ! En Russie, « les Directives pour le Plan quinquennal révèlent que des réserves de capacité importantes existent dans les industries mécaniques, chimiques et alimentaires » (C.E.E., *ib.,* p. 26). Quant à la Pologne, la description de O. Lange, économiste officiel du régime, est absolument sinistre :

« Au cours de ces transformations sociales et économiques de caractère révolutionnaire (il s'agit de la création d'une industrie lourde et de la « natio-nalisation » des moyens de production C. C.), de graves disproportions sont néanmoins apparues : disproportion entre le développement de l'agriculture et celui de l'industrie, disproportion entre la capacité de production de l'industrie et son approvisionnement, disproportion entre le développement quantitatif de la production industrielle et sa qualité ainsi que ses prix de revient, disproportion entre les programmes d'investissements et de production, d'une part, et l'état technique arriéré de nombreuses entreprises, de l'autre.

« Ces disproportions se font sentir sous forme de grandes difficultés dans notre commerce extérieur, sous forme d'une absence de stocks, entraînant des arrêts de la production et l'utilisation partielle du potentiel productif existant de l'industrie ; sous forme de gaspillage des fonds fixes et des matières premières ; sous forme d'un mauvais approvisionnement, fonctionnant mal par surcroît, de la population » (3).

Il faut comprendre pleinement ce que ces données signifient. La bureaucratie masque les échecs de la planification tout d'abord en mentant carrément – en publiant des données fausses ; personne ne pouvait jusqu'ici (et dans la plupart des cas, personne ne peut encore) vérifier si « le Plan a été réalisé à 101 % ». – Cependant il y a plus : le Plan peut être réalisé à 101 ou à 99 % par rapport à ses propres objectifs. *Mais quel est le rapport de ces objectifs avec les possibilités réelles de l'économie ?* C'est sur cet aspect – qui ne concerne plus seulement le rapport d'une série de chiffres sur le papier avec une autre série de chiffres sur le papier – que les données fournies plus haut jettent une lumière crue. Si le plan de production tchécoslovaque des engrais phosphatés est réalisé en 1956 à 100 %, cela signifie un gaspillage de 50 % de la capacité productive de ce secteur (voir les chiffres du tableau ci-dessus) – pendant que l'agriculture a un besoin pressant d'engrais.

On trouvera, dans l'étude déjà citée de la C.E.E. (p. 26 à 29) plusieurs autres exemples d'utilisation partielle de la capacité productive – c'est-à-dire de chômage des machines. Lange dit à propos de la Pologne que « leur utilisation partielle (des forces productives existant dans l'industrie) est aujourd'hui considérée par la classe ouvrière et toute l'opinion comme un indice de gaspillage dans l'industrie » (*1. c.*, p. 75). Mais il est frappant de constater que le chômage des machines va de pair avec le chômage des hommes. Lange constate qu'en Pologne « de sérieux éléments de chômage apparaissent ». La C.E.E. est plus explicite. En Pologne, en Hongrie, en Roumanie, dit-elle, « l'industrie manufacturière peut en général recruter autant d'ouvriers qu'elle veut ». En Pologne « il y avait en juin dernier 300.000 chômeurs, soit 4,5 % du nombre de travailleurs employés dans le secteur socialiste, et aussi bien en Pologne qu'en Hongrie l'absorption des jeunes terminant l'école dans la force de travail s'avère plus lente que d'habitude. A Budapest, par exemple, un tiers des 14 à 15.000 jeunes âgés de 14 à 15 ans n'ont pas trouvé immédiatement de travail, et on s'attend à des difficultés quant à l'emploi des jeunes âgés de 16 à 18 ans, qui n'ont trouvé jusqu'ici que du travail saisonnier à la campagne » (*1. c.,* p. 26).

La résistance ouvrière,
cause dernière de l'échec du « plan »

Une des expressions les plus graves de cette disproportionalité a été jusqu'ici dans presque tous les pays bureaucratiques, – la Russie, l'Allemagne orientale, la Tchécoslovaquie, la Hongrie et même la Pologne – le développement absolument insuffisant de la production d'énergie. Dans certains cas, celui-ci résulte d'une « mauvaise planification » : en Russie, par exemple, la production des raffineries de pétrole pendant le premier semestre 1956 n'a pas atteint les chiffres fixés par le plan, à cause des difficultés de transport et du manque de capacité des entrepôts. Cela signifie qu'après trente ans de pratique de la « planification » la bureaucratie russe est encore capable de faire construire des raffineries sans résoudre en même temps le problème du transport du pétrole jusqu'à ces raffineries ou de son entreposage ! Qui ne voit que de telles « erreurs » ne sont pas accidentelles, mais résultent intrinsèquement du mode de planification bureaucratique ?

Mais la cause fondamentale du manque d'énergie réside dans la crise de la production charbonnière. Cette crise exprime le même conflit entre les mineurs et les dirigeants de la production qui sévit également en France, en Angleterre ou en Allemagne, et qui empêche aussi ces pays de développer leur production de charbon malgré le besoin impérieux qu'ils en ont. Les conditions de travail dans les mines d'Europe orientale ne le cèdent en rien à celles des pays capitalistes occidentaux ; de sorte que, bien que les salaires payés aux mineurs soient supérieurs à ceux des autres branches de l'industrie, les ouvriers fuient les mines dès qu'ils le peuvent, exactement comme dans les pays occidentaux. En Russie, les mines du Donets n'ont pas réalisé leur plan au premier semestre de 1956, à cause du manque de main-d'œuvre. En Tchécoslovaquie, l'absentéisme des mineurs était de 9 % en 1937 (c'est-à-dire, un mineur ne se présentait pas à son équipe 9 fois sur 100) ; il a été de 18 % au premier semestre 1956. « La situation du point de vue de la main-d'œuvre dans les mines de charbon tchécoslovaques est en fait considérée comme tellement sérieuse que le Gouvernement a récemment formellement interdit aux ouvriers de ce secteur de le quitter – mesure d'autant plus frappante que la tendance actuelle en Russie et dans d'autres pays d'Europe orientale est vers une plus grande liberté dans le choix de l'emploi » (C.E.E., *ib.,* p. 25).

En Pologne, le plus important producteur de charbon parmi les pays satellites et un des principaux producteurs d'Europe, la production ne se développant guère (+ 3 % de 1954 à 1955, + 2 % entre le premier semestre 1955 et le premier semestre 1956), le programme d'exportation de charbon a dû être réduit, de 24,3 millions de tonnes en 1955 à

21 millions en 1956. Les exportations polonaises de
charbon étant surtout dirigées vers les autres pays
satellites, la C.E.E. estime que « les répercussions
de cette réduction sur les économies d'autres pays
d'Europe orientale seront inévitablement sérieuses »
(*ib.*, p. 27). La crise des charbonnages polonais
résulte surtout d'après la C.E.E., du manque de
main-d'œuvre – et nous reviendrons sur les causes
de ce manque. Mais elle résulte aussi d'une baisse
du rendement. Gomulka, dans un passage de son
discours devant le Comité Central du parti polonais (4), constate que le rendement journalier de
l'équipe de fond dans les mines polonaises a diminué
de 7,7 % entre 1949 et 1955 (dans tous les pays
capitalistes, le rendement augmentait pendant cette
période). Du même passage de ce discours il ressort
que l'essentiel de l'augmentation de la production
polonaise de charbon entre 1949 et 1955 est dû
aux heures supplémentaires effectuées par les
mineurs – cette bonne vieille méthode capitaliste.

Absentéisme, désertion de la mine, baisse du
rendement jusqu'ici inconnue dans l'histoire de
l'industrie moderne – que signifie tout cela sinon
le refus le plus acharné des mineurs exploités de
coopérer à la production ?

Et quelle est la réponse de la bureaucratie à cette
situation ? C'est Gomulka qui la décrit en ces
termes : « On a instauré comme règle le travail
du dimanche, ce qui ne pouvait que ruiner la
santé et les forces du mineur, et rendre impossible
l'entretien adéquat de l'équipement minier. On a

imposé à beaucoup de nos mineurs un travail de soldat et de prisonnier. »

Comment la bureaucratie ne voit-elle pas que cette réponse, cette « solution » donnée au problème créé par le refus des mineurs surexploités d'accepter son système, ne fait qu'aggraver au décuple la crise existant au départ ? C'est qu'elle partage l'optique et la mentalité de toutes les classes exploiteuses : la contrainte doit forcer l'ouvrier au travail. *Et elle a raison.* Car dans son système, comme dans tout système basé sur l'exploitation, il n'y a qu'une méthode, une logique : la logique de la contrainte du producteur par les dirigeants, contrainte physique directe ou contrainte économique indirecte.

On voit sur ces exemples à la fois ce que vaut la « planification » de la bureaucratie et quelles sont les racines les plus profondes de son échec. Son propre système – le mensonge, la terreur, le manque de contrôle, le gonflement systématique des résultats, la peur de paraître « critiquer » les instances supérieures en montrant que leurs directives sont irréalisables – condamne inévitablement la bureaucratie à planifier mal, à planifier de façon intrinsèquement erronée. Mais il y a beaucoup plus : la bureaucratie prend pour certain que les ouvriers produiront ce qu'on leur dit de produire, d'après des normes fixées d'en haut (et constamment accélérées). La bureaucratie décide sur le papier que les mineurs produiront tant pour cent de plus (ses représentants et ses garde-chiourmes dans les mines sont chargés d'y forcer le mineur) et, sur cette hypothèse, elle bâtit tant bien que mal le reste de son « plan » : le charbon ira dans telles fonderies ou aciéries, qui produiront tant d'acier, qui servira aux laminoirs pour fabriquer tant de tôles, etc. Mais les mineurs quittent la mine, et ceux qui restent diminuent leur rendement. Le charbon n'est pas produit, et tout le plan est par terre.

Tout plan comporte bien entendu une certaine élasticité : plusieurs secteurs ont une production flexible dans des marges importantes, il y a des substituts, les stocks peuvent être diminués ou augmentés, etc. L'utilisation intelligente de cette flexibilité est cependant difficile pour la bureaucratie, pour les mêmes raisons qui lui rendent impossible une planification intelligente. Mais de toute façon, lorsque, à une planification déjà intrinsèquement mauvaise, vient s'ajouter la résistance des ouvriers à la production dans des secteurs essentiels, aucune élasticité au monde ne peut résorber la perturbation qui en résulte. Le gâchis se propage de façon cumulative de secteur à secteur, et il n'y a dès lors rien d'étonnant si l'ensemble de l'appareil productif ne fonctionne qu'à 70, 60 ou 50 % de sa capacité.

La crise de la productivité

« Nationalisation » et « planification » n'ont en rien changé la situation réelle de l'ouvrier dans la production. L'ouvrier est resté un simple exécutant, à qui les méthodes bureaucratiques de direction de la production non simplement dénient toute initiative, mais qu'elles transforment en pur et simple appendice de la machine. « Travail de soldat et de prisonnier », dit Gomulka en parlant des mineurs polonais. Mais d'après Lange, cette situation est absolument générale dans l'industrie polonaise : « Nous avons géré l'économie avec les méthodes spécifiques de l'« économie de guerre », c'est-à-dire à l'aide de méthodes consistant en proclamations de caractère moral et politique et en ordres de nature juridique et administrative, en moyens divers de contrainte extra-économique ».

De là résulte la résistance des ouvriers à la production et à l'exécution des plans – ressenties à juste titre comme de l'exploitation pure et simple. Cette résistance se répercute sur la productivité de l'économie de plusieurs façons, et aboutit à une crise terrible de désorganisation :

a) La résistance à l'exploitation se traduit par une baisse de la *productivité comme effort de la part de l'ouvrier* (au sens le plus simple du mot effort) ; c'est là, par exemple, la cause essentielle de la baisse du rendement dans les mines constatée par Gomulka.

b) Elle se traduit en même temps comme disparition du *minimum de gestion et d'organisation* collective et spontanée de leur travail normalement et obligatoirement déployées par les ouvriers. Aucune usine moderne ne pourrait fonctionner pendant vingt-quatre heures sans cette organisation spontanée du travail qu'effectuent les groupes d'ouvriers indépendamment de la direction officielle de l'entreprise, en bouchant les trous des directives de production officielles, en parant aux imprévus et aux défaillances régulières du matériel, en compensant les erreurs de la direction, etc.

Dans les conditions « normales » de l'exploitation, les ouvriers sont déchirés entre la nécessité de s'organiser ainsi pour effectuer leur travail – autrement cela se répercute sur eux – et leur désir naturel de le faire, d'un côté ; et de l'autre côté, la conscience que ce faisant ils ne servent que les intérêts du patron, à quoi s'ajoutent d'ailleurs les efforts continus de l'appareil de direction de l'usine visant à « diriger » tous les aspects de l'activité des ouvriers, qui n'ont fréquemment comme résultat que de les empêcher de s'organiser.

Il était réservé au « socialisme » de la bureaucratie de réaliser ce que le capitalisme n'avait jamais pu faire : tuer presque complètement la créativité des ouvriers, supprimer presque entièrement leur tendance à organiser spontanément ces aspects de leur activité que personne d'autre qu'eux ne peut jamais organiser. Voici ce qu'en dit Lange :

« Nous observons depuis plusieurs années déjà une indifférence croissante à l'égard du travail, dans l'appareil administratif, de distribution et des services. Cette indifférence paralyse notre vie quotidienne. Actuellement elle gagne également les rangs de la classe ouvrière qui, étant la partie la plus consciente – du point de vue social et politique – de la nation, s'y était le plus longtemps opposée... L'attitude nihiliste d'une grande partie des travailleurs découle tant du bas niveau de vie que du fait qu'ils doutent que la politique économique qui exige des masses laborieuses de tels sacrifices soit juste et fondée » (5).

c) La résistance à l'exploitation aboutit à une baisse de la *productivité qualitative :* « ...Cette attitude psychologique renforce le processus de distension dans l'économie nationale. Dans l'industrie, le gaspillage et la mauvaise qualité des produits deviennent de graves problèmes économiques. Dans la phase du début, cela se faisait sentir dans la fabrication des articles de consommation. La baisse de la qualité de ces articles fut un important élément empêchant d'améliorer le niveau de vie, sans freiner pourtant le processus de production. Actuellement, la production d'articles défectueux a atteint la fabrication des machines, des appareils, des outils, du matériel de transport, des produits finis. Ce fait menace de freiner le cycle technique de production, de désarticuler la base productive de l'économie nationale » (6).

d) Le résultat combiné de tout ce qui précède, c'est *l'effondrement du plan bureaucratique,* et la *crise de la productivité considérée comme rendement d'ensemble de l'appareil économique :* ce sont « les arrêts de la production et l'utilisation partielle du potentiel productif existant, le gaspillage de capital et de matières premières, le mauvais approvisionnement de la population », constatés par Lange dans un passage déjà cité de son article.

Nous n'avons considéré jusqu'ici que l'incapacité de la bureaucratie de planifier rationnellement en tant qu'elle résulte de la résistance des ouvriers à l'exploitation. C'est en effet dans cette résistance que se trouve la cause fondamentale de l'échec de tout plan, de toute direction imposée de l'extérieur aux producteurs. Mais à cette cause s'en ajoutent d'autres, qui tiennent à la nature même de la bureaucratie. Nous n'en mentionnerons que deux.

D'abord, la planification est impossible sans une information exacte et rapide, en particulier sur les résultats de la production en cours. Or, dans un système bureaucratique, la situation des bureaucrates individuels ou de groupes de bureaucrates occupant telle ou telle place dans l'appareil de production, dépend des résultats qu'« ils » ont obtenus – en réalité ou *en apparence*. Et, à moins d'installer un système de contrôles se prolongeant à l'infini, la bureaucratie centrale est obligée la plupart du temps de se contenter des résultats apparents. *Tout au plus peut-elle contrôler la quantité, mais non la qualité de la production.* Il en résulte une tendance inéluctable des bureaucrates dirigeant les usines ou les secteurs particuliers de l'économie à gonfler les résultats qu'ils ont obtenus – de sorte que la planification centrale s'appuie pour une large part sur des données *imaginaires*. Voilà ce qu'en dit O. Lange :

« Il faut en finir avec la course aux indices purement quantitatifs obtenus au détriment de la qualité, qui laisse à désirer, et à des prix de revient trop élevés. Cela aboutit en effet à des résultats purement fictifs, à la consommation de matières premières et de travail humain pour une production ne donnant pas l'effet économique cherché ni même, fréquemment, l'effet technique attendu (par exemple, ces machines agricoles qui après quelques semaines, sont hors d'usage) » (7).

Deuxièmement, le système bureaucratique étant un système « fonctionnarisé », le problème de la nomination des individus à divers postes et de leur promotion devient un problème fondamental. Or, la bureaucratie ne dispose d'aucune méthode « objective » pour résoudre ce problème. Par contre, une grande partie de l'activité des bureaucrates comme individus consiste à essayer par tous les moyens de résoudre *leur* problème personnel. Il en résulte que le fonctionnement de cliques et de clans acquiert une importance sociologique et économique fondamentale, et qu'il vicie radicalement toute la « politique du personnel » de haut en bas de l'économie nationale – donc cette économie nationale elle-même. Dans l'article déjà cité, Lange affirme que la politique du personnel est en Pologne « entièrement indépendante des résultats professionnels d'un travailleur donné », qu'elle se base sur une « appréciation bureaucratique s'étayant sur des enquêtes et tenant compte des coteries et des amitiés », qu'elle aboutit à « remplacer des techniciens expérimentés par des gens sans qualification professionnelle, dont la loyauté politique n'était souvent qu'apparente et souvent même par des gens de moralité douteuse ». Constatant qu'il y a eu « un abaissement général du niveau des cadres dans tous les domaines de l'économie nationale », Lange demande qu'on liquide le « piston » et le « copinage ».

Ceux qui ont la moindre expérience du

fonctionnement d'une grosse entreprise capitaliste savent que l'appareil bureaucratique qui la dirige souffre exactement des mêmes vices, aussi bien quant à l'« information » que quant à la « politique du personnel ».

La situation dans les usines russes

La résistance des ouvriers des pays satellites à l'exploitation et la mise en échec de la planification bureaucratique qui en résulte sont, on l'a vu, reconnues aujourd'hui par les porte-paroles officiels de la bureaucratie. On ne dispose pas de documents d'une portée comparable pour ce qui est de la Russie. Mais une analyse attentive des comptes rendus du XXe Congrès du P.C.U.S. conduit à des conclusions analogues.

La bureaucratie russe, tout en se félicitant de l'« enthousiasme » et du « labeur héroïque » de ses ouvriers, insiste à mille reprises, par la bouche de ses représentants qualifiés, sur la nécessité absolue d'intéresser matériellement les ouvriers individuels aux résultats de la production, de lier les salaires à la « qualité et la quantité » du travail fourni etc. Elle s'inflige ainsi à elle même le plus violent des démentis ; car, si l'« enthousiasme » des ouvriers pour la production était tellement grand, point ne serait besoin de s'acharner sur la nécessité du salaire au rendement. Celui-ci prouve, en Russie comme dans les pays occidentaux, que l'ouvrier est foncièrement hostile à l'accroissement de la production, car il voit dans celui-ci un accroissement de son exploitation, et que le seul moyen de l'y intéresser, c'est l'appât de la prime. Mais en même temps, la bureaucratie est obligée d'avouer que le système des primes individuelles est constamment mis au rancart sans la pression des ouvriers. Ainsi Kchrouchtchev se plaint de ce que « l'on constate dans le système des salaires et des tarifs beaucoup de désordre et de confusion... Il arrive fréquemment que les salaires soient uniformisés... Il faut appliquer avec conséquence le principe de l'intéressement matériel personnel des travailleurs... Il est nécessaire... de faire dépendre directement le salaire de la qualité du travail fourni par chaque travailleur et d'utiliser à fond le puissant levier de l'intéressement matériel pour augmenter la productivité du travail » (8). Il critique certaines tendances « utopiques », chez lesquelles « on a vu fleurir le dédain envers le principe socialiste selon lequel le travailleur doit être matériellement intéressé au résultat de son labeur » (9).

Boulganine dit froidement : « Au fond, les normes sont actuellement définies non par le niveau technique et d'organisation du travail, mais par le désir de les adapter à un niveau de salaires déterminé » (10). Kaganovitch explique : « Le caractère désuet du système des tarifs est le principal défaut de l'organisation des salaires. Les tarifs qui sont à la base des salaires ont particulièrement vieilli dans la plupart des branches de l'industrie. Entre 1940 et 1955 les salaires moyens des ouvriers et des employés ont plus que doublé. Or, les taux n'ont presque pas changé. Il en a résulté un gros décalage entre le salaire accru et le tarif des salaires des ouvriers. Pour maintenir le niveau des salaires atteint, on maintient les tâches à un bas niveau. Ainsi, le tarif des salaires et les normes de production ne constituent plus le principe organisateur essentiel dans les questions d'accroissement du rendement du travail et celles des salaires, la moitié environ du salaire étant obtenue au compte du dépassement des tâches, des primes et d'autres payements supplémentaires. En raison des multiples modifications qui y ont été introduites depuis vingt ans, le barême contient des éléments de nivellement. Le décalage qui existe entre les bas taux de salaire et les salaires réels est une des causes qui font que dans notre industrie les normes de travail sont mal établies » (11).

Enfin, Chvernik dit :

« Il convient d'introduire plus résolument des « tâches » justifiées par le rendement de l'outillage, de renoncer à la fixation des tâches basée sur l'esprit de camaraderie, et de les revoir en fonction de l'évolution des procédés de fabrication, de l'organisation de la production et des autres améliorations des conditions de travail qui assureront l'accroissement de la productivité du travail » (12).

Ni Taylor, ni un patron capitaliste quelconque n'éprouveraient la moindre difficulté à signer ces phrases. On n'y constate pas seulement que la bureaucratie russe, pas plus que le capitalisme français, anglais ou américain, ne peut s'appuyer sur l'« enthousiasme » des ouvriers pour la production, et que le seul moyen dont elle dispose sont les primes au rendement. On voit en même temps que, exactement comme dans l'usine capitaliste traditionnelle, ces primes sont utilisées comme une gigantesque fraude. On dit d'abord aux ouvriers : si vous dépassez de 20 % la norme, votre salaire sera de 20 % plus élevé. Une fois que la norme est dépassée, sous prétexte que l'outillage a été modifié ou sans prétexte, on dit : il a été démontré que tout le monde peut réaliser 120 %, donc il est « techniquement justifié » que la norme soit portée désormais à 120 %. Bien entendu, ceux qui réaliseront 20 % de plus de la nouvelle norme, seront payés en conséquence. C'est exactement ce que disent Kaganovitch et Chvernik dans les citations données plus haut. Et les arguments concernant les « améliorations de l'outillage » ne valent pas plus dans ce cas que lorsqu'ils sont mis en avant par les capitalistes. Car cet outillage, ce sont encore les ouvriers qui l'ont produit, et ce sont les ouvriers qui l'ont payé – avec la partie non rémunérée de leur travail ; si donc il améliore le rendement, il n'y a que les ouvriers qui doivent en profiter.

Mais il y a beaucoup plus. La bureaucratie prétend diriger l'économie, – et en particulier, fixer les salaires par le moyen de tarifs de base et de primes au rendement. En fait, on s'aperçoit à la lumière de ces citations qu'elle ne parvient à diriger que très partiellement. Depuis vingt-cinq ans, elle proclame que le salaire doit être adapté au rendement individuel ; elle invente le stakhanovisme, elle crée des « héros du travail », etc. Et que voit-on ? Que la pression ouvrière dans les entreprises est telle, que « les normes sont actuellement définies non par le niveau technique et d'organisation du travail, mais par le désir de les adapter à un niveau de salaires déterminé ». « Le tarif des salaires et les normes de production ne constituent plus le principe organisateur essentiel dans les questions d'accroissement du rendement du travail et celles de salaires », dit Kaganovitch. Il vaudrait autant qu'il dise : Depuis vingt-cinq ans, nous n'avons fait que battre du vent quant à l'organisation du travail et des salaires. Comment une « planification » basée sur un tarif donné de salaires et des normes données de production peut-elle fonctionner, si ce tarif et ces normes « ne sont plus le principe organisateur essentiel » ? Ce que Chvernik appelle poliment « la fixation des tâches basée sur l'esprit de camara-derie », signifie en clair ceci : ni les primes au rendement, ni le stakhanovisme, ni le Guépéou, ni les camps de concentration ne donnent au directeur d'usine russe les moyens de discipliner les ouvriers et de leur *imposer* purement et simplement des normes et des taux de rémunération. Il est obligé de *composer* avec eux. Et c'est évident pourquoi. Il suffit que les ouvriers sabotent systématiquement et en y mettant les formes la production, pour que l'entreprise ne réalise pas son « plan » et que le directeur y perde sa tête ou sa place. Le directeur fait donc obligatoirement des concessions, et par contrecoup il triche avec le « plan ». Ce que vaut la « planification » dans ces conditions – du point de vue strictement technique, s'entend – ne se comprend que trop facilement.

Un autre aspect fondamental de la lutte ouvrière, c'est l'uniformisation dont se plaint Khrouchtchev, « les éléments de nivellement » qui rendent malheureux Kaganovitch. Cela signifie en clair : non seulement le directeur de l'usine souvent (13) ne parvient pas à contrôler la masse totale des salaires dans l'entreprise – c'est-à-dire les ouvriers exigent une rémunération globale donnée, à un rythme de travail donné, que le directeur ensuite « justifie » devant les autorités supérieures en inventant des normes de travail qui y correspondent –, mais il ne réussit pas à déterminer non plus la *répartition* de ce salaire au sein de l'entreprise. Visiblement les ouvriers réussissent que la fixation des normes se fasse de telle façon, que tout le monde dans la production (les traitements des bureaucrates sont une autre affaire) ait à peu près le même salaire en faisant un travail « honnête ». On constate donc que dans l'usine russe la lutte des ouvriers contre les différenciations de salaire va aussi loin, sinon plus, que dans l'usine française ou américaine. On connaît l'importance que les revendications dirigées contre la hiérarchie ont pris en Pologne et dans la révolution hongroise.

*La stagnation du niveau de vie des ouvriers
et les revenus des bureaucrates*

Les statistiques officielles de la bureaucratie

annoncent, année après année, des augmentations importantes du niveau de vie de la population. Un des thèmes favoris de la propagande stalinienne en France et ailleurs est qu'en Russie et dans les « démocraties populaires » le niveau de vie s'élève rapidement, tandis qu'il stagnerait ou même reculerait dans les pays capitalistes.

En fait, le développement rapide du niveau de vie (rapide par comparaison aux périodes antérieures de l'histoire économique) est un phénomène général des économies modernes, en particulier des pays industriels développés. Les statistiques le démontrent amplement ; et c'est un fait que l'expérience individuelle permet à chacun de constater. La différence sous ce rapport entre les pays du capitalisme privé, et les pays de capitalisme bureaucratique, si elle est réelle, ne peut être qu'une différence de degré. Mais même comme telle, il est douteux qu'elle existe. Pour 1955, les chiffres officiels concernant le « volume des ventes au détail des magasins d'Etat et des coopératives » donnent les accroissements suivants par rapport à 1954 : Russie, 5 % ; Allemagne orientale, 6 % ; Bulgarie, 12 % ; Hongrie, 5 % ; Pologne 11 % ; Roumanie, 5 % ; Tchécoslovaquie, 11 % (C.E.E., *ib.*, p. 34 35). Dans la mesure où ces chiffres laissent en dehors les « ventes du marché libre », qui concernent essentiellement une partie des produits alimentaires et doivent donc augmenter plus lentement au fur et à mesure que le niveau de vie s'élève, ils surestiment plutôt l'augmentation de la consommation totale. Quoi qu'il en soit, il suffit de les comparer avec les pourcentages d'augmentation de la consommation privée dans les pays occidentaux pour constater qu'ils n'ont rien d'exceptionnel : d'après le *Bulletin Statistique* de l'O.E.C.E. (septembre 1956, pp. 103-118), la consommation privée pendant la même période augmentait de 10 % en Autriche, 1 % en Belgique, 7,5 % en France, 11 % en Allemagne occidentale, 4 % en Italie, 7,5 % aux Pays-Bas, 3 % en Suède et au Royaume-Uni, 7 % au Canada, 7,5 % aux Etats-Unis. Une comparaison rigoureuse devrait embrasser plusieurs années et tenir compte de divers autres éléments – mais la similitude fondamentale des situations est incontestable.

En deuxième lieu, les pourcentages *globaux* d'augmentation de la consommation publiés par les pays de l'Est masquent – tout autant que ceux publiés par les pays capitalistes – le fait que la progression de certaines catégories de revenus, et plus précisément des revenus des catégories privilégiées, peut être plus rapide que celle des salaires ouvriers. On reviendra plus loin sur l'importance de la différenciation des revenus dans les pays bureaucratiques. Il suffit de rappeler qu'une augmentation globale de la « consommation » de 5 % peut signifier une augmentation de 0 % de la consommation des ouvriers et de 20 % de la consommation des bureaucrates.

Mais le plus important est que les chiffres publiés par la bureaucratie sont pour la plus grande part faux. Ils sont souvent faux en partie dans les pays capitalistes, notamment du fait que les indices de prix utilisés ne sont pas représentatifs ou sont même

délibérément manipulés (c'est ce qui se passe en ce
moment en France). Mais ils ne le sont pratiquement
jamais au degré où ils le sont dans le cas des
pays d'Europe orientale. Il a fallu la crise polonaise
pour qu'on se rende compte de l'étendue de ces
falsifications.

D'après Gomulka, l'augmentation de 27 % des
salaires réels en Pologne pendant la période du Plan
sexennal (1949-1955) était « une simple jonglerie
de chiffres, qui n'a trompé personne et n'a fait
qu'irriter davantage les gens ». Cela signifie que
l'augmentation de 11 % en 1955 indiquée plus haut
pour ce pays est en grande partie ou totalement
imaginaire. Voilà d'ailleurs ce qu'en disait, six mois
avant Gomulka, la Commission Economique pour
l'Europe : « Pendant les six années qui vont de 1949
à 1955, le salaire nominal moyen en Pologne a
augmenté de 130 % et l'indice officiel des prix de
détail de 80 %. Si l'on rapproche ces deux chiffres,
on arrive à la conclusion que le salaire net (c'est-
à-dire réel - C.C.) a augmenté de 28 % ; cependant,
cette proportion... est certainement trop élevée...
Si l'on calcule *grosso modo* le prix d'achat des
marchandises et services choisis jusqu'en 1949 pour
l'établissement de l'indice du coût de la vie, on
obtient un pourcentage de hausse de 130 %, ce qui
correspond à peu près à la hausse du salaire nominal
moyen. Mais, là encore, il se peut que ce résultat
soit assez éloigné de la vérité, ne serait-ce qu'à cause
du choix des marchandises qui entrent dans le
budget familial et qui n'est pas très satisfaisant. Quoi
qu'il en soit, on ne peut guère éviter de conclure

que le salaire réel dans les branches d'activité les moins favorisées semble avoir baissé non seulement par rapport aux autres branches, mais aussi en valeur absolue » *(Bulletin Economique,* mai 1956, p. 33-34*)*.

Autrement dit : sur la base de l'indice des prix utilisé jusqu'en 1949, et qui déjà n'était pas « très satisfaisant », l'augmentation du salaire réel pendant six ans en Pologne *a été nulle*. Et, plus forte que Ramadier, la bureaucratie polonaise a confectionné un indice truqué, pour persuader les gens... qu'ils vivaient mieux.

D'autre part, le niveau de vie se détériore en fonction d'un facteur qui n'a pas de représentation statistique : la crise de la productivité se traduisant par la baisse de la *qualité* des marchandises. Lange dit : « la baisse de la qualité des articles de consommation fut un important élément empêchant d'améliorer le niveau de vie » (p. 73). La Commission Economique pour l'Europe écrit (*Bulletin* d'août 1956, p. 34) : « Le problème du choix et de la qualité – la Tchécoslovaquie peut-être exceptée – continue à être d'une importance extrême pour le consommateur, malgré des améliorations récentes... En Hongrie, pendant les six dernières années, la qualité de nombre de biens de consommation s'est détériorée, par suite d'un effort exagéré visant les résultats quantitatifs. Comme dans ces conditions le renouvellement des achats avec une fréquence plus grande est devenu nécessaire, à cause de la qualité inférieure des marchandises, les salaires réels ont été en fait réduits d'autant (citation du *Szabad Nep* du 19 juin 56) ».

A côté de cette situation des ouvriers, la consommation des couches bureaucratiques privilégiées s'est développée sans frein. Nous ne pouvons pas nous étendre ici sur cette question, car le caractère fragmentaire des données statistiques exigerait une analyse trop détaillée. Il nous suffit de citer Lange, qui constate qu'« un appareil bureaucratique pléthorique a proliféré dans tous les domaines de l'économie nationale. Cet appareil freine le bon fonctionnement de l'économie et absorbe de façon non productive une partie excessive du revenu national. » (p. 78). Mais nous pouvons affirmer ceci : compte tenu du fait que les revenus des capitalistes dans les pays occidentaux sont destinés pour une grande partie à financer l'investissement, qui est, dans les pays bureaucratiques, financé par l'« Etat », la distribution des revenus *consommables* dans ces derniers ne semble guère moins inégale que dans les premiers. Lorsqu'un bureaucrate jouit, comme cela arrive fréquemment, d'un revenu (qui combine son salaire officiel et les divers « avantages en nature » dont il bénéficie) vingt, trente ou cinquante fois supérieur au salaire moyen de l'ouvrier, il faut penser que ce revenu est consacré exclusivement à sa consommation, et le comparer non pas au *revenu* d'un capitaliste français ou anglais, mais à la *consommation* de ce dernier.

Le sens de la critique des ouvriers

Les staliniens, en France et ailleurs, veulent

expliquer la révolte ouvrière en Pologne et en Hongrie par le bas niveau de vie *absolu,* et ce dernier, à son tour, par la pauvreté de ces pays, leur caractère arriéré, les destructions de la guerre, etc.

Ici encore, comme dans toute leur propagande, les staliniens sont de plus en plus réduits à des absurdités. La classe ouvrière ne se révolte pas contre le bas niveau de vie comme tel, dans l'absolu – notion qui n'a d'ailleurs guère de sens. La classe ouvrière se révolte contre la *stagnation* de son niveau de vie au bout de plusieurs années de travail inhumain ; elle se révolte contre sa misère *comparée* au luxe des parasites bureaucratiques ; elle se révolte enfin et surtout contre le *gaspillage* immense que crée la bureaucratie dans les usines et dans l'économie, contre le fait qu'on lui rogne des demi-secondes sur les temps alloués sous prétexte d'augmenter la production, pendant qu'au même moment, des *millions d'heures* de travail social sont purement et simplement détruites par l'anarchie et l'incapacité des chefs géniaux.

Les revendications ouvrières en Hongrie, principalement dirigées contre la hiérarchie et visant la gestion ouvrière des usines, le montrent clairement.

L'EVOLUTION POLITIQUE
ET LA « DESTALINISATION »

La bureaucratie se prétend « communiste ». Elle a organisé l'économie de façon soi-disant

« socialiste » ; elle a nationalisé les usines, elle a soumis la production à un « plan ». Mais elle n'a rien changé à la situation réelle des ouvriers. Dans la production, les ouvriers restent soumis au pouvoir total de l'appareil de direction de l'usine. De cet appareil de direction, le personnel seul a été changé – et pas toujours ; mais son esprit, ses méthodes et son rôle restent exactement les mêmes que sous le capitalisme privé : extraire le plus de travail possible aux ouvriers, en combinant la contrainte directe, l'accélération des cadences, les primes au rendement ; dénier aux ouvriers le moindre droit quant à l'organisation et au rythme de leur travail. Tout comme l'ouvrier français, anglais ou américain, l'ouvrier polonais, tchèque ou hongrois est transformé en un simple écrou de la machine, en un corps sans âme qui n'a rien à dire ni sur son propre travail, ni sur celui de son atelier ou de son usine. Sans droit de faire grève, – la grève étant qualifiée de « crime contre l'État socialiste » ; sans droit de former une organisation pour défendre ses intérêts – l'organisation syndicale officielle n'étant qu'une succursale de la direction de l'usine, ayant comme fonction essentielle de pousser à l'augmentation du rendement ; livré à l'arbitraire du moindre contremaître ou du moindre cadre du parti, l'ouvrier a vu l'exploitation s'abattre sur lui aussi lourde qu'auparavant, sinon davantage.

Il a vu aussi que son exploitation servait les mêmes buts que sous le régime capitaliste privé : d'un côté, construire toujours plus de nouvelles usines et de nouvelles machines ; d'un autre côté, permettre une existence privilégiée à une couche de parasites qui n'étaient plus les anciens patrons, mais les bureaucrates – dirigeants des usines, techniciens, militaires, intellectuels, dirigeants des syndicats, du parti et de l'Etat.

Le prolétariat a vu que ce régime, se prétendant « communiste », n'était qu'une autre forme du régime capitaliste, dans laquelle la bureaucratie avait pris la place des patrons privés ; que la « nationalisation » et la « planification » n'avaient rien changé à sa situation. La dictature totalitaire l'empêchait de s'organiser, de discuter librement, de lire ou d'écouter à la radio autre chose que les mensonges officiels. Mais la dictature totalitaire ne pouvait et ne pourra jamais empêcher les ouvriers de voir la réalité dans laquelle ils vivent : leur asservissement perpétuel à une couche de dirigeants qui ne font la plupart du temps que gaspiller leur travail, toute la production organisée en vue de leur extorquer encore plus de rendement, leur misère opposée au luxe des parasites – ni de ressentir comme le plus infâme des affronts les discours des dirigeants présentant tout cela comme le « socialisme » et le « règne de la classe ouvrière ».

La dictature totalitaire ne pouvait pas non plus, et ne pourra jamais, empêcher les ouvriers de lutter contre l'exploitation par le moyen qui est toujours à la disposition des exploités : le refus de coopérer à la production, manifesté d'une infinité de manières. L'industrie moderne ne peut absolument pas fonctionner sans un minimum de coopération des ouvriers, sans un déploiement de leur initiative et de leurs capacités d'organisation qui dépasse de loin ce que les ouvriers sont officiellement supposés faire et qu'il est impossible de leur extorquer par la contrainte. Dès 1950, la résistance des ouvriers au sein de la production atteignait un tel degré d'intensité que l'économie des pays satellites entrait dans une crise terrible, dont on ne mesure qu'aujourd'hui la profondeur.

Cette situation, répétons-le, n'est pas propre aux pays satellites. Elle sévit également en U.R.S.S. Mais elle est forcément plus grave là où la bureaucratie est la plus récente, là où elle a été implantée le plus artificiellement ; et surtout, là où elle se trouve devant un prolétariat qui, ayant une existence plus ancienne, une conscience de classe plus formée, se laisse faire beaucoup moins facilement et réagit plus fermement à l'exploitation. En Russie, sous le régime stalinien, malgré l'incohérence et l'incapacité de la bureaucratie, il n'y a pas eu, de 1928 à 1941, de crise ouverte, essentiellement parce que le prolétariat était constamment dilué par un afflux énorme de jeunes paysans absorbés par l'industrie, pour qui l'entrée en usine signifiait objectivement et subjectivement un important progrès économique et social. Mais sans doute depuis la guerre, la tension monte dans les usines russes ; c'est ainsi, comme on l'a vu, qu'au XXe Congrès les dirigeants de la bureaucratie ont été obligés de reconnaître que la plupart du temps les directeurs d'usine, en opposition à toutes les règles officielles, étaient incapables de déterminer les normes de travail et que ces normes étaient en fait le résultat d'un compromis, en même temps d'ailleurs que les salaires distribués. Après la mort de Staline, la nouvelle équipe dirigeante a compris qu'elle ne pourrait plus pendant longtemps continuer à diriger par les vieilles méthodes autoritaires, et a essayé de prévenir un conflit par un certain nombre de concessions. C'était là le sens de la « déstalinisation » (14).

Elle y était poussée par la situation russe ; mais elle l'était autant par la situation dans les pays satellites, en particulier ceux où un prolétariat ayant l'expérience du capitalisme ne confondait pas la construction de nouvelles usines avec le socialisme, savait que l'accumulation des instruments de production a été constamment le souci principal des patrons, et savait aussi ce que le paysan bulgare ou roumain, transformé en ouvrier, est en train de découvrir, et ce que le paysan chinois saura aussi d'ici quinze ou vingt ans : que quels que soient le rythme de progrès de la production et les miracles de l'« accumulation socialiste », son corps et son esprit sont de plus en plus asservis au rythme infernal des machines.

Et c'est précisément dans ces pays satellites où une classe ouvrière avec une expérience du capitalisme existait déjà, que la révolte des ouvriers contre la bureaucratie a explosé ouvertement : En Allemagne orientale, où les ouvriers se soulevaient en juin 1953, combattaient les armes à la main les bureaucrates soi-disant communistes, proclamaient : « les vrais communistes, c'est nous », et demandaient

« un gouvernement de métallurgistes ». Presque en même temps, des grèves et des émeutes ouvrières avaient lieu en Tchécoslovaquie.

Aussi bien la bureaucratie russe que celle des pays satellites essaya dès ce moment d'« adoucir » son cours. Sentant ses arrières rien moins que sûrs, elle se rapprocha des impérialistes occidentaux ; elle réalisa un accord tacite avec eux sur un arrêt de la course aux armements, et, limitant sa production militaire, essaya d'apaiser les ouvriers par quelques concessions sur le niveau de vie. Puis, elle essaya de changer son visage politique : elle a voulu présenter Staline comme individuellement responsable de toute l'exploitation et de tous les crimes qu'elle avait commis, et affirma qu'elle allait se « démocratiser ». C'était là le sens politique du XXe Congrès.

Si elle a pu ainsi tromper quelques intellectuels désorientés et diverses espèces d'épaves politiques, elle n'a pas trompé les ouvriers des pays qu'elle domine. Pour les ouvriers, la « démocratie » n'a jamais signifié et ne signifiera jamais autre chose que cela : le droit de s'organiser eux-mêmes comme ils l'entendent, de pouvoir se réunir et s'exprimer librement. Tout le reste est pour eux, à juste titre, du bavardage. On en était – et on en est toujours – très loin, dans les pays bureaucratiques. La situation réelle n'était pas changée, ni de ce point de vue ni du point de vue économique. D'autre part, les ouvriers sentirent que la bureaucratie ne faisait pas ces concessions par bonne volonté, qu'elle avait été effrayée par la révolte de Berlin-Est et les événements de Tchécoslovaquie, qu'elle ne cédait quelques bribes que dans la mesure où les ouvriers l'avaient combattue ouvertement et avaient essayé de la renverser. La leçon de 1953 n'avait pas été perdue pour les ouvriers d'Europe orientale : que seule la lutte paye, qu'une révolte d'un jour, même battue, fait plus pour améliorer le sort des ouvriers que dix ans de « planification » et de bavardages sur les « lendemains qui chantent ». Les quelques « concessions » de la bureaucratie et les déclarations du XXe Congrès, les ouvriers les ont à juste titre interprétées pour ce qu'elles étaient : le signe d'une énorme faiblesse.

Une effervescence extraordinaire s'empara dès lors de la plupart des pays satellites. Longtemps contenue dans les usines, la réaction ouvrière commença à percer au grand jour. Elle se refléta dans tous les milieux sociaux, en particulier la jeunesse, – elle s'introduisit dans la base des organisations bureaucratiques, partis et syndicats, qu'elle commença à corroder.

La bureaucratie se trouva rapidement incapable de maîtriser la révolte de la société. Par des mesures spasmodiques, réhabilitant les anciens « traîtres », promettant plus de liberté, reconnaissant pitoyablement ses « erreurs », changeant son personnel dirigeant et le remplaçant par des bureaucrates qui pouvaient faire figure de « gauchistes » ou d'« opposants », elle essaya d'apaiser la population, de montrer que quelque chose avait « réellement changé ». Le voyage de Khrouchtchev à Belgrade en juin, celui de Tito à

313

Yalta en octobre, essayaient de démontrer que la Russie était désormais capable de reconnaître dans les faits l'« indépendance » des pays satellites, – mais aussi, exprimaient l'angoisse croissante des bureaucrates de Moscou comme de ceux de Belgrade devant le développement d'une révolte dont les uns et les autres sentent qu'il leur sera presque impossible d'éviter les répercussions chez eux.

LA CRISE POLONAISE ET GOMULKA

Rien n'y fit. En juillet, à Poznan, les ouvriers de l'usine Staline donnaient le signal d'une révolte ouverte contre le régime ; ils défiaient les blindés, dont ils s'emparaient d'ailleurs peu après en partie, avec la complicité des soldats et des cadres inférieurs de l'armée, ils essayaient d'occuper les bâtiments gouvernementaux. Leurs mots d'ordre, simples et profonds – « du pain », « démocratie », « liberté », « c'est notre révolution », « à bas les bonzes » – , démontraient à la fois que la « déstalinisation » n'avait rien changé dans la réalité, et que les ouvriers, ayant fait l'expérience de la bureaucratie, étaient parfaitement capables d'identifier les hommes et le système responsables de l'exploitation.

La révolte de Poznan fut battue ; mais sa répercussion dans le pays et dans les autres pays satellites fut énorme. La bureaucratie polonaise, russe, yougoslave, les menteurs éhontés de *l'Humanité* essayèrent de la présenter comme un soulèvement d'éléments réactionnaires soutenus par les

Américains. Mais personne dans les pays satellites n'a cru les mensonges de la bureaucratie sur la révolte de Poznan. L'attitude des Yougoslaves, taisant systématiquement les procès de Poznan le montre clairement, s'il le fallait. Au contraire. A la fois tous les signes visibles, et tout ce qu'on peut déduire des changements d'attitude de la bureaucratie, montrent que la révolte de Poznan a donné le signal de l'attaque des ouvriers dans plusieurs pays – en Pologne et en Hongrie en tout premier lieu.

De juillet en octobre, la Pologne a vécu dans un état d'effervescence extraordinaire. Les masses commencèrent à envahir la scène politique. L'appareil bureaucratique stalinien, qui avait déjà perdu avec la déstalinisation sa cohésion intérieure et beaucoup de postes de contrôle décisifs – la police politique par exemple, se retournait contre lui- se trouva absolument incapable de dominer la situation. Les meetings se succédaient contredisant les mots d'ordre officiels, exprimant la méfiance des travailleurs face à tous les bavardages habituels, demandant des changements réels. La base de l'appareil bureaucratique, les « militants » du rang et les petits cadres, perdait toute sa cohésion. Subissant la pression énorme de la masse ouvrière, s'étant aperçu que toute l'idéologie sur laquelle elle avait vécu pendant des décennies s'écroulait (les dirigeants = chefs géniaux et infaillibles, l'opposition = trahison, le parti = parti de la classe ouvrière, la nationalisation + la planification = socialisme, etc.)

315

elle devenait sensible aux revendications ouvrières. Elle transmettait cette pression à l'intérieur de l'appareil bureaucratique, dont les sommets, eux-mêmes décomposés, saisis de peur, déchirés entre plusieurs lignes à suivre, n'ayant plus confiance dans Moscou – où Khrouchtchev accumulait gaffe sur gaffe, avec la résolution du C.C. du P.C.U.S. du 20 juillet d'abord, son voyage-éclair à Varsovie avec quatorze généraux à la fin – ont pataugé pendant trois mois avant de trouver la « solution » : rappeler Gomulka, seule couverture « à gauche » possible en ce moment, à cause de son opposition à la tendance dominante depuis 1949, de son passé « polonais » (chef du P.C. polonais depuis 1943 dans la clandestinité et de ce fait opposé aux émigrés de Moscou revenus en 1945) et « pro-titiste », de ses origines ouvrières.

En rappelant Gomulka au pouvoir, la bureaucratie polonaise savait qu'elle allait se heurter à Moscou, qui, plein de rage impuissante, voyait la situation échapper de plus en plus à son contrôle. Mais elle ne pouvait pas faire autrement. La liquidation de la fraction la plus compromise de la direction stalinienne du parti, de l'Etat et de l'économie, était le minimum indispensable pour essayer de contenir le mouvement des masses qui était en train de prendre une ampleur extraordinaire. On sait maintenant que pendant la séance du Comité Central du parti polonais, les 20 et 21 octobre, qui rappela Gomulka au pouvoir, toute la population, ouvriers et étudiants en tête, était sur pied de guerre et prête à se battre contre un coup d'Etat de la fraction stalinienne. L'effervescence monta à son comble avec la nouvelle de l'arrivée de Khrouchtchev et de ses quatorze généraux à Varsovie. Les ouvriers restèrent dans les usines, prêts à intervenir en masse contre un coup de force des Russes et de leur instrument, le maréchal Rokossowski. Des sections de l'armée et de la police politique étaient déjà sur pied de guerre. Les Russes comprirent qu'il ne s'agirait pas dans ces conditions d'une simple « opération de police », encore moins d'un « coup d'Etat » d'une fraction polonaise contre une autre, et qu'ils devraient entreprendre des opérations militaires à l'échelle d'une véritable guerre. Pensant pouvoir garder un minimum de contrôle sur la situation en Pologne par l'intermédiaire du parti – ce qui s'avéra totalement impossible deux semaines plus tard à Budapest – ils opérèrent ce qu'ils pensaient sans doute être un recul tactique.

La situation révolutionnaire actuelle en Pologne et les contradictions du gomulkisme

La situation actuelle en Pologne, pour être historiquement inédite, n'en est pas moins clairement une situation révolutionnaire. Les crimes odieux du régime antérieur sont étalés au grand jour, le caractère exploiteur et oppresseur de la bureaucratie au pouvoir pendant dix ans est devenu conscience commune, toute tentative de retour vers un régime même lointainement similaire est radicalement

exclue, les tendances « restaurationnistes »
(bourgeoises) sont pratiquement inexistantes. Des
meetings d'ouvriers et d'étudiants se déroulent
constamment, que personne ne pourrait interdire,
où personne ne peut être empêché de dire ce
qu'il pense. Des revendications y sont constamment
formulées, et discutées, sur la hiérarchie des salaires,
sur la gestion ouvrière des usines, sur la démocratie.

D'autre part, on n'assiste pas encore à la
formation d'organismes soviétiques des masses, de
Conseils d'ouvriers ou de Comités analogues. Mais
il y a une transformation extrêmement profonde des
organisations politiques et syndicales existantes. Le
caractère du parti communiste – du parti ouvrier
unifié de Pologne – est changé (a). Quelles que
soient les survivances du passé par endroits – les
noyaux staliniens pouvant subsister dans telle ou
telle organisation du parti, les restes de mentalité
bureaucratique un peu partout – les militants et
les cadres moyens du parti polonais dans leur
grande majorité se situent actuellement sur un
terrain communiste. L'effondrement du régime et de
l'idéologie stalinienne, la compréhension, dans la
pratique, de ses origines et de ses conséquences,
l'opposition à l'impérialisme russe, la leçon de la
révolution hongroise, et par-dessus tout, la pression
et les exigences des masses ouvrières polonaises
ont déjà complètement transformé la mentalité de
ces militants. Ces facteurs sont extraordinairement

(a) C'était là une erreur, discutée et corrigée dans « La voie polonaise de la
bureaucratisation », publiée deux mois plus tard.

renforcés par l'entrée de nouveaux éléments ouvriers
dans le parti, porteurs de la mentalité et des
exigences prolétariennes. Ces changements ne sont
pas seulement psychologiques : ils s'inscrivent d'ores
et déjà dans des faits objectifs, qui ne sont certes
pas « irréversibles », mais qui ne pourraient être
remis en question que par une longue évolution et
au prix de nouveaux conflits : *pour la première fois
depuis 1927, la discussion est libre au sein d'un parti
communiste.* C'est là un fait d'une portée énorme.
Dès maintenant, au sein du parti polonais, les gens
repoussent la stupide théorie du « culte de la personnalité » et des « erreurs » de Staline ou de Béria :
ils demandent que soit analysé le stalinisme c'est-
à-dire en fait le capitalisme bureaucratique comme
système total et cohérent, comme un tout économique,
politique, social et idéologique. Des analyses allant
dans ce sens – que l'on peut juger timides de Paris,
mais qui ont le mérite d'exister et d'être faites par
des gens ayant une expérience vécue du système
bureaucratique – paraissent déjà dans la presse
polonaise. Des discussions commencent à avoir lieu
même sur la conception léniniste du parti, et les
critiques que formulait dès 1918 une révolutionnaire
polonaise, Rosa Luxembourg, contre la dictature du
Comité Central sur le parti et du parti sur les masses,
sont retirées des oubliettes staliniennes. Dans ces
conditions, quels que soient le passé et les intentions
subjectives des membres de la direction du Parti,
de Gomulka, d'Ochab, de Cyrankiewicz, il est évident
qu'ils ne peuvent diriger que dans la mesure où
ils marchent avec ce courant irrésistible.

Des transformations analogues ont lieu au sein du mouvement syndical. Depuis les journées d'octobre de Varsovie, le caractère des organisations syndicales se modifie. L'appareil bureaucratique des syndicats, dont la fonction sous le régime stalinien était de pousser les ouvriers au rendement, est en voie de liquidation. Les réunions syndicales, auparavant désertées, sont envahies par les ouvriers ; et l'on a pu voir, lors du Congrès des Syndicats à Varsovie en novembre, les 120 délégués officiels composant théoriquement le Congrès mis à l'écart par un millier de délégués envoyés spontanément par la base, qui ont bouleversé l'ordre du jour et le contenu du Congrès, ont imposé l'ouverture des « livres de comptes », au sens le plus total du terme, des syndicats et ont transformé le Congrès en un réquisitoire implacable contre les méfaits de la bureaucratie syndicale.

Autant les différences des situations en Pologne et en Hongrie sont importantes, autant leurs analogies profondes sont incontestables. Le mouvement des masses éduquées par l'expérience du capitalisme bureaucratique montre dans les deux cas une force extraordinaire. En Hongrie, cette force s'est traduite par la destruction de toutes les institutions existantes et le conflit ouvert avec l'impérialisme russe ; en Pologne, elle s'exprime par une transformation poussée du caractère des institutions les plus importantes, parti et syndicat, et par le recul infligé à l'impérialisme russe.

La situation est donc entièrement ouverte en

Pologne, et l'avenir du parti communiste l'est tout autant. En même temps, la révolution polonaise – et la politique du parti polonais – sont prises dans une série de contradictions objectives. Mettre en lumière ces contradictions, essayer de les analyser dans la clarté, est la première condition pour pouvoir les surmonter.

D'un côté, la révolution polonaise conduit à la destruction de la domination de l'impérialisme russe sur le pays ; en même temps, elle forme une plaie ouverte au flanc du monde bureaucratique. Sa puissance de contagion est énorme ; elle a déjà donné le signal à la révolution hongroise. Tous les exemplaires de *Trybuna Ludu* sont vendus quelques minutes après leur arrivée à Moscou, que la bureaucratie russe ne peut pas interdire. Mais en même temps, la révolution polonaise ne peut pas défier ouvertement la Russie. La bureaucratie russe guette la révolution polonaise, prête à l'étrangler d'une façon ou d'une autre à la première occasion.

La direction du parti polonais est obligée dans ces conditions de composer avec le Kremlin. L'accord russo-polonais signé lors du dernier voyage de Gomulka à Moscou présente, comme tout compromis, des côtés positifs et négatifs. En signant l'accord, la bureaucratie russe se rend beaucoup plus difficile une intervention ultérieure ; elle a été obligée de reconnaître qu'elle a exploité la Pologne de 1945 à 1953 ; elle renonce à cette exploitation pour l'avenir et s'engage à fournir une aide économique. D'autre part, Gomulka est obligé d'accepter le stationnement des troupes russes en

Pologne, qui contient des menaces pour l'avenir ; et il signe une phrase approuvant en fait, quoique de façon indirecte, l'écrasement de la révolution hongroise par les Russes (l'accord ne parle pas de l'intervention russe ni de Kadar, mais de l'appui des deux gouvernements polonais et russe « au gouvernement ouvrier et paysan de Hongrie »). C'est là déjà une concession sur les principes, qui peut se retourner un jour ou l'autre contre la Pologne elle-même.

Le but de tout compromis est de gagner du temps. Dans les circonstances présentes, la révolution polonaise doit gagner du temps, d'un côté parce que la crise de la bureaucratie met d'ores et déjà la révolution prolétarienne à l'ordre du jour en Russie et ailleurs et de toute façon limite les possibilités d'intervention du Kremlin, d'un autre côté parce qu'elle doit pouvoir se continuer, s'étendre et s'approfondir en Pologne même. Et c'est surtout de ce dernier point de vue que le compromis passé avec la bureaucratie russe prendra sa signification définitive : il aura été positif, s'il aura permis le développement de la révolution dans le pays.

Ce développement se trouve placé devant des contradictions tout aussi profondes que celles des relations extérieures. La situation économique léguée par le régime stalinien est chaotique ; la coordination des divers secteurs de production est à reprendre à partir de zéro ; l'intégration de la paysannerie dans le circuit économique, après dix ans de spoliation du paysan pour le moyen des livraisons obligatoires, de collectivisation forcée, présente des difficultés énormes. Sur le plan politique, et, plus profondément, de l'organisation de la vie sociale sous tous ses aspects, des organismes de masse n'existent pas – quoique, comme on l'a vu, le caractère du parti communiste ait subi des transformations profondes. La bureaucratie stalinienne est constamment éliminée des postes dirigeants de l'économie et de l'Etat. Mais un appareil de direction « épuré » continue à gérer l'économie. L'appareil d'Etat a changé de personnel, mais non de caractère objectif ; il reste un appareil séparé, formé par une bureaucratie permanente et en principe inamovible.

Il faut s'arrêter ici et essayer d'approfondir l'examen de ces contradictions à partir du problème qui est le plus essentiel et qui de ce fait échappe à la vue de ceux qui aujourd'hui bavardent à la périphérie de la révolution polonaise – le problème de la gestion ouvrière de l'économie.

La gestion ouvrière de la production est la conclusion évidente, indiscutable, consciente et explicite que les ouvriers des pays d'Europe orientale tirent de l'expérience du capitalisme bureaucratique. Personne évidemment n'a, parmi eux, pensé un instant au retour des patrons privés. Mais personne non plus ne peut avoir désormais confiance en aucune sorte de bureaucratie dirigeante, même « démocratique », même « révolutionnaire ». Cette bureaucratie, nous la dénonçons ici depuis longtemps à partir de documents, de statistiques et de raisonnements. Mais l'ouvrier hongrois ou polonais en a fait l'expérience dans sa peau. Il en a fait l'expérience, non seulement comme d'une couche exploiteuse, *mais comme d'une couche incapable de gérer la production.* C'est la gestion bureaucratique de l'économie qui a fait faillite aux yeux du prolétariat d'Europe orientale. Dans la mesure où il agit, celui-ci est donc poussé inéluctablement à cette conclusion : il ne reste d'autre solution que l'organisation de la production par les producteurs eux-mêmes.

Le parti ouvrier polonais reconnaît cette situation et les demandes correspondantes des ouvriers. Il hésite cependant et il se propose d'instaurer, à titre pourrait-on dire expérimental, une sorte de gestion ouvrière dans certaines usines. Mais il ne peut pas s'agir d'expérimentation ; dans la situation polonaise, la gestion ouvrière est la seule possibilité de remettre en marche rapidement l'économie et la production – autrement au bout d'une période de chaos, il faudra revenir sous une forme ou sous une autre à un système bureaucratique pur et simple. Il ne peut pas s'agir non plus de limiter la gestion *à quelques* usines, ni de la limiter *aux usines* – en laissant les fonctions de coordination et de gestion de l'ensemble de l'économie à un appareil bureaucratique.

D'un côté, si la gestion ouvrière est *effective* au sein des usines particulières – et non une mystification, comme la « co-gestion » de Tito – les ouvriers supprimeront la hiérarchie, et ils supprimeront les normes de travail. La discipline de production sera établie par les ouvriers eux-mêmes – et sera d'autant plus efficace. Mais cela ne peut pas se faire dans chaque usine sans coordination avec les autres ; car toute rationalisation de l'ensemble du processus productif deviendrait impossible. Cette rationalisation suppose, une fois la « concurrence » et le « marché » capitaliste supprimés, qu'une règle générale est appliquée à toutes les unités de production particulières. Cette règle générale, il n'y a que deux façons de l'établir : ou bien par des *normes de production* abstraites et impersonnelles qui doivent être définies et imposées de l'extérieur – et c'est la fonction d'un appareil bureaucratique séparé ; ou bien par des assemblées de représentants des Conseils d'ouvriers de chaque entreprise, qui, par branches d'industrie, tâcheront d'uniformiser et de rationaliser les méthodes et le rythme de production de façon vivante et en tenant compte des conditions concrètes de chaque entreprise.

D'un autre côté, le Conseil ouvrier gérant une usine particulière est obligé de s'occuper du reste de l'économie. Son approvisionnement en machines et matières premières, l'écoulement de sa production en dépendent. Il distribuera des salaires, dont le pouvoir d'achat dépend de ce qui se passe partout ailleurs dans l'économie (et en particulier dans le secteur agraire). Le problème d'une direction centralisée de l'économie se pose ainsi dans toute son acuité. Lui aussi peut être résolu de deux façons : ou bien les Conseils d'ouvriers se formeront, se fédéreront sur le plan national, comprendront des représentants de Conseils de paysans par village ou par district, et assumeront l'ensemble des tâches de direction de l'économie, y compris les fonctions de « planification », seule voie conduisant au socialisme. Ou bien les tâches de direction centrale resteront entre les mains d'une bureaucratie séparée des producteurs, auquel cas une inversion du processus sera à la fin inévitable, et la gestion ouvrière des usines particulières elle-même perdra son contenu et se transformera en un moyen d'attacher les ouvriers à une production sur laquelle ils n'auront à nouveau aucun pouvoir.

Pour l'instant, le parti polonais a sur cette question une attitude hésitante et contradictoire. D'un côté, il affirme que son objectif final est la gestion ouvrière ; d'un autre côté, il hésite à s'engager dans sa voie. Le programme économique adopté par le VIIe Plenum de son Comité Central, en juillet (et dont les éléments se trouvent dans l'article de O. Lange que nous avons cité à plusieurs reprises) n'était rien de plus qu'un programme d'assainissement et de mise en ordre de l'économie bureaucratique. Il entendait dépasser la crise de la production, le fameux « nihilisme » des ouvriers, par la réintroduction des procédés typiquement capitalistes de l'« intéressement matériel » et des « stimulants économiques » – en clair par le travail au rendement. Il entendait dépasser l'anarchie de la planification par la rationalisation de la hiérarchie qui devrait désormais être basée sur l'« efficacité économique » et non sur les « clans et les intrigues politiques ». Dans ce contexte, les appels à un « élargissement considérable de la participation des travailleurs à la direction des entreprises » perdaient objectivement toute signification : tous les régimes d'exploitation en sont là aujourd'hui, depuis que la faillite de la direction bureaucratique de la production est devenue évidente aux yeux des exploiteurs eux-mêmes. Les comptes rendus du XXe Congrès du parti russe sont remplis d'appels aux dirigeants des usines visant à « associer les travailleurs au fonctionnement des entreprises », et, en Occident, le capitalisme essaye à son tour de persuader les ouvriers qu'ils devraient lui faire connaître leur avis sur la production. Et toutes ces entreprises échouent, car les ouvriers savent que la gestion ne leur appartient pas et que leur collaboration est utilisée en fin de compte par les dirigeants pour les intégrer davantage à la production et les exploiter encore plus ; de même que les « stimulants économiques » échouent devant la résistance de plus en plus forte que les ouvriers opposent au travail au rendement et à la différenciation des salaires.

Le programme du VIIe Plenum est dépassé par les faits – mais reste le programme officiel du parti polonais. Il est pourtant clair que la voie des « stimulants économiques », du travail au rendement, des normes fixées par une bureaucratie séparée de la production, c'est la voie du retour, à plus ou moins long terme, à la domination économique de la bureaucratie.

Les mêmes contradictions se retrouvent sur le plan « politique » – qui est en fait le plan de la vie sociale globale. Le parti a changé de caractère – mais il reste en fait et en droit l'instance suprême du pouvoir. Un parti, quel que soit son caractère, peut-il conduire la société au socialisme – ou bien ce passage implique-t-il la prise de leur sort entre leurs mains par les masses organisées dans les Conseils ou d'autres organismes soviétiques ? La dictature du prolétariat peut-elle être la dictature d'un parti ? Ce ne sont pas là des questions théoriques, ni des subtilités de doctrinaires. Ce sont les questions suprêmes de notre époque, et le sort de la révolution polonaise dépend, de la façon la plus pratique et la plus immédiate, de la réponse qui leur sera donnée.

Nous pensons que toute l'expérience des quarante dernières années, et l'analyse de la situation actuelle, permettent de répondre de la façon la plus catégorique à cette question. Le pouvoir ouvrier ne peut être rien d'autre que le pouvoir des organismes ouvriers de masse. La dictature du prolétariat n'est pas la dictature d'un parti, mais le pouvoir des Conseils ouvriers, qui réalisent en même temps la démocratie prolétarienne la plus large. Le parti, l'appareil d'Etat et l'appareil de direction de l'économie dépérissent en étant résorbés par les organismes de masse qui assument les fonctions dirigeantes sur tous les plans – ou bien se séparent des masses, les réduisent au silence et se développent suivant leur propre logique vers une bureaucratie totalitaire, quelles qu'en soient les formes. Le problème du rôle du parti dans la dictature du prolétariat est le problème de la *réunification de la*

vie sociale indispensable pour la réalisation du socialisme.
Que se passe-t-il en ce moment en Pologne ? Que
risque-t-il de se passer, de façon beaucoup plus
nette, demain ? D'un côté, la vie réelle des gens,
dans la production et ailleurs ; d'un autre côté, un
appareil dirigeant l'économie qui doit, pour diriger
efficacement, être formé par les représentants des
producteurs, et qui en fait ne l'est pas ; en troisième
lieu, un appareil d'Etat qui est lui aussi séparé de
ceux qu'il doit administrer ; et, coiffant le tout, le
parti, qui essaie de coordonner tout cela tant bien
que mal, et qui est une contradiction vivante : car
ou bien c'est effectivement lui qui coordonne – et
alors il est la seule instance de pouvoir et tout le
reste n'est que fantôme et décoration ; ou bien il
ne coordonne pas – et alors il est superflu comme
organisme de gouvernement (non pas, bien entendu,
comme regroupement « politique » et « idéologique »).

En d'autres termes : ou bien la vie réelle de
la société, sous tous ses aspects, s'identifiera avec
la vie d'un seul réseau d'institutions, les Conseils ;
ou bien, les institutions traditionnelles – parti, Etat,
direction de l'économie et des usines – séparées de
la masse des hommes et par la même de leur vie
réelle, s'élèveront à nouveau au-dessus de la société
et, redevenues l'incarnation d'une catégorie sociale
particulière, la domineront.

De ce point de vue, finalement le plus important,
la situation polonaise contient des éléments négatifs
très lourds. Tout d'abord, le mouvement des masses
n'a pas jusqu'ici abouti à la formation de Conseils ;

le parti l'a canalisé, non seulement « idéologique-
ment » et « politiquement » mais aussi
organisationnellement. On ne sait pas dans quelle
mesure il n'a pas contribué à empêcher la formation
de Conseils – ce qui de toute façon prouverait qu'on
pouvait l'empêcher. Aussi bien, il ne peut pas être
question pour le parti de créer des Conseils par
décret. Il est certain que le mouvement spontané
des masses est resté jusqu'ici en deçà de la
constitution d'organismes de pouvoir.

Mais l'attitude même du parti, par son ambiguïté,
contient une foule de dangers. Le parti se trouve
dans une situation unique dans l'histoire : la masse
de ses membres vient d'accomplir, l'espace de
quelques mois, un progrès immense ; ses structures
sont régénérées ; ses liens avec les travailleurs se
renforcent. Et, en dehors de lui, il n'y a pas
d'organismes représentatifs de la classe ouvrière.
Dans cette situation, il peut tâcher de contribuer
par tous les moyens dont il dispose au
développement du mouvement des masses ; ou il
peut se replier sur lui-même, considérer que la
réalisation du socialisme c'est son affaire et qu'il
trouvera en lui-même toutes les solutions.

Il ne faut pas cacher qu'une foule d'indications
montrent que le parti penche dangereusement vers
la deuxième solution. Lorsque Gomulka dit : « Le
processus de démocratisation ne peut être dirigé
que par le parti ouvrier unifié », il n'y a pas là
seulement la contradiction dans les termes d'une
démocratisation dirigée par un parti unique (unique
en fait). Cela traduit en même temps la volonté

de maintenir au parti le monopole du pouvoir – et par la même, compromet les chances du développement du mouvement des masses. Lorsque le parti reste dans l'expectative sur la question cruciale de la gestion ouvrière, les chances d'une nouvelle bureaucratisation sont renforcées. Lorsque la constitution d'organisations politiques ouvrières demeure interdite, aussi large que soit la démocratie à l'intérieur du parti, les possibilités de contrôle du prolétariat sur la situation restent dangereusement limitées.

Personne ne peut donner des leçons à la révolution polonaise, et il faudrait être aveugle pour ne pas voir les difficultés énormes devant lesquelles se trouvent les communistes polonais, le courage dont ils font preuve en les attaquant. Ces problèmes sont à l'heure actuelle discutés intensément en Pologne – et le mouvement révolutionnaire dans les autres pays a le droit et le devoir de connaître à la fois la force de la révolution polonaise et les dangers, extérieurs et intérieurs, qui la guettent.

L'AVENIR DE LA REVOLUTION HONGROISE

Après la deuxième intervention russe, et la constitution du gouvernement fantoche de Kadar, le véritable caractère de la révolution hongroise, prolétarienne et socialiste, s'est manifesté avec encore plus de clarté qu'auparavant. Comme on l'a dit, les boutiquiers étaient sortis de leurs boutiques lors de la deuxième semaine de l'insurrection ; ils y sont

définitivement rentrés après la troisième. La seule
force réelle existant dans le pays, à part les blindés
russes, la force des ouvriers organisés dans leurs
Conseils, est restée là, a organisé la grève générale,
et a maintenu ses revendications lorsqu'elle ne les
a pas approfondies.

Les demandes posées par les Conseils à Kadar
à divers moments depuis le 11 novembre comprennent :

- La gestion ouvrière des usines (bien que
  Kadar l'ait déjà « décrétée ») ;
- La constitution de Conseils des travailleurs
  dans toutes les branches de l'activité
  nationale, *y compris les administrations de
  l'Etat* ;
- Le droit des Conseils de publier leurs jour-
  naux ;
- Le retrait des troupes russes ;
- La constitution de milices ouvières ;
- La reconnaissance des Conseils comme
  organes représentatifs de la classe ouvrière ;
- La reconnaissance du rôle politique des
  Conseils ;
- Le retour d'Imre Nagy au pouvoir, donc
  la démission du gouvernement actuel.

La portée de ces revendications n'a pas besoin
d'être analysée. Il faut simplement souligner qu'en
les posant, au moment où tout dans le pays se plie
devant la terreur russe, et en présentant certaines
plutôt que d'autres suivant la situation tactique du
moment, les Conseils ont montré leur capacité de

se placer au point de vue de la population dans son ensemble, et par là même d'être la *seule direction,* de la société.

Dès son premier jour, les gens s'empressèrent d'enterrer la révolution hongroise. Ces lignes sont écrites le 9 décembre et cette révolution qui dure depuis 48 jours est aussi vivante que jamais. Malgré les déportations et les arrestations nocturnes des membres des Conseils, ceux-ci n'abandonnent pas la résistance. La lutte plus ou moins ouverte cesserait-elle d'ailleurs pour quelque temps, qu'il n'y aurait pas davantage de solution pour les Russes et pour Kadar. Désormais, le régime en Hongrie est considéré par toute la population comme provisoire – au même titre que l'occupation nazie l'était pendant la guerre – et cela détermine aussi bien l'attitude des gens face à Kadar que l'incapacité de celui-ci à rétablir une machine d'Etat fonctionnant à un degré satisfaisant. Les Russes sont placés devant un dilemme insoluble : partir, c'est avouer une défaite énorme et montrer à tous les peuples qu'ils oppriment qu'il suffit de se battre avec suffisamment de détermination pour vaincre. C'est aussi ouvrir la voie à la révolution prolétarienne et au socialisme en Hongrie et à l'appel irrésistible que son exemple fournirait aux autres pays de l'Est. Rester, ce n'est pas seulement maintenir dans le pays un chaos qui ne mène nulle part ; c'est en fin de compte importer la révolution en Russie, car les soldats russes stationnés en Hongrie sont successivement contaminés par ce qui s'y passe et, par leur intermédiaire, une fraction chaque jour croissante de la population russe. Et cela à un moment où les manifestations de la crise du régime en Russie même vont croissant ; où Khrouchtchev reconnaît que l'attitude de la jeunesse russe face au régime ne diffère pas tellement de l'attitude de la jeunesse hongroise ; où des avertissements de plus en plus sévères sont adressés aux intellectuels qui ne comprennent pas les limites de leur rôle d'amuseurs de la bureaucratie ; et où, à ces signes infaillibles de l'orage qui approche, s'ajoutent les grondements souterrains de la colère ouvrière qu'on ne peut plus étouffer, d'un prolétariat qui compte quarante millions d'individus et qui considère, comme est obligé de l'écrire l'organe officiel des syndicats russes, que « notre administration n'est que bureaucratie, nos syndicats que des assemblées de fonctionnaires ».

La révolution prolétarienne contre la bureaucratie vient de commencer. Pour la première fois depuis la révolution espagnole de 1936, la classe ouvrière crée à nouveau en Hongrie ses organismes autonomes de masse. Dès son premier jour, cette révolution se situe à un niveau plus élevé que les révolutions précédentes. Le régime bureaucratique est combattu de l'intérieur, par les travailleurs qu'il prétendait frauduleusement représenter, au nom du véritable socialisme qu'il a si longtemps prostitué. L'emprise des organisations bureaucratiques sur le mouvement ouvrier des pays capitalistes occidentaux ne se relèvera jamais du coup qu'elle vient de subir.

Notre tâche est d'abord et avant tout aujourd'hui de propager le programme de la révolution hongroise, d'aider le prolétariat français dans sa lutte contre sa propre bureaucratie, indissociable de sa lutte contre l'exploitation capitaliste.

Elle est aussi de travailler au regroupement, sous toutes les formes, des ouvriers et des militants qui reconnaissent dans la lutte et le programme des ouvriers hongrois *leur* lutte et *leur* programme.

NOTES

(1) Voir, parmi les textes publiés dans *S. ou B.* : « L'ouvrier américain », de Paul Romano (N°s 1 à 6) ; « La vie en usine », de G. Vivier (N°s 11 à 16) ; le texte « Il faut se débrouiller » (N° 18) ; et les nombreux textes de D. Mothé, repris maintenant dans *Journal d'un ouvrier,* Ed. de Minuit, Paris, 1959 ; aussi, *CS II* et *III.*

(2) Voir le *Bulletin Economique pour l'Europe* publié par la Commission Economique pour l'Europe des Nations Unies, vol. 8, n° 2 (août 1956. Nos renvois se rapportent à l'édition anglaise). Tous les chiffres donnés dans cette publication proviennent de sources officielles des pays d'Europe orientale. Ces pays sont représentés au sein de la C.E.E. dont le secrétariat, dirigé par l'économiste suédois Gunnar Myrdal, a en général une attitude pleine de sympathie pour l'« économie planifiée » et a joué un rôle important dans la reprise du commerce Est-Ouest depuis trois ans.

(3) O. Lange, « Sur le nouveau programme économique », *Cahiers Internationaux,* N° 79, septembre-octobre 1956, p. 72-81. Cet article, publié en juillet en Pologne, a servi de base au programme économique élaboré par le VIIe Plenum du Comité Central du parti polonais qui a eu lieu en juillet.

(4) Passage cité en entier plus haut, p. 256 et 259

(5) *Id.,* pp. 73, 78

(6) *Id.,* p. 73.

(7) *Id.,* p. 74.

(8) Rapport d'activité de N. Khrouchtchev au XXe Congrès du P.C.U.S. éd. des *Cahiers du Communisme,* p. 78.

(9) *Id.,* p. 116.

(10) *Id.,* p. 164.

(11) *Id.,* p. 345.

(12) *Id.,* p. 402.

(13) Combien souvent, on ne peut pas dire. Pour que ces idées reviennent comme une obsession dans les principaux discours des dirigeants, il faut que la situation réelle qu'ils veulent combattre atteigne des secteurs considérables de la production. C'est ce que

nous sommes incités à penser. Mais pour ce que nous voulons montrer, l'étendue du phénomène a relativement peu d'importance ; son *existence,* irréfutablement prouvée par les discours officiels, suffit.

(14) Nous écrivions il y a trois ans : « ...une autre relation, moins apparente, est beaucoup plus importante ; c'est le rôle qu'a joué dans le ralentissement du cours vers la guerre l'opposition du prolétariat à l'exploitation, et en tout premier lieu l'opposition du prolétariat russe. C'est parce qu'elle sentait son régime craquer sous l'opposition des ouvriers, que la bureaucratie russe, Staline mort ou pas, était obligée d'accorder des concessions, qui entraînaient nécessairement une diminution des dépenses militaires et donc aussi une politique extérieure plus conciliante. Que cette opposition n'ait jamais pu se manifester au grand jour, ne change rien à l'affaire ; les concessions de la bureaucratie russe, réelles ou apparentes, manifestent sa virulence, comme aussi après coup les luttes ouvrières en Tchécoslovaquie et en Allemagne orientale ». (*Socialisme ou Barbarie,* n° 13, janvier-mars 1954, p. 1) ; maintenant, Vol. III, 1, p. 376). Bien entendu, la « déstalinisation » est un phénomène complexe, déterminé par une foule de facteurs. Si ces facteurs résultent tous en dernière analyse de la crise d'une société construite sur la scission radicale entre dirigeants et exécutants et sur leur opposition — donc en fin de compte de la lutte des ouvriers contre la bureaucratie — il n'en reste pas moins que cette crise présente divers aspects, parmi lesquels l'incapacité de la bureaucratie de régler *ses propres structures,* les relations de ses institutions et de ses couches entre elles, est un des plus importants. Pour un examen approfondi des problèmes de la « déstalinisation », voir l'article de Claude Lefort, « Le totalitarisme sans Staline — L'U.R.S.S. dans une nouvelle phase » cité plus haut (p. 209).

LA VOIE POLONAISE
DE LA BUREAUCRATISATION*

Dans l'article « La révolution prolétarienne contre la bureaucratie » publié dans le numéro précédent de *S. ou B.* (a), j'avais essayé d'analyser la situation polonaise, au mieux des informations disponibles fin décembre 1956 à Paris. Les points essentiels de cette analyse peuvent se résumer ainsi : la crise du régime bureaucratique et la mobilisation propre des masses ont abouti aux journées d'octobre de Varsovie. La bureaucratie polonaise et le Kremlin ont été obligés d'accepter le changement de direction personnifié par Gomulka. Ce changement était loin de résoudre les problèmes concrètement posés à la société

(*) *S. ou B.*, nº 21 (mars 1957).

polonaise par la faillite de la bureaucratie et par l'effervescence des masses : la situation de la Pologne, « historiquement inédite », restait une situation révolutionnaire. Le courant révolutionnaire, s'il ne parvenait pas jusqu'à constituer des organismes autonomes des masses – Conseils ou soviets – pénétrait quand même profondément les organisations existantes, en particulier le parti communiste. La discussion au sein de celui-ci devenait libre, des tendances révolutionnaires s'y exprimaient ouvertement et se livraient à une critique violente de la bureaucratie, la mentalité des membres était transformée. Il était impossible qu'une telle situation dure, et l'alternative était claire : ou bien des organismes de masse se seraient constitués, et auraient assumé non seulement la « gestion » des usines particulières, mais la gestion de l'économie et la direction de l'Etat – ou bien le parti redeviendrait finalement la seule instance de pouvoir et autour de lui se cristalliserait à nouveau une nouvelle bureaucratie politique, étatique et économique. La personne et le passé de Gomulka avaient relativement peu d'importance dans l'affaire – mais dès ce moment, quelques semaines après octobre, on pouvait constater que le Parti « penchait dangereusement vers la deuxième solution », la solution de son propre pouvoir.

Aujourd'hui, deux raisons imposent de revenir sur cette analyse. D'abord, la question est tranchée, une nouvelle variante du régime bureaucratique est en train de naître en Pologne et le parti polonais en est l'accoucheur. Ensuite, l'analyse contenait une erreur importante ; il était faux de croire et de laisser croire que le parti polonais pouvait changer jusqu'au point de devenir lui-même un des instruments de transformation révolutionnaire de la société. Il était faux de laisser subsister le moindre doute sur le fait que, l'appareil du parti et de l'Etat n'ayant pas été brisé ni des organisations du pouvoir des masses constituées, le parti gouvernant pouvait jouer un autre rôle que celui de point de départ d'une nouvelle évolution bureaucratique. La situation polonaise reste une situation révolutionnaire – au sens que le nouveau régime éprouve d'énormes difficultés à se stabiliser, que la constitution de Conseils d'usine continue et paraît s'amplifier, que les ouvriers ne semblent pas disposés à se laisser museler par la « raison d'Etat » – comme en témoignent les grèves qui éclatent ici et là –, que l'évolution idéologique de la gauche ne peut que s'accélérer face au visage chaque jour plus net du gomulkisme. Mais cette situation ne pourra se dénouer dans un sens révolutionnaire que par une nouvelle explosion du mouvement des masses, par une confrontation au grand jour entre celui-ci et l'État et le parti gomulkistes. Elle peut, en revanche, dégénérer et pourrir, et le nouveau régime bureaucratique se consolider à froid, si l'évolution actuelle continue.

Dans la mesure où il ne s'agissait pas là d'une erreur d'*appréciation,* mais d'une erreur de *principe* sur un problème fondamental que rencontre la révolution prolétarienne contre un régime bureaucratique, et dans la mesure où ce problème, posé pour la première fois en 1956, surgira de plus en plus fréquemment dans l'avenir, il est indispensable d'en mener la discussion d'une façon approfondie.

La signification du gomulkisme

On sait aujourd'hui quelle est la politique du gomulkisme. Chaque semaine, une nouvelle information en confirme le caractère, et le témoignage que rapporte de Pologne Claude Lefort (b), illustre de façon frappante à la fois ses particularités et ses traits profonds. A peine installé au pouvoir, Gomulka exige et obtient la dissolution du comité de liaison créé en Varsovie pendant octobre entre ouvriers et étudiants. Les comités ouvriers surgis par endroits en octobre sont dissous. Quelques jours après, Gomulka reconnaît le « gouvernement ouvrier et paysan hongrois » – en clair le gouvernement de Kadar ; et, au milieu de mars, il exprime à nouveau sa confiance dans le gouvernement de marionnettes de Budapest. Il n'ose pas s'opposer ouvertement aux « Conseils » qui se constituent dans les usines mais il fait tout ce qui est en son pouvoir pour en minimiser la portée et les confiner chacun dans son entreprise. Il renforce de plus en plus la censure. Il s'élève violemment contre la « gauche » du parti. Il met lentement en route ce qu'on ne peut considérer autrement que comme une épuration graduelle du parti – tandis qu'il protège en même temps les staliniens. Les militants les plus représentatifs de la « gauche » sont amenés à démissionner des postes responsables. Les élections sont organisées et menées de telle façon que les électeurs n'utilisent pas les droits très limités qu'on leur a accordés, et que les rares candidats vraiment représentatifs d'Octobre placés en queue de liste, sont automatiquement éliminés du nouveau Parlement.

Le sens de tout cela, le résultat objectif inéluctable, voulu ou non : restaurer l'autorité incontestée de l'Etat et du parti sur la société. Une certaine dose de liberté, strictement contrôlée, peut se concilier avec cette restauration – mais non la liberté ; certaines concessions à la tendance gestionnaire des ouvriers peuvent faciliter la situation dans les usines (et d'ailleurs, pour l'instant on ne peut pas s'y opposer) – à condition que la direction centrale de l'économie reste sans conteste entre les mains du parti.

L'évolution est d'une rapidité surprenante – surtout lorsqu'on pense que le régime est obligé de louvoyer au milieu d'un système de forces contraires d'une complexité extraordinaire. Et il est impossible, en considérant le gomulkisme, de ne pas se rappeler le terme « bonapartisme », au sens que Trotsky lui avait donné. En vérité, si jamais il a existé un « bonapartisme »   c'est bien celui-là. Gomulka repose sur un équilibre de forces contraires situées à tous les niveaux : entre le Kremlin et la nation polonaise ; entre le prolétariat et le reste de

la société ; entre la « gauche » du parti et ses
éléments staliniens. Toutes les couches de la société
polonaise, Washington comme Moscou, le
soutiennent – chacun pour des raisons qui
s'opposent à celles de tous les autres.

Mais précisément, le « bonapartisme » est un état
passager des rapports des forces politiques, il n'est
pas une définition d'un régime social. L'erreur de
Trotsky, parlant du « bonapartisme » de Staline, était
de ne pas voir qu'un bonapartisme qui dure cesse
d'être du bonapartisme. Un régime, quels que soient
les rapports de force qui ont permis son instauration,
ne peut durer que s'il exprime en fin de compte
la structure réelle de sa société. Dans une société
bourgeoise, le pouvoir « bonapartiste » deviendra
rapidement l'expression des intérêts des couches les
plus décisives de capitalistes : ce fut le cas de
Napoléon III. Si la production est « nationalisée »,
le pouvoir trouve la voie de son évolution toute
tracée devant lui : il faut bien que quelqu'un dirige
la production, l'administration, l'Armée. Un
dirigeant qui n'est pas inamovible n'est pas un
dirigeant. Une couche de dirigeants inamovibles, c'est
la bureaucratie.

Il est utile de discuter brièvement les arguments
mis en avant de divers côtés pour « justifier » le
gomulkisme ou pour soutenir qu'il existe toujours
des possibilités d'évolution pacifique du régime vers
le socialisme.

On dit : les privilèges de la bureaucratie en
matière de revenus ont été abolis, et ils n'ont pas
été restaurés. Mais la bureaucratie, comme toute
couche dominante, ne se définit pas par sa situation
privilégiée dans la *consommation* ; elle se définit par
sa place dans les *rapports de production,* par les
fonctions de *gestion* et de *direction* qu'elle exerce
dans l'économie, l'État et la vie sociale en général.
Longtemps avant qu'elle ne jouisse de privilèges
de revenu qui vaillent la peine d'en parler, la
bureaucratie russe émergeait comme couche
monopolisant les fonctions de direction ; la « troï-
ka » dans la direction des usines, la « soumission
indiscutée à une seule volonté », au
« commandement individuel » dans la production, sur
laquelle insistait tellement Lénine, ont même précédé
la domestication des Soviets et la suppression de
la démocratie dans le parti bolchevique. Certes, à
la longue, les deux aspects sont inséparables, et
une couche ayant consolidé son pouvoir s'octroiera
également des privilèges en matière de
consommation. Mais c'est une grave erreur,
théorique et politique, que de croire trouver l'origine
du processus de bureaucratisation dans ces privilèges.
Ceux-ci peuvent d'ailleurs rester par la suite
extrêmement limités. Les capitalistes anglais payent,
en théorie *et* en pratique, 19 shillings à la livre –
soit 95 % – d'impôt sur la fraction de leur revenu
personnel dépassant 6.000 livres par an, soit 500.000
francs par mois. Les capitalistes français payent
beaucoup moins en théorie et presque rien en
pratique. Entre les deux systèmes, lequel est le plus

proche du véritable esprit du capitalisme, le plus solide en tant que capitalisme ? Incontestablement, le système anglais.

On dit : le système se démocratise, les gens parlent et écrivent librement – ou presque. Le témoignage de Claude Lefort, les nouvelles que publient chaque semaine les journaux montrent que c'est là une image fausse : la parole parlée est libre, la parole écrite l'est de moins en moins ; le contrôle de fait du Parti sur la vie politique demeure, et s'affirme chaque jour davantage. Mais, indépendamment des faits, le principe d'une telle argumentation est faux. Il revient à confondre les formes politiques d'une domination et le fait de la domination lui-même. D'Hitler aux démocraties scandinaves, en passant par Guy Mollet, l'essence des régimes capitalistes ne change pas. Il est vrai que dans une société capitaliste privée, la position de la classe exploiteuse est incomparablement plus « indépendante » des formes du pouvoir ou du système de gouvernement que dans une société capitaliste bureaucratique. Le grand capital peut gouverner aussi bien par l'intermédiaire d'un dictateur que d'un gouvernement parlementaire issu du suffrage universel. La gamme est beaucoup plus limitée pour la bureaucratie. Il ne faut cependant pas croire qu'elle est inexistante. Les régimes bureaucratiques viennent d'apparaître sur la scène de l'histoire. Il serait faux de les confondre avec les formes et les méthodes du totalitarisme stalinien. Khrouchtchev n'est déjà plus Staline ; il y a une variante chinoise,

comme une variante yougoslave des formes
politiques et économiques de domination de la
bureaucratie. Nous assistons à la naissance d'une
variante polonaise. Mais il ne s'agit que de variantes.
Les régimes sont fondamentalement identiques du
point de vue économique ; ils le sont *aussi* du point
de vue politique. Leur dénominateur commun n'est
pas difficile à trouver : c'est le monopole de fait
du pouvoir exercé par le Parti. Et l'évolution
présente du régime polonais s'éclaire si on la
considère sous cet angle : tout vise, tout concourt
à rétablir l'autorité incontestée du Parti. Si un
véritable parlementarisme, comportant la liberté de
constitution d'organisations politiques et leur
alternance au gouvernement, reste inconcevable dans
un régime bureaucratique, un pseudo-parlementarisme peut très bien au contraire servir les nécessités
de la « démocratisation ». Pseudo-parlementarisme
car, comme viennent de le montrer les élections
polonaises, c'est le Parlement qui doit en fin
de compte se modeler à l'image du gouvernement,
qui reçoit en fait son autorité du parti dominant
au lieu de la lui donner.

On oppose à cela la tendance, exprimée dans les
discours officiels et dans certains actes, à distinguer
le Parti de l'Etat, comme aussi à réintroduire une
séparation des pouvoirs, et une multiplication des
instances de décision. On s'acheminerait ainsi, nous
dit-on, vers un partage des pouvoirs effectifs entre
un Parlement, un Gouvernement, le parti et des
institutions représentant les producteurs – les

Conseils d'usine, par exemple. Mais si la confusion du Parti et de l'Etat, du législatif et de l'exécutif, de l'économique et du politique, est un trait du totalitarisme, sa suppression ne signifie nullement une avance vers le socialisme. Le socialisme est *lui aussi* une confusion des pouvoirs, plus exactement une réunification des instances de direction de la vie sociale sous tous ses aspects. Un Soviet ou un Conseil est à la fois un organe de délibération, de décision et d'exécution. Une séparation entre un « législatif » et un « exécutif » est inconcevable sous un régime socialiste. Il ne faut pas confondre l'avance vers le communisme avec le retour à Montesquieu. Ajouter une dose de crétinisme parlementaire à l'arbitraire bureaucratique n'est ni une régression, ni une progression ; c'est une autre façon de battre les œufs pour servir la même omelette.

Y a-t-il d'ailleurs vraiment retour à Montesquieu ? Encore une fois, il ne faut pas confondre le droit et le fait, les discours et la réalité. Il n'y a pas de gouvernement parlementaire en Pologne, il n'est pas question que Gomulka soit renversé par la Diète ou qu'il y ait changement des partis au pouvoir. Le Parti reste inamovible. Il essaie de donner un peu de vie à certaines institutions – jusqu'ici purement décoratives – pour arriver à faire fonctionner la société. Car la signification de la crise de la bureaucratie polonaise, qui a culminé en 1956 en une décomposition profonde de toute la vie du pays, était précisément celle-ci : la domination du Parti empêchait littéralement le fonctionnement de la vie sociale. De leur côté, les ouvriers essaient eux aussi de redonner vie à certaines institutions – cela semble être en partie le cas des syndicats – et tendent à en créer des nouvelles – les Conseils d'usine. Les deux courants peuvent se regrouper pendant une période qui n'est pas encore finie : la période de « la nation derrière Gomulka ». Mais au fur et à mesure que leurs objectifs divergents s'affirmeront, les deux courants se sépareront. Le Parti montre déjà clairement qu'il admet qu'une institution quelconque prenne vie *seulement* dans la mesure stricte où lui, Parti, la contrôle. Cette attitude est profondément contradictoire – mais elle est tout aussi profondément réelle, elle correspond à l'essence même de la bureaucratie. Les masses, d'un autre côté, ne s'intéresseront finalement aux institutions – que ce soit le Parlement, les syndicats ou les Conseils d'usine – que dans la mesure où elles peuvent y exprimer véritablement leur point de vue, leurs aspirations, leur vie ; dans la mesure où elles peuvent effectivement en faire quelque chose et s'en servir ; c'est-à-dire, dans la mesure où ces institutions échappent précisément au contrôle du Parti. La solution de cette contradiction, à moins d'une autre explosion révolutionnaire, ne peut se faire que d'une seule façon : un nouveau dessèchement des institutions, leur abandon par les masses, leur chute à nouveau au sort d'éléments décoratifs, ou, au mieux, d'instruments claudicants du pouvoir du Parti. C'est là par excellence le type d'évolution qui peut se réaliser à froid, par l'agglomération à nouveau de toutes les parcelles

de pouvoir et d'initiative autour du Parti et à travers
la spirale de la passivité à laquelle sera alors vouée
la population : échec des activités et des initiatives
auxquelles le Parti n'entend pas donner libre cours,
– d'où découragement – d'où moins d'activité et
d'initiative – d'où nécessité « objective » croissante
que la couche de dirigeants pousse, mène, se démène
et domine – d'où retour pur et simple de la
population à la « vie privée » – et ainsi de suite.
Que la société polonaise parcoure à nouveau cette
spirale jusqu'au point de rupture, ou qu'elle
parvienne à se stabiliser à un point intermédiaire
quelconque est relativement secondaire. Du moment
que la société est dépossédée de la direction de
ses activités et que celle-ci appartient à un corps
spécifique, le Parti, les institutions officielles sont
vouées à cette pétrification qui fait que la vie réelle
se déroule à côté d'elles et qu'elles ne peuvent jamais
la saisir qu'imparfaitement. La distance entre les
institutions officielles et la vie sociale réelle est
bien entendu variable d'un cas à l'autre – mais
ce qui caractérise la crise des sociétés d'exploitation
contemporaines est l'inadéquation essentielle du
contrôle que celles-là peuvent exercer sur celle-ci.

Mais le parti lui-même, un parti « rénové »,
« réformé », ne pourrait-il pas être cette institution
qui exprime véritablement la vie de la société –
ou le pouvoir de la classe ouvrière – non pas de
façon indirecte et « en dernière analyse », mais
immédiatement et organiquement ? Non. Le parti,

tout d'abord, est une petite minorité – et ne peut que l'être. Il ne fournit pas le cadre dans lequel pourraient se dérouler les activités sociales et politiques de la grande majorité de la population. S'il s'ouvrait à celle-ci, ce serait une autre affaire, mais aussi bien il ne s'agirait plus d'un « parti », ni pour la forme, ni pour le fond. Ensuite et surtout, par sa nature même, le parti est séparé de ce qui forme l'essentiel de l'activité des hommes – de la production. Le parti comme tel représente une « sélection » qui ne découle pas de la production elle-même, et ne s'articule pas sur celle-ci. En tant que parti, il ne peut saisir l'activité productive des hommes que de façon abstraite, de l'extérieur. Si nous affirmons depuis des années que le parti – et nous parlons ici d'un parti révolutionnaire, non bureaucratique – ne peut pas être, dans une société socialiste, un organe de gouvernement et une instance de pouvoir, ce n'est pas pour des raisons de prévention antibureaucratique, par exemple pour éviter que le parti ne développe une tendance à confondre le pouvoir ouvrier avec le sien propre, donc à éliminer ou à réduire à un rôle inoffensif d'autres courants ouvriers, et en fin de compte à dominer complètement la vie des Soviets ou des Conseils. Certes, l'idée du parti au pouvoir implique presque automatiquement une structure antidémocratique. Mais l'aspect le plus profond de la question n'est pas là. Le socialisme n'est pas simplement le pouvoir *politique* des Soviets ou des Conseils – il est tout autant, indissociablement, *gestion ouvrière* de la production à tous les niveaux.

351

Le socialisme est tout d'abord une autre manière d'organiser la production – les rapports vivants des hommes au travail, non pas seulement les chiffons de papier concernant la propriété des usines. Or le parti comme tel n'a pas de rapport avec la production. Si le parti est dominant, il ne peut que tendre à diriger la production de l'extérieur, en utilisant l'appareil de direction des usines légué par le régime précédent ou en en créant un nouveau. Le premier résultat sera un gaspillage terrible ; le deuxième, le conflit avec les producteurs et le retrait de ceux-ci ; le troisième, la nécessité « objective » d'une bureaucratie dirigeante, une fois qu'on aura « prouvé » par ses propres actes que les ouvriers ne peuvent ni ne veulent organiser la production, en les empêchant de le faire.

On dit aussi : l'« acquis » d'Octobre du point de vue de la clarification des consciences et de la critique de la bureaucratie est immense, l'idéologie bureaucratique a été pulvérisée, il est inconcevable que l'ancien état de choses puisse être restauré. Mais il ne s'agit pas de restauration pure et simple de l'ancien état de choses et il est certain que celui-ci ne reviendra jamais avec le même visage. Et après ? Le régime se gardera bien de heurter de front la conscience des gens, et pourra laisser aux intellectuels une certaine latitude de s'exprimer pourvu qu'ils restent en marge de la vie économique et politique réelle, qu'ils n'établissent pas de contact avec les ouvriers. L'idéologie est la source de toute force

– et de toute mystification. « ...En U.R.S.S., l'exploitation des ouvriers n'est pas abolie, car les ouvriers n'y dirigent point la production, et ne sont que des salariés mal rétribués ; ils n'ont pas leur part dans la répartition du surplus du travail, qui est en entier raflé par la bureaucratie d'Etat, sous forme d'énormes appointements et récompenses. Cette pratique montre qu'il y a là-bas fort peu de formes socialistes dans l'économie, et que les formes de capitalisme d'Etat s'y développent rapidement, revêtant de plus en plus l'aspect monstrueux d'un système bureaucratique de capitalisme d'Etat. » « L'État bureaucratique (russe) dans cette appropriation du sur-travail, a une position monopoliste absolue, à la différence des pays capitalistes où le monopolisme, qu'il soit privé ou d'Etat, est certes fort et tend de plus en plus à un capitalisme étatique total, mais où il n'a pas encore atteint concrètement ce but immanent, tandis que la contre-révolution bureaucratique soviétique l'a d'ores et déjà pleinement atteint. » D'où viennent ces citations ? Non pas d'un vieux numéro de *Socialisme ou Barbarie* – mais des rapports de Tito et de Kidritch au VIe Congrès du P.C. yougoslave de novembre 1952 (publiés dans le numéro 15 des *Questions actuelles du socialisme,* pp. 30 et 200). Cette analyse correcte et la dénonciation extrêmement violente du régime russe en tant que régime d'exploitation qui l'accompagne, empêchent-elles le régime de Tito d'être lui-même une variante du capitalisme bureaucratique ?

En Pologne, l'analyse et la critique de la

bureaucratie n'ont pas été menées par les hauts dignitaires du régime à l'égard d'une bureaucratie extérieure, mais par la majorité des intellectuels du parti à l'égard de la bureaucratie polonaise elle-même. Elles ont en conséquence un tout autre caractère. Mais ce fait, s'il trace des limites au gomulkisme, s'il lui impose des traits foncièrement différents de ceux du titisme, s'il permet d'espérer le maintien envers et contre tout d'un courant oppositionnel révolutionnaire en Pologne, ne saurait en lui-même modifier la dynamique fondamentale du régime. Celui-ci tend dès maintenant, d'ailleurs, à développer une idéologie qui lui corresponde. La base en est la fameuse « raison d'Etat », dont Claude Lefort met en lumière le mode d'opération ; le vêtement, la « voie polonaise vers le socialisme ».

Et c'est ainsi que, en Pologne aussi bien qu'en France, on glisse alors des arguments tendant à présenter le gomulkisme comme un socialisme à ceux qui veulent montrer qu'il est la seule politique actuellement réalisable. « C'est tout ce qu'on faire dans les conditions présentes. » « Il ne faut pas demander l'impossible. » « La pression russe empêche le développement révolutionnaire. »

On pourrait discuter ces affirmations sur leur propre terrain. Le chantage des Russes est une chose – leur intervention militaire réelle en est une autre. Que la bureaucratie du Kremlin aurait tous les motifs et tout le désir d'écraser une révolution en Pologne, comme elle l'a fait en Hongrie, c'est

clair. Oserait-elle à nouveau ? Aurait-elle osé, début
novembre, intervenir à Varsovie en même temps
qu'à Budapest ? Qui peut l'affirmer ? Qui peut oser
dire qu'un soulèvement polonais simultané à la
révolution hongroise n'aurait pas été le facteur qui
aurait transformé les doutes de la population russe
en explosion, ou qui aurait mis un *moins* au lieu
d'un *plus* devant le bilan des avantages et des risques,
des pour et des contre, qui a conduit le Kremlin
à écraser la Hongrie ? Et actuellement, la situation
d'une Pologne de presque trente millions d'habitants,
au gouvernement « reconnu » par les Russes, est-elle
la même que la situation de la Hongrie à la veille
du 4 novembre ?

Il y a plus. La politique révolutionnaire n'est pas
l'art du possible. L'art du possible, c'est la politique
de Mendès France et de Guy Mollet. La politique
révolutionnaire est créatrice de possible. Elle ne peut
créer n'importe quoi – et de ce point de vue,
l'appréciation rigoureuse de tout ce qui peut être
apprécié dans la situation en forme la base
indispensable. Le problème apparaît alors
simplement déplacé. Mais ce déplacement est
essentiel. C'est la différence entre une pratique
« contemplative », basée sur le calcul rationnel des
chances – qui est la pratique capitaliste et
bureaucratique, pour laquelle les relations essentielles
du monde sont données *a priori* – et une pratique
révolutionnaire, qui ne peut exister que parce que
ses propres manifestations bouleversent les conditions dans
lesquelles elles étaient placées au départ. Ce
bouleversement signifie concrètement qu'une

pratique révolutionnaire a la possibilité, par la force de ses idées et de son exemple, de déclencher l'entrée en action des exploités dans son propre pays et dans les autres. La Commune de 1871, la révolution russe de 1917, la révolution hongroise de 1956 étaient des « absurdités » du point de vue du calcul rationnel des chances. Ce sont cependant ces absurdités, et non l'activité des compagnies d'assurances, qui ont donné sa figure au monde qui nous entoure.

Le gomulkisme, nous dit-on, est inévitable si l'on veut s'épargner une intervention russe, qu'une politique plus révolutionnaire risquerait de déclencher. Mais qu'est-ce que cela signifie ? Qu'est-ce qui, dans la situation polonaise, est intolérable, pour la bureaucratie russe ? L'indépendance nationale, plus ou moins relative ? Mais celle-là, Gomulka n'est pas disposé à la sacrifier – c'est précisément pour *ne pas* la sacrifier qu'il se dit obligé de faire ce qu'il a fait par ailleurs. C'est du contenu social révolutionnaire du régime qu'il s'agit. C'est ce contenu qui inquiète au plus haut point Khrouchtchev. Voici donc le raisonnement ; cette politique est révolutionnaire, qui supprime elle-même graduellement ce qu'il peut y avoir de révolutionnaire en Pologne, pour éviter que quelqu'un d'autre ne le fasse brutalement.

L'évitera-t-elle jusqu'à la fin ? De quels moyens dispose une politique polonaise pour empêcher une intervention russe ? Il y a deux voies. L'une consiste à supprimer en Pologne même tous les motifs que pourrait avoir la Russie pour intervenir. Ce n'est là qu'une façon déguisée de *réaliser* l'intervention russe. Khrouchtchev ne tient pas absolument à ce que les censeurs de la presse en Varsovie soient russes – ou même « nataliniens »; il lui suffit qu'on censure ce qu'il n'aime pas. Le censeur supprime telle phrase ou tel article « pour éviter l'intervention russe » – et ce faisant il est lui même cette intervention, il est Molotov habillé en polonais. On ne veut pas que Varsovie se transforme en un second Budapest de novembre 1956 – c'est pourquoi on la transforme insensiblement en un second Budapest de mars 57. Empêche-t-on même ainsi qu'à la fin, une intervention russe se produise quand même et malgré tout ? Une intervention qui n'aura pas besoin de prendre une forme militaire, et dont l'atout principal pourra alors être le découragement et l'apathie de la population créés par le gomulkisme lui-même ?

L'autre voie consisterait à mobiliser les seules forces sur lesquelles peut compter un pouvoir révolutionnaire : l'énergie et la conscience de la population travailleuse, sa cohésion, son intégration à des institutions qui sont sa vie même, – et la solidarité des travailleurs des autres pays, qui dépend *aussi* de ce qui se fait en Pologne, de la clarté et du contenu de classe de la transformation sociale qui y a lieu. On ne peut sauver la révolution polonaise que par des moyens révolutionnaires. Ce que la « raison d'Etat » peut sauver, c'est l'Etat, séparé des masses, – non pas la révolution, mais la contre-révolution.

On dit : il ne faut pas juger la situation polonaise à partir de principes, le gomulkisme est une politique empirique qui essaie de naviguer parmi des récifs sans nombre. Mais si on ne peut juger le gomulkisme à partir de principes, on peut encore moins essayer de le justifier : il n'y a de justification qu'au nom et à partir de certains principes. Et il n'y a pas, il n'y a jamais eu et il n'y aura jamais de politique véritablement empirique. L'empirisme, c'est une illusion subjective. Il a des politiques qui assument leur logique et il y en a qui se laissent assumer par elle, c'est tout. On peut prétendre agir au jour le jour, on ne peut empêcher les jours de se suivre et de s'ajouter. Refuser d'envisager les conséquences de ses actes et d'en élaborer la signification ne supprime pas les premières ni n'altère la seconde.

L'ensemble de ces arguments revient à l'illogisme suivant, que la défense du stalinisme par les « progressistes » de tout poil a rendu classique depuis une trentaine d'années : le gomulkisme est une politique révolutionnaire, *parce qu'*une politique révolutionnaire est actuellement impossible en Pologne. La conclusion est absurde ; la prémisse pourrait être vraie. Mais s'il en était ainsi, pourquoi discuter ? Il ne resterait alors à chacun que de choisir sa place, de ce côté ou de l'autre du pouvoir, qui, d'après l'argument lui-même *doit* se transformer en pouvoir d'exploitation. Rester dans le parti polonais ou le quitter, avoir telle ou telle attitude sur telle ou telle question, – ce sont là des problèmes que seuls les révolutionnaires polonais peuvent résoudre. Mais avoir et propager des illusions sur la nature de ce parti, sa fonction et son avenir – cela serait la catastrophe pour les Polonais et pour tous les autres.

Si même un *pouvoir* révolutionnaire était actuellement impossible en Pologne, cela ne signifierait nullement qu'une *politique* révolutionnaire le serait aussi. La gauche révolutionnaire, qu'elle se trouve dans le parti polonais ou en dehors de celui-ci, se trouve devant des tâches immenses. Elle a à clarifier et à systématiser ses idées ; elle a à les diffuser sous toutes les formes dont elle peut disposer ; elle a à s'organiser ; elle a à se lier avec le mouvement des usines. Elle a en somme à préparer l'avenir. Cet avenir peut surgir dès demain. La crise profonde du monde bureaucratique, comme du monde occidental, peut transformer d'ici peu de temps les conditions d'action des révolutionnaires polonais. Des possibilités infinies se trouvent devant eux – non pas dans quelques générations, mais peut-être dans quelques années.

La première condition pour qu'ils puissent se placer à la hauteur du rôle historique qui pourra être le leur, c'est qu'ils surmontent toute illusion relative au gomulkisme. C'est qu'ils comprennent qu'il n'y a pas de régime « progressif » autre que le socialisme comme pouvoir ouvrier. C'est qu'ils voient qu'entre le pouvoir des Conseils et l'exploitation il n'y a pas de moyen terme.

Les Conseils d'usine

Ce qui montre qu'une politique révolutionnaire en Pologne actuellement est loin d'être une utopie, c'est le mouvement des Conseils d'usine. Ceux-ci tendent à se multiplier, à se fédérer par industrie, à élargir leurs pouvoirs au sein des entreprises. Leur nature, aussi bien que leurs rapports avec l'Etat et la direction officielle de l'économie posent de nombreux problèmes, qu'il est nécessaire d'évoquer brièvement.

Tout d'abord, les Conseils résultent bien d'un mouvement propre des ouvriers – commencé, semble-t-il, déjà avant octobre – et se répandent actuellement par l'initiative des ouvriers. Ils sont loin d'être, comme les Conseils yougoslaves, des créations gouvernementales, sur lesquels le Parti a la haute main.

D'autre part, la signification profonde de ce mouvement ne vient pas de son caractère « politique » ; le mouvement des Conseils polonais se situe seulement sur un plan économique. Son sens politique reste pour l'instant implicite.

Quel est le rôle que se proposent les Conseils polonais ? Depuis quelque temps, on parle à tort et à travers de tous les côtés de gestion ouvrière et l'on applique ce terme aux Conseils d'usine polonais. D'après ce que l'on sait, les Conseils polonais n'exercent pas la gestion des usines. Leur fonction véritable se rapproche beaucoup plus de ce que Trotsky entendait par « contrôle ouvrier ». L'appareil de gestion ou de direction des usines n'est

pas aboli et remplacé par des délégués ouvriers et
par des assemblées ouvrières. Il reste en place
et continue à diriger l'activité courante de l'usine.
La nomination du directeur est dans certains cas
soumise à la ratification du Conseil – mais pas
toujours. Le Plenum du Conseil ne se réunit
d'ailleurs (à Zéran tout au moins, l'usine la plus
avancée à ce point de vue) qu'une fois par mois :
il est clair qu'il peut superviser, mais non pas
diriger effectivement l'usine. Les rapports des
pouvoirs respectifs de la direction et du Conseil
semblent assez mal définis. Encore moins définis sont
les rapports des Conseils et de la direction centrale
de l'économie. Les statuts des Conseils affirment
souvent que le Conseil « émet son avis » sur le Plan
ou « vote » le plan annuel ou « le corrige » (voir
l'article d'Edgar Morin dans *la Vérité* du 15 février)
(c), mais il est clair que cela laisse entièrement en
suspens le problème des relations de l'usine avec
le « plan » et donc avec le reste de l'économie. En
revanche, à Zéran par exemple, le Conseil semble
avoir procédé à une réorganisation de l'usine et à
une restructuration de la masse des salaires dont
dispose l'entreprise.

Dans l'atmosphère ·actuelle de la Pologne, le
pouvoir *de fait* des Conseils dans chaque usine doit
être important – mais on en aperçoit clairement les
limites. D'abord, ce pouvoir est un pouvoir de
contrôle, non de direction ; les tâches effectives
de direction restent entre les mains d'un appareil
spécifique. Ensuite, ce pouvoir s'arrête aux murs de
l'usine ; or, l'essentiel de ce qui se passe *dans* l'usine

361

– objectifs de production, moyens fournis, salaires – est déterminé par ce qui se passe *hors* de l'usine. Ce sont là les tâches de direction centrale de l'économie – et la bureaucratie n'est pas disposée à laisser les Conseils empiéter sur ce domaine. Il semble que le parti, écrit E. Morin, a opposé son veto à la constitution de fédérations de Conseils et même à la publication d'un bulletin de liaison entre les Conseils. Cela ne se comprend que trop facilement : la bureaucratie doit à tout prix conserver les tâches de coordination et de direction centrale – autrement, c'est sa fin.

On arrive ainsi au nœud de la question. Ce qui s'esquisse actuellement en Pologne, c'est une situation de double pouvoir sur le plan économique. Une partie du pouvoir dans les usines appartient en fait – quoi que puissent dire les statuts – aux Conseils émanant des ouvriers. Ceux-ci, dans la mesure où des conflits ou des frictions avec la direction surgissent, ne peuvent que tendre à limiter le rôle de celle-ci ou à se la surbordonner. Mais surtout, ils ne peuvent que vouloir étendre leur pouvoir au-delà de leur usine, puisque aussi bien leur rôle *dans* l'usine risque de devenir illusoire s'il se limite *à* l'usine. Déjà, à l'encontre des directives officielles, ils tendent à se fédérer, verticalement et horizontalement ; et, d'après E. Morin, « les activistes des conseils sont unanimes à penser que les Conseils périront par asphyxie s'ils demeurent isolés et cantonnés au stade expérimental » (d'après la ligne officielle, les Conseils sont « des expériences intéressantes »). Cette tendance à la fédération signifie que les ouvriers veulent remplacer par l'activité coordinatrice vivante des producteurs eux-mêmes la coordination extérieurement imposée par le « plan » bureaucratique, qu'ils visent un plan de production émanant des producteurs et non la subordination des producteurs à un plan défini par la bureaucratie. Par là même l'existence et l'extension du mouvement des Conseils, en tant que mouvement économique, pose une foule de problèmes politiques – en fait, les problèmes politiques les plus importants, à commencer par celui-ci : qui est le maître de l'économie ?

Les Conseils donc, malgré toutes leurs limitations, sont porteurs d'une dynamique révolutionnaire. Cela est très bien compris par la bureaucratie du parti et de l'Etat – qui s'y oppose et essaie de limiter le mouvement dans toute la mesure du possible. Pour elle, le processus doit se dérouler en sens contraire : affirmer l'autorité de la direction centrale de l'économie, rétablir le pouvoir de l'appareil de direction dans chaque usine, – au besoin, au prix de quelques concessions aux Conseils, nécessaires pour maintenir la paix. L'idéal, ce serait de parvenir à faire des Conseils, sous une forme ou une autre, un rouage du mécanisme de direction des usines particulières visant à maintenir les ouvriers dans le calme et à augmenter la productivité. Son avantage, dans cette lutte, est l'avantage de toujours de ceux qui sont au pouvoir : les Conseils ne peuvent battre la bureaucratie que dans une lutte ouverte, la bureaucratie peut réduire les Conseils par l'usure, la lassitude de la base et la corruption des sommets.

La liaison avec le mouvement des Conseils, la lutte pour son extension et sa généralisation, la clarification des problèmes généraux de gestion de l'économie, la démonstration pratique de l'incapacité de la bureaucratie à planifier, sont les premières tâches de la gauche révolutionnaire polonaise. Celle-ci ne doit pas se borner à approuver le principe du mouvement ; son avenir dépendra de sa capacité de trouver des formes de liaison organiques avec le mouvement des Conseils d'usine.

La révolution et l'appareil du Parti bureaucratique

Le grand enseignement de la Commune, tel que Marx l'a formulé dès le lendemain de sa défaite, a été que le prolétariat lors de sa révolution ne peut utiliser pour ses fins la machine de l'Etat existante, qu'il doit la briser et la remplacer, dans la mesure ou un « Etat » reste nécessaire, par son propre « Etat », qui n'en est déjà plus un dans la mesure où il n'est rien d'autre que « l'organisation des masses armées ».

Que devient cette idée dans le cas d'une révolution prolétarienne contre un régime de capitalisme bureaucratique ? Que signifie, dans les conditions de domination de la bureaucratie, « briser l'appareil d'Etat » ?

Le trait déterminant, du point de vue politique, de la société bureaucratique, c'est la *fusion de la*

classe dominante, de son parti, et de l'Etat. Le parti
« communiste » n'est pas à la bureaucratie russe ce
que le parti républicain, le parti conservateur, ou
les « modérés et indépendants » sont aux capitalistes
américains, anglais ou français. D'un certain point
de vue, le parti « communiste » *est* cette bureaucratie
elle-même. De même, la relation du parti à l'Etat
n'a pas de rapport avec cette même relation dans
le cas d'une démocratie capitaliste (mais le
totalitarisme nazi ou fasciste réalise déjà une relation
analogue dans une société capitaliste privée) ; dans
celle-là, l'appareil d'Etat est dans une large mesure
indépendant du Gouvernement, et seul ce dernier
est entre les mains des partis. La division entre
Parlement, gouvernement et administration
correspond à une réalité. Mais en Russie, le parti
n'est pas *au* pouvoir ; il est *le* pouvoir.

Bien entendu, classe bureaucratique et parti, État
et parti, ne se recouvrent pas intégralement, des
différences et des stratifications subsistent. Les
positions des bureaucrates dans la hiérarchie
économique ou dans la hiérarchie administrative ne
coïncident pas forcément avec leurs positions dans
la hiérarchie du parti. Dirigeants « économiques »,
administrateurs, militaires et « dirigeants politiques »
forment des couches présentant entre elles une
certaine différenciation, pouvant se livrer à une
certaine concurrence autour du pouvoir. Mais de
cette différenciation et de cette concurrence émerge
à nouveau le parti, comme organisme unificateur
suprême et comme instance ultime de tout pouvoir
réel.

Dans ces conditions, « briser l'appareil d'Etat » signifie immédiatement et directement : *briser l'appareil du parti bureaucratique*. Et cette tâche est à son tour identique à l'expropriation de la classe dominante. La révolution russe devra inéluctablement commencer par la destruction de l'appareil du parti, de l'Etat et de la gestion bureaucratique de l'économie, – qui dans leur essence ne font qu'un et qui sont physiquement formés, à 10 % près, par les mêmes personnes.

C'est ce qu'a fait, comme on le sait, la révolution hongroise. La destruction de l'appareil d'Etat et du parti sont allées de pair – et la constitution de Conseils ouvriers, qui en est la contrepartie positive, a accompagné pas à pas, pour ainsi dire, cette destruction. Dans le bref laps de temps qui lui a été imparti, la révolution hongroise a été très loin dans les deux domaines.

Ces deux aspects : la destruction des institutions du pouvoir établi (État et parti) et la constitution de nouveaux organismes de pouvoir (les Conseils), sont inséparables. Dans la mesure où les anciennes instances de gestion et de coordination de la vie sociale s'effondrent sous les coups des masses, celles-ci tendent à les remplacer aussitôt – sont presque *obligées* de les remplacer aussitôt par de nouvelles, qu'elles façonnent elles-mêmes. Inversement, dès que de nouveaux organismes ont été constitués, ils entrent en conflit avec les appareils de domination existants. Et c'est, pour ainsi dire, « la même » conscience qui fait comprendre qu'il n'y a plus rien à attendre des anciennes institutions et pousse à les mettre en morceaux, – et qui incite les masses à créer les instruments de leur propre pouvoir.

En Pologne, les choses se sont passées autrement. La crise du régime a culminé dans les « journées d'octobre » ; pendant celles-ci, la mobilisation des masses, l'action de la fraction gauchiste du parti, le « tournant » d'une partie importante de l'appareil bureaucratique ont abouti à un changement de direction et d'orientation politique, personnifié par Gomulka. Le parti a subi des transformations profondes, qu'il serait stupide de nier : destruction de l'idéologie stalinienne, liberté d'expression, changement énorme de mentalité de la majorité des militants. La mobilisation des masses est également allée très loin : préparation à la lutte armée et constitution par endroits de comités ouvriers, constitution de comités de liaison entre ouvriers et étudiants. Mais *l'appareil du parti est resté en place – et des organismes de masse n'ont pas été créés.* Ici aussi, les deux choses sont allées de pair. Le parti « réformé » s'est chargé de « diriger la démocratisation » – les ouvriers n'ont pas créé les organismes de leur propre pouvoir. Pour utiliser la terminologie classique, l'Octobre polonais a bien été une révolution – mais une révolution politique, non une révolution sociale. Si l'on veut savoir ce que signifie une révolution politique sous le capitalisme bureaucratique, qu'on regarde les journées d'octobre 1956 à Varsovie.

L'appareil du parti et de l'Etat sont demeurés au

fond intacts – et ce fait a déterminé toute l'évolution
ultérieure. Dès ses premiers actes, Gomulka au
pouvoir a tendu vers un objectif essentiel : consolider
à nouveau l'autorité du parti et de l'Etat. Cette
consolidation, qui se déroule depuis bientôt six mois,
a sa propre logique qui n'a rien à voir avec celle
de la révolution.

Ne pas voir cela dès le départ, croire et laisser
croire un seul instant que le parti polonais aurait
pu suivre une autre voie, était une . erreur, une
illusion « réformiste » sur le compte des institutions
bureaucratiques. Expliquer les racines de cette erreur
peut aider à mieux s'en préserver dans l'avenir.

En Russie, la classe bureaucratique est entièrement
formée et cristallisée, sa séparation de la société
est aussi grande qu'elle peut l'être. Dans les
« démocraties populaires », la société évolue vers le
modèle russe – et, du point de vue de sa définition
est déjà incontestablement une société capitaliste
bureaucratique ; il n'empêche que la cristallisation
de la couche dominante est beaucoup moins avancée.
Son avènement au pouvoir est beaucoup plus
récent ; sa rupture avec les classes travailleuses,
beaucoup moins profonde ; les énormes difficultés
qu'elle rencontre pour édifier une économie
capitaliste bureaucratique rendent non seulement son
régime plus vulnérable, mais sa propre cohésion de
classe plus fragile ; l'oppression « nationale » que
subissent ces pays de la part de la Russie tend

toujours à opposer, au sein de la bureaucratie locale, un courant « titiste » à une clique de gauleiters – en même temps qu'elle suscite un rapprochement des couches inférieures de la bureaucratie avec le reste de la nation exploitée et opprimée. La composition du parti « communiste » reflète en général cette situation. La majorité de ses adhérents actuels sont venus à lui immédiatement après la guerre, dans la plupart des cas comme à un parti révolutionnaire, quelles qu'aient pu être leur confusion et leurs déformations. D'autres, plus vieux, sont loin d'avoir toujours été définitivement stalinisés. L'auto-épuration de la bureaucratie et du parti est restée très imparfaite ; il ne faut pas oublier que Staline a dû tuer ou déporter un dixième de la population russe pour consolider le pouvoir de la bureaucratie. Les dirigeants des « démocraties populaires » n'ont jamais pu voir aussi grand. Enfin l'ensemble du système, beaucoup plus inattaquable qu'un État bourgeois aussi longtemps que « ça marche », est beaucoup plus vulnérable devant un mouvement des masses dès que celui-ci est déclenché puisque toutes ses institutions, en théorie, « représentent » la classe ouvrière, et que le mécanisme de l'exploitation et de l'oppression est étalé au grand jour – pour ceux qui vivent sous le régime.

Tout cela fait que, dès que la mobilisation révolutionnaire des masses atteint un certain degré, la grande majorité des membres du parti communiste peuvent se trouver du côté de la révolution – luttant, les armes à la main, *contre* l'État et le parti qu'ils étaient eux-mêmes encore la veille.

Or, qu'est-ce qu'un Etat bureaucratique sans le parti « communiste » – et qu'est-ce le parti « communiste » sans ses militants ? Cette situation, presque inconcevable dans une société bourgeoise, s'est réalisée en Hongrie – et a failli se réaliser en Pologne.

Ne pouvait-on pas penser, alors, que ce parti, dont la majorité se situait sur le même terrain que les masses et dont celles-ci s'approchaient de nouveau, au sein duquel toutes les critiques explosaient, toutes les idées étaient remises en question, pouvait, sous la pression des masses, changer de caractère, devenir un des instruments de la révolution ? C'est ce que nous avons pensé – et c'est en quoi nous nous sommes trompés. L'expérience polonaise prouve que, même dans les conditions les plus favorables qu'on puisse imaginer, le parti bureaucratique reste le parti bureaucratique. Indépendamment de l'évolution que peuvent subir ses militants en tant qu'individus, sa structure, son programme, sa mentalité collective, la nature de ses rapports avec le prolétariat, en un mot sa dynamique la plus profonde le conduisent inévitablement à freiner et à mettre sous tutelle le mouvement des masses, à s'ériger lui-même en instance suprême de direction.

Quatre-vingt-dix-neuf virgule quatre-ving-dix-neuf pour cent des militants actuels des partis staliniens peuvent être récupérés par la révolution. Mais il n'y a pas, dans toutes les galaxies, un électron de chance pour que leur organisation comme telle le soit.

NOTES

(a) V. plus haut, p. 267 et suiv.

(b) *S. ou B.*, N° 21 (mars 1957), repris in Lefort, *Eléments...* p. 221 et suivantes.

(c) Reproduit in Edgar Morin, *Introduction à une politique de l'homme,* Paris , Le Seuil, 1965, p. 141-152.

(d) Il n'est pas sans intérêt d'exhumer ce qu'écrivait à l'époque E. Mandel (Germain) dans la *Quatrième Internationale*, N° de décembre 1956, dans un article intitulé « La révolution politique en Pologne et en Hongrie » (le terme « révolution politique » revient, symptôme compulsif, à tout propos et hors de propos dans cet article ; sa fonction étant évidemment de masquer le véritable contenu de la révolution hongroise comme révolution sociale) : « ... la puissance du mouvement est devenue irrésistible. La démocratie socialiste aura encore des batailles à livrer en Pologne. Mais la bataille principale, celle qui a permis à des millions de prolétaires *de s'identifier (!) à nouveau (!) avec l'Etat ouvrier (!)*, est déjà gagnée... » (p. 22). Et, plus loin : « La révolution politique qui ébranle depuis un mois la Hongrie a connu un déroulement plus spasmodique et plus inégal que la révolution politique en Pologne. Elle n'a pas, comme celle-ci, volé de victoire en victoire... C'est que, contrairement à ce qui s'est passé en Pologne, la révolution hongroise a été une explosion élémentaire et spontanée. L'interaction subtile (!) entre les facteurs objectifs et subjectifs, entre l'initiative des masses et la construction d'une direction nouvelle, entre la pression d'en bas *et la cristallisation d'une fraction d'opposition en haut, au sommet du parti communiste, interaction qui a rendu possible la victoire polonaise,* a fait défaut en Hongrie. » (p. 23 ; souligné par moi). Rarement la mèche trotskiste a été mieux vendue – et Dieu sait si elle l'a été souvent. Mandel voyait comme condition de la « victoire polonaise » ce qui a été précisément une des conditions de la défaite – à savoir, le fait qu'une « fraction d'opposition en haut, au sommet du parti communiste » a pu « interagir » si bien et si subtilement (le style, c'est l'homme) avec le mouvement des masses, qu'elle l'a finalement étouffé sans bruit. Et, tout à fait logiquement, ce qui a signé le caractère radical de la révolution hongroise : la pulvérisation du parti communiste, de haut en bas, en quelques jours, devient pour lui une marque d'infériorité. Il n'est pas besoin d'une interprétation très « subtile » pour déchiffrer dans ce passage l'essence du trotskisme comme fraction exilée de la bureaucratie : le mouvement des masses a pour fonction de permettre que se manifeste « en haut, au sommet du parti communiste » une fraction d'opposition, dont la victoire permettrait enfin aux trotskistes d'y retourner. Inutile d'ajouter que nous formulons les vœux les plus ardents pour que leur désir soit exaucé.

SUR LA DEGENERESCENCE
DE LA REVOLUTION RUSSE *

Il n'est pas possible de comprendre le processus de dégénérescence de la révolution russe si l'on n'a pas une idée claire de la situation à laquelle cette dégénérescence *a abouti* – autrement dit, une idée claire de la structure et de la nature de classe de la société russe actuelle.

Une opinion encore largement répandue voudrait que le régime russe présente des « défauts », des « écarts », des « distorsions » par rapport à l'idée

* *L'Ecole émancipée*, avril 1958.

d'une société socialiste qu'on se faisait traditionnellement dans le mouvement révolutionnaire, mais que néanmoins ce régime reste essentiellement socialiste dans sa structure, qu'il continue à représenter un « Etat ouvrier » – dégénéré, très dégénéré, monstrueusement dégénéré, ajoutera-t-on selon son tempérament. Ce caractère « socialiste » ou « ouvrier » de l'Etat russe découlerait, dit-on, de la suppression de la propriété privée, de la nationalisation des principaux moyens de production et de la planification de l'économie. Cette structure, aux yeux de ces camarades, n'exclut pas des distorsions qui expriment précisément la dégénérescence, et en particulier l'existence d'une couche sociale privilégiée et parasitaire (la bureaucratie russe) – mais elle exclut l'existence de classes sociales au sens vrai du terme et l'exploitation de la société par une classe dominante. La planification effectuée par la bureaucratie peut avoir des « défauts » et comporter un certain gaspillage – mais elle reste fondamentalement saine et incomparablement supérieure au marché anarchique du capitalisme.

Les événements de Pologne et la révolution hongroise de 1956 auraient dû réduire définitivement à néant cette conception. Soumis à un régime essentiellement identique au régime russe, les ouvriers hongrois ont combattu jusqu'à la mort contre cette caricature de socialisme, prouvant par la critique des armes qu'ils se sentaient soumis à une exploitation et une oppression qui n'exigeaient rien moins qu'une révolution totale pour être

abolies. Qualifier cette révolution de « politique »,
comme certains l'ont fait, en voulant signifier par
là qu'elle ne mettait pas en cause la structure de
la société, c'est jouer avec les mots. Les ouvriers
hongrois mettaient en avant un programme dont
les points essentiels : gestion des entreprises par
les travailleurs, abolition des normes de travail,
limitation extrême de la hiérarchie des revenus, rôle
prépondérant des Conseils de travailleurs dans tous
les domaines de la vie sociale, définissent une société
diamétralement opposée à la société des
« démocraties populaires » ou de la Russie ; une
société dans laquelle le pouvoir sur la production
et sur l'Etat appartient effectivement aux travailleurs
organisés dans les Conseils et non pas à la
bureaucratie. Et ce n'est pas un hasard si la
bureaucratie russe, se sentant mortellement menacée
par l'exemple de cette révolution, est intervenue à
deux reprises pour noyer dans le sang la révolution
socialiste des prolétaires hongrois.

Mais les idées ont la vie dure, les idées fausses
non moins que les autres, et il est indispensable
de résumer ici les grandes lignes d'une analyse
de la structure de la classe de la société russe,
analyse qui vaut également pour les « démocraties
populaires ».

La « nationalisation » et la « planification » en
elles-mêmes ne sont pas le socialisme, n'abolissent
pas les classes sociales, ne suppriment pas
l'exploitation. La nationalisation supprime la

propriété capitaliste *privée,* telle que nous la connaissions traditionnellement ; elle exclut donc l'existence d'une classe capitaliste privée ou de monopoles capitalistes comme ceux qui dominent les pays occidentaux. Mais la nationalisation laisse entièrement ouverte la question : qui domine, qui dirige, qui gère l'économie « nationalisée » – et qui est-ce qui en définitive, *en profite.* Ce qui détermine la structure de classe d'une société et la possibilité d'existence d'une classe exploiteuse ne sont pas les formes juridiques de la propriété, mais les rapports réels de production, la place effective que chacun a dans la production et la reproduction de la vie matérielle. Entre une société de libres petits propriétaires, artisans et fermiers et une société capitaliste il n'y a pas de différence dans le régime juridique de la propriété ; la différence dans leur structure de classe est la différence dans les rapports réels de production, exprimée par le fait que dans le premier cas le producteur *dispose* effectivement des moyens de production et dirige lui-même son travail tandis que dans le deuxième cas une classe sociale particulière dispose des moyens de production, dirige la production effective, réduit les producteurs en purs et simples exécutants et peut ainsi s'approprier une partie de la production. Ce n'est pas une loi, mais un processus de fait qui empêche le prolétaire dans la société capitaliste d'être propriétaire des moyens de production.

Or, il n'y a strictement aucune différence dans la situation réelle d'un ouvrier russe ou tchèque et d'un ouvrier français ou américain. Dans l'un comme dans l'autre cas, l'ouvrier est réduit à un rôle de simple exécutant. En aucun sens de ce terme, l'ouvrier russe ne dispose, individuellement ou collectivement, des moyens de production ; en aucun sens de ce terme, il ne dirige le processus de production ; en aucun sens, il ne participe à la gestion de la production de son entreprise, de l'économie, de l'Etat ou de la société. Ses tâches dans l'usine sont décidées, tout comme dans une usine française, par un appareil bureaucratique de direction de la production, formé par des agents de maîtrise, des techniciens et des administrateurs économiques, appareil sur lequel il n'a aucun contrôle, que d'autres que lui nomment, orientent et dirigent. Cet appareil ne peut diriger la production que de l'extérieur, sans aucune participation des travailleurs, en imposant des normes de travail constamment accrues (les textes du XXe Congrès du PCUS en témoignent) ; il ne peut essayer d'extorquer davantage de travail aux ouvriers que par l'appât de primes au rendement, ce qui montre définitivement que les ouvriers se savent complètement *étrangers* à la production et s'en désintéressent tout autant qu'en Occident.

Il y a donc division radicale de la société entre une masse de travailleurs réduits au rôle de simples exécutants, et une catégorie sociale, la bureaucratie, qui domine le processus de production dans chaque entreprise en appliquant des méthodes essentiellement identiques à celles de l'appareil de direction des entreprises capitalistes occidentales.

La bureaucratie dispose du travail des producteurs dans le cadre de l'entreprise ; elle dispose également des produits de ce travail à l'échelle de l'économie entière. Le producteur est exproprié de son activité, puisqu'il ne la dirige ni individuellement ni collectivement dans l'entreprise où il se trouve. Il l'est tout autant des fruits de son travail. C'est la bureaucratie qui décide de la répartition du produit social entre salaires ouvriers, revenus bureaucratiques et investissements. C'est la bureaucratie qui décide où, quand, comment, pour quoi faire une nouvelle usine sera construite ; quelles machines seront employées pour telle production ; à quoi sera affecté le produit.

Cette décision ne s'effectue pas, comme dans le capitalisme classique, par le « jeu aveugle des forces du marché » ; elle a lieu par le moyen de la « planification ». Mais la planification n'a en soi rien de spécifiquement socialiste ; elle n'est qu'un moyen de direction de l'économie, qui sera utilisé à telle fin ou à telle autre selon que c'est une couche sociale ayant des intérêts spécifiques qui planifie ou l'ensemble des travailleurs organisés. Le contenu social de la planification dépend de *qui* fait la planification – ce qui commande la réponse à la question : *au profit de qui est-elle faite ?*

Que ce soit la bureaucratie qui commande souverainement la planification n'a jamais été contesté, même pas par les staliniens. On a simplement prétendu que la bureaucratie planifiait dans les intérêts de la population – et que sa planification se justifiait par son efficacité. Mais l'idée que la bureaucratie planifiait dans les intérêts de la population n'a pas de sens, du point de vue sociologique. C'est à proprement parler une idée d'enfant de chœur. Tout comme la bourgeoise, quoique sous d'autres formes, elle assure un développement général de la production, au sein duquel ses propres intérêts priment. Etant donné la répartition des revenus existant en Russie, ce dernier résultat est presque automatique. La demande du bureaucrate, visant une villa, une voiture, un frigidaire, est « effective » ou solvable, car il peut payer. Celle de l'ouvrier, visant deux mètres carrés supplémentaires d'espace habitable ou une bicyclette, ne l'est pas ou l'est beaucoup moins. On fabriquera donc des voitures et des frigidaires longtemps avant que les besoins élémentaires des masses de la population ne soient satisfaits.

Quant à l'efficacité de la planification bureaucratique, elle est à proprement parler un mythe. Si la bureaucratie supprime le gaspillage des crises périodiques, elle en introduit un autre tout à fait comparable. Les textes hongrois et polonais publiés depuis deux ans – de même que ceux du XXᵉ Congrès, quoique bien entendu sous une forme voilée – constituent un réquisitoire terrible contre l'incapacité de la bureaucratie, son incurie, le gaspillage énorme qu'elle inflige par sa gestion à l'économie. Ce n'est là ni un « accident », ni une question de personnes : c'est tout le système qui est en cause, c'est l'incapacité constitutionnelle d'une couche d'exploiteurs séparés de la production, poursuivant leurs intérêts particuliers dans une lutte permanente de cliques et de clans les uns contre les autres, de diriger rationnellement la production. « Seules les masses », disait Lénine « peuvent vraiment planifier, car seules elles sont partout à la fois » – et, pouvons-nous ajouter, car seules elles n'ont pas des intérêts particuliers à faire prévaloir.

Une analyse marxiste montre donc, dans la société russe actuelle, une société de classe et d'exploitation dans laquelle la situation du prolétariat reste fondamentalement identique à ce qu'elle est sous le capitalisme privé, tandis que la classe dominante et exploiteuse n'est plus formée par les patrons privés mais par une bureaucratie comprenant les dirigeants des entreprises, de l'économie, de l'Armée, de l'Etat et de la culture. Cette bureaucratie n'est pas seulement une couche privilégiée quant aux revenus ; elle constitue bel et bien une classe qui comme telle (sous le couvert de la « nationalisation ») s'approprie les moyens de production et en dispose. Le bureaucrate individuel n'est certes pas assuré de sa position au sein de la classe dominante au point où l'est le capitaliste privé – bien que le régime tende de plus en plus à garantir les situations individuelles et leur transmission héréditaire (le fils de bureaucrate est assuré de le devenir aussi) et que ce soit là une des significations de la « déstalinisation ». Mais la bureaucratie comme collectivité est, en dehors d'une révolution, tout autant inamovible que la bourgeoisie. Trente années d'expérience, et la révolution hongroise, le démontrent.

Comment la société russe en est-elle arrivée là ? Comment la révolution d'Octobre 1917, qui visait incontestablement l'instauration d'un régime socialiste, s'est-elle graduellement écartée de ses buts pour produire finalement le résultat contraire ?

Il ne s'agit pas ici de décrire ni même de résumer l'évolution réelle qui a conduit dès les années 1920-1930, à la cristallisation de la bureaucratie comme couche dominante incontrôlée et inamovible. Les ouvrages de Trotsky, Victor Serge, Souvarine, Ciliga et tant d'autres montrent clairement le processus par lequel les bureaucrates du Parti, de l'Etat et de l'économie ont petit à petit à la fois réalisé leur unification et concentré tout le pouvoir entre leurs mains. Mais la discussion importante est celle qui essaie de répondre à cette question : quelles conditions ont permis à cette bureaucratie de se former d'abord, de s'assurer de tout le pouvoir ensuite ?

La réponse classique est celle formulée par Trotsky : pour lui, en somme, l'apparition de la bureaucratie est un « accident » historique – d'où son refus jusqu'à la fin de lui reconnaître le statut d'une classe sociale, – accident dû aux circonstances concrètes dans lesquelles s'est déroulée la révolution russe : l'arriération économique de la Russie, d'un côté, l'isolement de la révolution de l'autre, faisaient que le prolétariat russe, numériquement faible, noyé dans une énorme masse de paysans, ne pouvait pas conduire par des méthodes socialistes la construction et le développement de l'économie russe. Décimé

381

par la guerre civile, découragé par l'échec des révolutions européennes, il s'est peu à peu retiré de la scène politique, laissant aux gens en place, au parti et à la fraction bureaucratique au sein de celui-ci, la direction des affaires. Le reste a suivi avec une logique impitoyable. Dans une économie de pauvreté et de pénurie, la lutte de tous contre tous pour l'accaparemment des biens de consommation poussait tous ceux qui disposaient de la moindre parcelle de pouvoir à l'utiliser pour leur intérêt personnel et donc aussi à s'agripper au pouvoir, moyen de satisfaction des besoins.

On ne peut pas contester l'exactitude de cette description de Trotsky en tant que description concrète. C'est en effet ainsi que les choses se sont peu à peu déroulées. Mais la critique qu'on peut en faire est infiniment plus grave, parce que l'on peut dire que finalement le sens du processus qu'il décrit lui échappe. Cette analyse, tout d'abord ne nous apprend rien, ne nous sert à proprement parler, à rien. Quelle conclusion pratique peut-on en tirer ? Si la dégénérescence de la révolution russe et la contitution de la bureaucratie sont dues à des accidents, que faire d'autre que souhaiter que des pareils accidents ne se reproduisent plus ? Si la dégénérescence est due à l'arriération et l'isolement, qu'y pouvons-nous, qu'y peuvent les ouvriers de plus sinon espérer qu'une autre révolution aura lieu dans un pays avancé et connaîtra une extension internationale rapide ?

Mais en vérité, sont-ce là des accidents ?

Nullement. Ce qui est vital pour le mouvement révolutionnaire aujourd'hui, c'est de reconnaître que la bureaucratie n'est pas un accident, mais au contraire le produit organique du développement du capitalisme et de la concentration de la production. Ni la grande entreprise ne peut être et n'est désormais dirigée par un « patron privé », mais par un appareil bureaucratique de direction, ni l'économie d'une nation moderne n'est simplement régie par les « lois du marché », mais est de plus en plus dirigée par une bureaucratie à travers l'Etat. La suppression des patrons privés par une révolution prolétarienne laisse ouverte la question : qui dirigera désormais l'économie, les producteurs organisés, ou une nouvelle bureaucratie ? En ce sens, la dégénérescence de la révolution russe, favorisée sans doute par des facteurs spécifiques, a une portée absolument universelle. Il faut armer les travailleurs et les militants dans la conscience de ce fait : toute révolution socialiste court le risque d'une dégénérescence bureaucratique, contre laquelle il n'y a pas de « garanties objectives » incorporées dans le degré de développement économique ou l'extension internationale : la seule garantie repose dans la conscience des masses en lutte, dans la conscience du problème de la bureaucratie précisément.

Car en effet, et c'est là une deuxième erreur de Trotsky, en quel sens peut-on dire que « l'arriération » et « l'isolement » sont des accidents ou des circonstances particulières qui ne se reproduiront pas dans l'avenir ? La vérité est tout au contraire que *toute révolution a lieu dans un état « d'arriération »* et que *toute révolution commence comme révolution isolée.*

Si demain une révolution socialiste avait lieu dans un pays « développé » – en France, en Angleterre, aux Etats-Unis – qui oserait affirmer que toute possiblité de dégénérescence bureaucratique de cette révolution serait exclue ? Car finalement , que signifie le concept d'arriération et pourquoi l'introduit-on dans cette discussion ? L'argument de Trotsky dit en substance : aussi longtemps que la production ne peut pas satisfaire à tous les besoins, une lutte de tous contre tous pour l'accaparement des biens se développe, qui conduit à une scission de la société entre exploiteurs et exploités. Mais cette situation sera là aussi longtemps que le capitalisme est là. Jamais l'économie capitaliste n'arrivera d'elle-même à un état d'abondance supprimant *ou même atténuant* ce conflit. La lutte de tous contre tous est *plus forte* en France ou aux Etats-Unis aujourd'hui qu'elle ne l'est dans un village africain. C'est que le capitalisme ne développe pas seulement la production ; il développe parallèlement les besoins, et plus même, incapable de donner une satisfaction autre aux individus, il développe à l'extrême une mentalité acquisitive qui fait que pour l'Américain ou le Français actuel la possession d'une voiture ou d'un frigidaire apparaît beaucoup plus vitale que pour l'habitant d'un pays « arriéré » la satisfaction de besoins beaucoup plus élémentaires. Il n'y a pas de développement économique automatique rendant un pays « mûr » pour le socialisme, et seul un fou oserait fixer un niveau de revenu par habitant en deçà duquel la dégénérescence d'une révolution est fatale, et au-delà duquel elle est impossible.

Cela ne signifie pas que l'instauration du socialisme est possible n'importe où n'importe quand – ni qu'elle est indépendante du développement économique. Mais le critère décisif est ailleurs : ce n'est pas la pénurie plus ou moins grande de biens de consommation. A strictement parler, cette pénurie est partout *la même,* car il n'y a pas de standard absolu de satisfaction des besoins : chaque pays a la production de ses besoins et les besoins de sa production, dans le type de société actuel l'écart est partout « le même ». Le critère décisif est *l'existence d'un prolétariat* capable de se hausser à une conscience socialiste, de la traduire dans son organisation, d'associer démocratiquement à l'entreprise socialiste les autres couches exploitées. S'il s'agit d'un pays « évolué », le prolétariat aura l'avantage de son importance numérique ; mais s'il s'agit d'un pays « arriéré », il aura l'avantage de pouvoir s'allier à d'autres couches exploitées radicalisées précisément par la structure arriérée du régime – comme la paysannerie russe en 1917.

Un raisonnement analogue s'applique au problème de *l'isolement* d'une révolution. On a l'air de soutenir qu'une révolution victorieuse en Allemagne en 1919 ou 1923 aurait tout changé. Pauvre analyse que celle qui en revient à des jérémiades ! Mais qui oserait soutenir que dans l'Allemagne de 1919 le problème de la bureaucratisation ne se serait pas posé ? Et peut-on chercher la solution dans l'extension continue de la révolution jusqu'à ce qu'elle couvre la planète ? Mais le sens de cette extension dépend de ce qui se passe *à chaque étape*. Si la révolution, qui nécessairement *commence quelque part,* dégénère là où elle a commencé, comment ne pas voir que ce fait même soit empêchera l'extension de la révolution (comme l'a si bien montré Trotsky à propos de l'Allemagne de 1923 et de la Chine de 1925-27), soit n'amènera que l'extension d'un régime bureaucratique (comme ce fut le cas après 1945 dans les « démocraties populaires ») ?

Et comment ne pas voir que les deux idées de l'arriération et de l'isolement se réfutent réciproquement ? Si une révolution actuellement couvrait toute la terre, ne s'aperçoit-on pas qu'elle se trouverait face à un problème terrible d'arriération, les quatre-cinquièmes de la population mondiale vivant dans un état *plus arriéré* que celui de la Russie de 1917 et ayant un revenu par tête trente fois inférieur à celui des Etats-Unis ? Les problèmes découlant de cette situation seraient tout aussi difficiles – nous ne disons nullement *insolubles* – que ceux qu'affronterait par exemple une révolution isolée au départ en France.

Encore une fois, le critère décisif est l'existense d'un prolétariat capable de se hausser à une conscience socialiste et de s'organiser de façon correspondante. Ce prolétariat a incontestablement existé en Russie en 1917, comme le prouve le fait de la révolution lui-même, et la discussion importante est celle qui concerne les problèmes, les difficultés et les limites internes et externes que son action a rencontrés.

Or si l'on place la discussion sur ce terrain, le plus important et le seul fécond, les véritables problèmes apparaissent. Le prolétariat russe et dans un degré moindre, les autres couches laborieuses de la population, abordent la révolution de 1917 et agissent au cours des années qui l'ont suivie, d'une façon contradictoire. D'un côté, les masses s'organisent de façon autonome dans les Soviets, institutions exprimant le pouvoir de la population et dont le sens et la dynamique tendent à détruire l'ancien État bureaucratique et à lui substituer un « État » qui ne se distingue plus des masses organisées. Simultanément, et plus particulièrement, les ouvriers s'organisent dans des Comités de fabrique, qui tendent non seulement à exproprier les capitalistes, mais réclamant explicitement la *gestion* de la production. D'un autre côté, les masses elles-mêmes font confiance, à un degré croissant, au parti bolchevique, dans le programme duquel elles reconnaissent leurs aspirations et avec lequel le prolétariat plus particulièrement s'identifie presque physiquement en 1917-1921. Une situation ambiguë se développe ainsi, où sous le mot d'ordre « Tout le pouvoir aux Soviets » c'est en fait le parti bolchevique qui prend le pouvoir, où l'on peut croire pendant un certain temps que les deux choses s'identifient – c'est ce que répond avec un mépris hautain aux gauchistes Lénine dans *La Maladie infantile...* – mais où finalement l'on découvre que les Soviets ne sont plus que des appendices du pouvoir du parti, au sein duquel sont prises toutes les décision importantes (cela en pratique dès 1919).

Ce parti lui-même est une contradiction vivante.
D'un côté c'est un parti marxiste, communiste,
réunissant les meilleurs éléments du prolétariat russe,
intransigeant et indomptable. D'un autre côté, sur
le plan politique, programmatique et idéologique,
il est entièrement désarmé et pris au dépourvu. Il
n'y a pas de mythe plus faux que celui sur lequel
ont vécu des générations de jeunes militants depuis
1917 concernant la clarté et la rectitude de la
stratégie et de la tactique du parti bolchevique pendant
la révolution de 1917. Le parti aborde la révolution
après avoir été éduqué pendant des années dans
l'idée que la révolution russe serait « bourgeoise-
démocratique » et non socialiste, qu'il aurait donc
à diriger, en coopération avec la paysannerie,
l'abolition de l'absolutisme tsariste, la solution du
problème agraire et l'introduction de la journée de
huit heures. Il n'a jamais été préparé, il n'a jamais
pensé à une révolution socialiste. Lorsque, en avril
1917, il effectue sous l'impulsion de Lénine, son
fameux « réarmement », et dépasse l'idée de la
« révolution bourgeoise-démocratique », il ne donne
aucun contenu socialiste concret à son programme.
Non seulement le tsarisme doit être aboli, le pouvoir
de la bourgeoisie aussi doit être supprimé – mais
pour quoi faire ? Sur le plan politique, la réponse
est le pouvoir des Soviets. Mais sur le plan
économique ? Le parti n'a aucun programme ; il
faut rappeler qu'il est en principe *contre*
l'expropriation des capitalistes, sauf dans des cas
exceptionnels. Le programme de Lénine dans *La
catastrophe imminente...* revient à une cartellisation

obligatoire des secteurs les plus importants de la production, sous le contrôle de l'Etat. En fait Lénine pense que la Russie n'est pas « mûre » pour l'introduction du socialisme et considère que ce serait « un grand pas en avant » si on réussissait à y introduire ce qu'il appelle le « capitalisme d'Etat » de l'Allemagne de l'époque, combiné avec le pouvoir soviétique. Au début, on pense ainsi que les capitalistes pourront continuer à diriger la production, soumis au « contrôle ouvrier ». Mais comment est-ce possible que les rapports économiques restent essentiellement capitalistes, si l'Etat exprime réellement le pouvoir des travailleurs ?

La conception de l'Etat lui-même n'est pas moins contradictoire. C'est en 1917 que Lénine écrit *L'État et la révolution,* où la conception de la suppression de l'Etat séparé du peuple et de son remplacement par des organismes des masses est exprimée avec l'intransigeance violente qui lui est coutumière. Pas une fois, dans ce texte, on ne rencontre le concept du *parti* en relation avec le problème du pouvoir. Mais au même moment l'insurrection d'Octobre a lieu – elle empêche Lénine de terminer son livre – qui donne le pouvoir aux Soviets, *et en fait au parti*. La dictature du prolétariat est-ce la dictature des organismes de masse du prolétariat, au sein desquels des conceptions et des organisations différentes peuvent s'affronter – ou est-ce la dictature d'un parti qui est par définition, quoi qu'il fasse et quoi que le prolétariat pense de lui, parti du prolétariat et se fait plébisciter tant

bien que mal par les organismes de masse ? Pendant
quelque temps on peut nier qu'il y ait un problème
de ce type. Mais en 1920 des grèves éclatent à
Pétrograd – et en 1921 le parti écrase dans le
sang l'insurrection de Kronstadt et son Soviet. La
contradiction est résolue – la dictature du prolétariat
n'est que la dictature du parti.

Et ce parti, qu'est-il ? Marxiste, communiste en
un sens sans doute, nous l'avons déjà dit. Mais
en même temps bâti sur l'idée qu'il détient par
définition la vérité, puisque l'idéologie socialiste est
son apanage et que la masse ne peut, d'elle-même,
aller tout au plus que jusqu'au trade-unionisme (a).
A cette idéologie naturellement autoritaire
correspond une structure également autoritaire et
la constitution déjà longtemps avant la révolution,
d'une couche d'hommes de l'appareil, ceux que
Trotsky dans son *Staline* appelle les *comitards,* convain-
cus de leur importance, habitués à régler eux-mêmes
tous les problèmes et à considérer les masses comme
étant là pour exécuter leurs consignes.

Cependant les masses, tout en faisant confiance
au parti, essaient elles-mêmes de réaliser ce
programme socialiste que le parti n'a pas. A
l'encontre des mots d'ordre du parti, les ouvriers
exproprient presque partout, en 1917-1918, les
capitalistes ; le parti reconnaît à la fin cet état de
fait par des décrets de nationalisation des entreprises.
Les Comités de fabrique réclament la gestion de la
production et la réalisent en plusieurs endroits. Le

(a) Lénine, *Que faire ?*

parti regarde ces tentatives avec méfiance, essaie
d'instaurer un appareil de direction des entreprises
responsable uniquement vis-à-vis du pouvoir central,
c'est-à-dire finalement du parti lui-même. De même
que dans la constitution et la direction de l'Armée
Rouge, il veut surtout des solutions « efficaces »
– et il ne reconnait comme efficaces que les solutions
éprouvées, les solutions de type capitaliste :
dirigeants de la production nommés d'en haut, corps
professionnel d'officiers. Ces solutions traditionnelles
ont été en effet efficaces, en ce sens qu'elles ont
efficacement ramené l'état traditionnel de choses. Ce
qui subsiste des tentatives de gestion est emporté
dans l'ouragan de la guerre civile. A la fin de celle-
ci, il n'est pas question de revenir en arrière. Les
Soviets sont entièrement domestiqués par le parti,
le parti lui-même n'a plus rien à voir avec le
prolétariat ou presque. En 1923, écrit Victor Serge,
« le parti comptait, sur 350.000 membres, 50.000
ouvriers et 300.000 fonctionnaires. Ce n'était plus
un parti ouvrier, mais un parti d'ouvriers devenus
fonctionnaires ».

Finalement, la question de la dégénérescence de
la révolution russe revient donc bien à une question
de *maturité* – mais d'une maturité d'un tout autre
type que celui auquel on pense d'habitude. Elle
revient au problème de la maturité de la conscience
révolutionnaire des masses et de l'avant-garde
organisée, maturité concernant aussi bien le
problème du socialisme que le problème des
rapports entre la masse et l'organisation. Les
travailleurs russes visaient l'instauration d'une société

socialiste, comme en témoignent non seulement
l'expropriation des capitalistes, mais surtout leur
organisation en Soviets et Comités de fabrique et
leurs tentatives de s'emparer de la gestion de la
production. Par rapport à cette conscience socialiste
des masses, le parti de l'avant-garde était
incontestablement *arriéré;* il l'était encore plus par
rapport à cette autre idée qui finalement commande
tout, que la construction du socialisme ne peut être
que l'œuvre des masses elles-mêmes. Mais sur cette
question, les masses elles-mêmes n'étaient pas au
clair ; elles pensaient qu'il était possible de déléguer
leur pouvoir, leur décision, leur initiative au parti,
en qui il est vrai une foule de faits les incitaient
à avoir confiance.

Une telle analyse nous permet de comprendre, non
seulement la dégénérescence de la révolution russe,
mais les phénomènes essentiels de la société qui nous
entoure aujourd'hui : elle nous permet de préciser
les notions du programme socialiste, et de mettre
au centre de celui-ci l'idée de la *gestion ouvrière*
de la production et de la société ; elle nous fait
voir que, si une organisation révolutionnaire reste
indispensable, ses rapports avec les masses
laborieuses doivent être placés sur une base nouvelle
et qu'en aucun cas cette organisation ne saurait viser
le pouvoir pour elle-même. Elle montre enfin que
loin de « pourrir » comme le pensait Trotsky, les
conditions d'une révolution socialiste continuent à
se développer, car le prolétariat ne fait pas que
croître numériquement, il est placé par l'évolution
du capitalisme, privé ou bureaucratique, et par sa

propre activité politique, devant le problème de la bureaucratie et du contenu réel du socialisme, dont il est ainsi forcé à prendre conscience, ce qui était littéralement impossible en 1917. De cette maturation, encore une fois, la révolution des ouvriers hongrois et leur programme témoignent.

CONCEPTIONS ET PROGRAMME
DE *SOCIALISME OU BARBARIE* *

Le premier numéro de *Socialisme ou Barbarie* est paru en mars 1949. Depuis, notre but et notre programme sont restés les mêmes, et il est utile de les définir brièvement dès le départ de ce texte : notre but, c'est la construction d'une organisation révolutionnaire à l'échelle internationale, dont le programme sera le pouvoir direct des travailleurs, autrement dit la gestion par les travailleurs eux-mêmes de la production, de l'économie et la vie sociale en général.

* Publié dans *Etudes* (Bruxelles), N° 6, octobre 1960. Reproduit ici d'après le manuscrit original, qui avait été comprimé dans *Etudes*.

Il était clair en 1949, et il le reste aujourd'hui, que la construction d'une nouvelle organisation révolutionnaire est impossible sans une reconstruction étendue et profonde de la *théorie* révolutionnaire. Sans *développement* de la théorie révolutionnaire, écrivions-nous dans notre premier numéro, pas de développement de l'action révolutionnaire. Ce développement, à son tour, nous ne l'avons jamais conçu comme le simple perfectionnement ou enrichissement d'un système déjà donné pour l'essentiel. Le bouleversement continu de la réalité sociale qui caractérise l'époque capitaliste doit trouver son corollaire dans une révolution permanente au sein de la théorie révolutionnaire elle-même. Autrement, cette théorie se transforme graduellement en dogme, freine beaucoup plus qu'elle n'aide la lutte révolutionnaire et devient une des formes de la domination du passé sur le présent qui expriment l'aliénation de l'homme sous le capitalisme. Qu'il soit permis d'ajouter que, si nous comprenons l'évolution et le contexte qui ont amené un nombre grandissant de camarades rompant avec le stalinisme ces dernières années à se proclamer « révisionnistes » ou à accepter cet adjectif, à nos yeux cette dénomination est fausse et traduit une rupture *incomplète* avec le stalinisme parce qu'elle en dit à la fois trop et pas assez. Trop, parce qu'un révolutionnaire n'a pas besoin de proclamer son droit à réviser comme un « droit à part » (1) ; pas assez, parce qu'un révolutionnaire est, constamment, plus qu'un « révisionniste » : il est un révolutionnaire à l'égard de ses propres conceptions, qui jamais ne peuvent rester pour lui vraies du simple fait qu'elles *l'ont été*.

La question russe et ses implications

Il est impossible de réfléchir clairement sur les problèmes actuels du mouvement révolutionnaire, si l'on ne prend pas nettement position sur la question du stalinisme, considéré non pas comme le pouvoir personnel de Staline, ni comme une phase passagère dans l'évolution de la société russe et des partis communistes, mais comme l'expression la plus typique de la domination d'une bureaucratie « ouvrière », qui a survécu et continue de survivre, dans ses traits les plus profonds, à la mort de Staline. Car la question du stalinisme est la question centrale que rencontre immédiatement toute réflexion sur l'expérience du mouvement ouvrier pendant le dernier demi-siècle, et en particulier toute réflexion sur l'immense expérience de la révolution russe – seule révolution ouvrière victorieuse à ce jour – et de sa dégénérescence.

Dès le départ, nous avons considéré que la « question russe » était la pierre de touche des problèmes théoriques et pratiques de l'époque actuelle. L'expérience, depuis bientôt quinze ans, nous a absolument confirmés dans cette idée. Personne parmi les trotskistes ou cette partie des « révisionnistes » qui se refusent à prendre clairement position sur la nature de la société russe, ne nous a semblé parvenir à penser clairement même sur des problèmes en apparence fort éloignés de celui-ci. Car c'est le point où se nouent toutes les interrogations, où éclate toute la problématique du mouvement révolutionnaire contemporain.

Le régime actuel de la Russie – et des pays d'Europe de l'Est et de la Chine – est-il du socialisme, aussi « déformé » ou « dégénéré » que l'on voudra? Si oui, alors il faut carrément jeter par-dessus bord toutes les conceptions qui, depuis plus d'un siècle, ont lié à la transformation socialiste une modification radicale du sort de l'homme dans la société : la suppression de l'exploitation et de l'aliénation, le pouvoir des masses, le renversement des valeurs capitalistes. Il faut dire franchement que le « socialisme », c'est le développement accéléré de la production – d'une production qui reste capitaliste dans ses techniques, dans ses méthodes, dans la place qu'elle fait à l'homme au cours du travail, dans les objets qu'elle produit – sous la dictature totalitaire d'une bureaucratie privilégiée ; ce qui revient à dire que le socialisme, n'est que du *capitalisme condensé* (2). Il faut en même temps abandonner toute critique du capitalisme hormis celle-ci: qu'il ne développe pas suffisamment vite la production – autrement dit, qu'il n'est pas suffisamment capitalisme. Il faut enfin qualifier d'utopique tout le contenu humaniste aussi bien du marxisme que des révolutions ouvrières, et repousser à un avenir indéfini tout espoir de modification du sort des hommes.

Si ces conclusions paraissent inacceptables, alors on est mis en demeure de définir la nature sociologique et historique de ce régime; en même temps, de dire ce que l'on entend positivement par socialisme. Enfin, il faut répondre à cette question: pourquoi et comment la révolution d'octobre 1917 a-t-elle conduit au pouvoir de la bureaucratie? La dégénérescence de la révolution russe est-elle, à l'échelle de l'histoire, une espèce d'accident, comme le disent ou presque les trotskistes, rendant par là même impossible toute conception cohérente de l'histoire? Est-ce, à l'autre extrême, une fatalité, comme l'a écrit Merleau-Ponty (3) et comme le dit maintenant Sartre en même temps qu'il se découvre marxiste (4)?

La seule tentative de réponse cohérente à ces questions avait été, comme on sait, celle de Trotsky. La dégénérescence de la révolution russe, pour lui, avait été le résultat combiné de l'isolement de la révolution russe et de l'état arriéré du pays. Produit de cette dégénérescence, la bureaucratie était une couche parasitaire, sans « rôle historique » propre et sans stabilité, car déchirée par la contradiction entre ses intérêts de couche privilégiée – qui devraient la pousser vers une restauration du capitalisme – et le fondement de son existence, qui était quand même « les conquêtes d'Octobre », c'est-à-dire la nationalisation et la planification de l'économie. Aussi longtemps que ces « bases socialistes » n'étaient pas supprimées, l'Etat russe restait un « État ouvrier dégénéré », la tâche des révolutionnaires de tous les pays était de le défendre contre les attaques du capitalisme, et, en Russie même, il suffisait d'une « révolution politique » pour remettre la société sur la voie du développement socialiste; en effet les « rapports de production », qui déterminent la nature de classe d'une société, restaient socialistes, *puisque la propriété était nationalisée et la production planifiée*. De toute façon, la bureaucratie, cette excroissance monstrueuse de la révolution, était un phénomène historique épisodique, il était impossible que la Russie échappe à l'alternative historique: retour vers le capitalisme ou avance vers le socialisme (débarrassé de la bureaucratie). Le pronostic historique de Trotsky était ferme et catégorique, et c'est tout à son honneur de théoricien que d'avoir proclamé que la justesse de sa conception serait mise à l'épreuve des faits par la Deuxième Guerre mondiale (5) : produit de l'isolement de la révolution dans un seul pays, la bureaucratie, formation historique aberrante, ne saurait survivre à l'épreuve de la guerre. Le vainqueur, du capitalisme ou du prolétariat, la liquiderait. Pour des raisons analogues, les partis staliniens rompraient leurs attaches avec Moscou et deviendraient des pures et simples organisations social-patriotes, au service de leur bourgeoisie nationale.

Il est utile de rappeler cette conception de Trotsky car elle est encore aujourd'hui reprise aussi bien par des commentateurs attitrés des affaires russes comme Isaac Deutscher – qui, il est vrai, l'aplatissent sensiblement – que par les organisations ou tendances de gauche qui ne se résignent pas à une rupture radicale avec les partis communistes et les « pays socialistes ».

L'issue de la guerre et l'évolution pendant les

années qui suivirent non seulement apportèrent le démenti le plus catégorique au pronostic de Trotsky, mais pulvérisèrent les concepts de base de sa théorie. La bureaucratie russe sortait énormément renforcée de l'épreuve de la guerre; si son régime, pareil à tout autre régime de classe, contenait des contradictions, il n'avait aucun rapport avec le château de cartes que dépeignait Trotsky. L'« isolement » était rompu par la bureaucratie qui étendait son pouvoir sur la moitié de l'Europe et sur la Chine et instaurait dans ces pays des régimes en tous points analogues au régime russe, que de toute évidence, il devenait ridicule de qualifier d'« États ouvriers dégénérés ». L'idée que la « nationalisation » et la « planification » ne pouvaient résulter que d'une révolution prolétarienne et donc suffisaient pour tracer la ligne de démarcation entre un régime capitaliste et un « Etat ouvrier » était ainsi réduite à néant – ou alors il fallait admettre que le socialisme pouvait être instauré par l'action de la bureaucratie, que le prolétariat n'avait à y jouer que le rôle de masse de manœuvre et de main d'œuvre passive, et que toute récrimination concernant son sort pendant cette « édification du socialisme » n'était que du bavardage moralo-sentimental. Isolement et arriération, même s'ils avaient joué un rôle – qu'il devenait désormais nécessaire de réexaminer – aux origines de la formation de la bureaucratie, ne pouvaient plus expliquer son existence permanente, puisque celle-ci s'avérait compatible aussi bien avec l'extension du régime sur un tiers de la population mondiale, qu'avec un développement industriel rivalisant avec celui des pays capitalistes.

Tout était donc à reprendre, et tout d'abord la nature de classe du régime russe. Une nouvelle analyse du concept de la « nationalisation des moyens de production » permettait de montrer que cette nationalisation n'abolissait nullement la *structure* de classe des rapports de production. L'erreur de Trotsky avait été de confondre les *formes juridiques de propriété* avec le *contenu social et économique effectif des rapports de production* (6). Ce sont les rapports concrets s'instituant entre individus et groupes au sein et à propos de la production qui traduisent la structure réelle d'une société; les formes de propriété en sont l'expression adéquate à certains égards, mystifiée à d'autres. De même qu'on ne peut se contenter d'enregistrer les clauses d'une Constitution bourgeoise qui proclament l'« égalité des citoyens », la « souveraineté du peuple » etc. et se dispenser d'une analyse des mécanismes économiques, sociaux et politiques qui remplissent de contenu ces formes – analyse qui montre le caractère illusoire de cette « égalité », « souveraineté », etc. –, de même on ne peut se borner à dire, dans le cas de la Russie ou des autres pays de l'Est : la propriété appartient à la « nation », sans essayer de voir quel groupe ou catégorie sociale joue effectivement le rôle de cette « nation », est dépositaire *en fait* du pouvoir économique, *dispose* donc des moyens de production et du produit social.

La catégorie sociale qui joue ce rôle en Russie est identifiée depuis longtemps: c'est la bureaucratie (des entreprises, de l'économie, de l'Etat, du parti, de la culture). Et, une fois qu'on est débarrassé de l'optique trotskiste, il est facile de voir, en utilisant les catégories marxistes fondamentales, que la bureaucratie est, en Russie et dans les autres pays de l'Est, classe dominante et exploiteuse au sens plein de ce terme. Ce n'est pas simplement qu'elle est classe privilégiée et que sa consommation improductive absorbe une part du produit social comparable à celle qu'absorbe la consommation improductive des capitalistes dans les pays occidentaux. C'est qu'elle commande souverainement l'utilisation du produit social total, d'abord en en déterminant la répartition entre salaires et plus-value, ensuite en déterminant la répartition de cette plus-value entre sa propre consommation improductive et les investissements nouveaux, enfin en déterminant la répartition de ceux-ci entre les divers secteurs de production.

La fonction et la situation de la bureaucratie sont donc profondément identiques à celles de la *classe* capitaliste – quelles que soient les incontestables et importantes différences de son organisation comme classe, de la situation de ses membres individuels, etc. (7). Et, de même, la situation et la fonction du prolétariat sont identiques à ce qu'elles sont sous le capitalisme privé; et cette identité devrait être infiniment plus facile à reconnaître pour ceux qui sont intéressés au premier chef par le sort du prolétariat dans la société et ne sont pas obnubilés par des schémas creux. Le prolétariat russe est soumis au rapport du salariat au même titre que le prolétariat occidental; il ne dispose pas des produits de son travail, il ne dispose pas de sa propre activité, il vend, contre une somme fixe, son temps, sa vie et sa force à la bureaucratie qui en dispose comme elle l'entend. Et l'effort constant de la bureaucratie dans la production est d'augmenter la productivité du travail en réduisant à néant le travailleur, exactement comme en Occident et par les mêmes méthodes : division toujours plus poussée des tâches, définition de ces tâches avec le souci dominant de rendre le travail toujours plus impersonnel et plus contrôlable, mesure et contrôle des gestes, quantification de tous les aspects du travail et de la personnalité même du travailleur, mécanisation visant essentiellement à soumettre le travailleur à un rythme de production indépendant de lui – en bref, le même processus de réification du travail et d'aliénation du travailleur qui a caractérisé le capitalisme dès ses premiers jours.

La bureaucratie commande l'utilisation du produit social; elle commande également l'utilisation des moyens de production à tout instant, leur existence et leur nature à long terme (ces moyens ne sont en effet que de la plus-value accumulée). Mais tout cela n'est possible que parce que, à tout instant, elle commande d'abord et avant tout le processus de production lui-même, autrement dit parce qu'elle *gère* la production. On constate donc le fondement de la domination de la bureaucratie sur la société russe, c'est sa domination au sein des rapports de production. On constate en même temps que cette domination a été toujours la base de la domination d'une classe sur la société (8). A l'époque contemporaine, l'essence effective des rapports de classe dans la production est la division antagonique des participants à la production en deux catégories fixes et stables, dirigeants et exécutants. Dans le cas du régime russe, cette essence apparaît sous la forme la plus directe, dépouillée de tous les aspects secondaires qui pouvaient la masquer lors de phases précédentes de l'évolution historique (9).

La nationalisation des moyens de production et la planification de l'économie ne résolvent donc nullement le problème de la structure de classe de l'économie et de la société, ne signifient d'aucune façon la suppression de l'exploitation. « Privés » ou « nationalisés », les moyens de production ne deviennent pas propriété sociale collective aussi longtemps que les travailleurs n'en ont pas la disposition effective, aussi longtemps qu'ils n'exercent pas directement et intégralement la *gestion* de la production et de ses moyens. Il en résulte immédiatement cette conclusion capitale, dont nous avons affirmé dès le départ qu'elle forme la pierre angulaire de tout programme révolutionnaire et à laquelle la révolution hongroise de 1956 a fourni une confirmation éclatante: une révolution socialiste a pour objectif premier et central la *gestion* des entreprises, de la production, de l'économie, de l'Etat et de la vie sociale en général par les travailleurs eux-mêmes. Exprimée autrement, cette idée revient à dire que la révolution socialiste s'attache dès le départ à supprimer la distinction entre dirigeants et exécutants, en tant que catégories fixes et stables, aussi bien dans la production que dans les autres domaines de la vie collective.

La dégénérescence de la révolution russe et ses leçons

La suppression de la propriété privée et des anciennes classes dominantes laisse donc entièrement ouvert le problème : *qui* dirigera désormais la production, et comment? Si la collectivité organisée des travailleurs ne parvient pas à instaurer sa domination effective sur la production, comme la société ne peut pas supporter le vide, une nouvelle couche d'individus s'emparera de cette direction et une structure de classe renaîtra rapidement; car la couche dirigeante utilisera son pouvoir pour se créer des privilèges, et, pour accroître et consolider ces prililèges, elle renforcera son monopole des fonctions de direction, tendant à rendre sa domination plus complète et à l'entendre sur toutes les sphères de la vie sociale (10).

C'est là l'essence du processus qui s'est déroulé en Russie après 1917. Les tentatives des ouvriers russes, de 1917 à 1919, de s'emparer de la gestion des usines, n'ont finalement pas réussi. Plusieurs facteurs ont conditionné cet échec, mais il y en a un qui doit retenir toute notre attention, car il est le seul dont découle une leçon *universelle* : c'est la politique et le rôle du parti bolchévique. Le parti bolchevique s'est opposé à la gestion ouvrière – au

départ, il s'est même opposé à l'expropriation des
capitalistes, qui a été effectuée dans la plupart des
cas par les ouvriers eux-mêmes – et a voulu instaurer
un appareil propre de direction de la production,
responsable uniquement vis-à-vis du pouvoir central,
c'est-à-dire en fin de compte, du parti. C'est que
le parti, contrairement à la mythologie qui a prévalu
depuis, et malgré le « réarmement idéologique »
d'avril 1917, a abordé la Révolution d'octobre dans
une impréparation totale quant à son contenu et
ses tâches. Il est vrai que si très peu de gens –
dont Lénine et Trotsky – avaient pensé que le
prolétariat russe pût s'emparer du pouvoir avant le
prolétariat occidental, personne n'avait rêvé qu'il eût
pu affronter des tâches de reconstruction socialiste
de la société avant le prolétariat d'Europe et sans
l'aide de celui-ci. Or, en dehors des mots d'ordre
« transitoires » qui s'adressaient à la population en
général ou à la paysannerie (paix, la terre aux
paysans etc.), le programme d'Octobre du parti
bolchevique ne comportait qu'un seul mot d'ordre
socialiste, et celui-ci uniquement *politique*: tout le
pouvoir aux Soviets. Sur le plan économique, les
conceptions de Lénine étaient très « claires », si l'on
ose dire: il répétait inlassablement qu'il s'agissait en
Russie de construire une sorte de « capitalisme
d'Etat » (11), dont la direction serait entre les mains
du pouvoir soviétique.

Cette conception est évidemment un non-sens: le
prolétariat ne peut pas être esclave six jours par
semaine dans la production, et souverain libre dans
une activité politique dominicale. Une révolution qui

ne commence pas par transformer immédiatement de façon tangible la vie quotidienne des gens est condamnée à voir leur passion politique refluer très rapidement – puisqu'ils constateront dans l'expérience que cette vie politique ne sert pas à modifier leur sort. Ce reflux se produisit inévitablement en Russie, puissamment aidé en même temps par l'attitude du parti bolchevique, qui, concevant son rôle comme celui d'une *direction* inamovible de la révolution, a très rapidement identifié la dictature du prolétariat avec la sienne propre, et réduisit petit à petit les Soviets au rôle d'auxiliaire, puis d'ornement de son pouvoir (12).

Cette attitude du parti bolchevique ne découle pas évidemment du caractère de ses dirigeants, ni même simplement de leur conception organisationnelle ou de leur idéologie. Le bolchevisme a été l'aboutissement le plus extrême et le plus conséquent d'une conception de la lutte de classe, de la révolution socialiste, du rôle du prolétariat dans celle-ci, qui forme un tout, qui a été partagée par la grande majorité des révolutionnaires russes ou non et qui continue de l'être. Cette conception – de la théorie révolutionnaire comme science en possession d'une catégorie de spécialistes, du parti comme direction de la classe, de l'organisation du parti suivant un modèle qui est en fait un modèle capitaliste, du socialisme lui même comme simple système de transformations objectives de l'économie – traduit en fait la pénétration des idées, des valeurs, des structures et des modèles de comportement *capitalistes* dans le mouvement ouvrier. Car elle revient en fait à réintroduire dans la classe la division entre les dirigeants et exécutants, qui est le fait capitaliste fondamental (13).

Mais il serait en même temps superficiel et unilatéral de considérer que cette conception n'a existé et n'existe que chez les révolutionnaires; elle n'aurait pu avoir aucune efficacité historique, si elle ne trouvait pas son corollaire dans une attitude correspondante du prolétariat, elle aussi résultat de la même influence profonde de la société établie, de ses normes et de ses valeurs. Conceptions des militants et attitude du prolétariat expriment toutes les deux cette étape de l'évolution pendant laquelle le prolétariat croit pouvoir se libérer en déléguant son rôle historique, la direction de son mouvement et de la société, à un parti s'élevant au-dessus de la classe. Cette étape atteint sa limite pour se transformer aussitôt en son contraire sous le stalinisme, qui fait voir au prolétariat le vrai visage du parti dominant comme couche exploiteuse (14).

La révolution prolétarienne ne peut donc supprimer effectivement le capitalisme, sous toutes ses formes, que dans la mesure où elle tend dès le départ à supprimer la division de la société entre dirigeants et exécutants, en résorbant toute couche dirigeante particulière et en socialisant intégralement les fonctions de direction. Le problème de la capacité historique du prolétariat à réaliser la société sans classes n'est pas celui de sa capacité de renverser physiquement les exploiteurs au pouvoir (qui fait

409

peu de doute) mais d'organiser positivement une gestion collective, socialisée, de la production et du pouvoir. Il devient dès lors évident que la réalisation du socialisme pour le compte du prolétariat par une bureaucratie ou un parti quelconques est une absurdité, une contradiction dans les termes, un cercle carré, un oiseau sous-marin: le socialisme n'est rien d'autre que l'activité gestionnaire consciente et perpétuelle des masses. Il devient également évident que le socialisme ne peut pas être « objectivement » inscrit dans une constitution quelconque, dans la nationalisation des moyens de production ou la planification, ni même dans une « loi » instaurant la gestion ouvrière : si la classe ouvrière ne peut pas gérer, aucune loi ne peut faire qu'elle le puisse, et si elle gère, la « loi » ne fera que constater cet état de fait.

Ainsi, partis de la critique de la bureaucratie, nous sommes parvenus à formuler une conception positive du contenu du socialisme : brièvement parlant, le socialisme sous tous ses aspects ne signifie pas autre chose que la gestion ouvrière de la société ; la classe ne peut se libérer qu'en réalisant son propre pouvoir. Le prolétariat ne peut réaliser la révolution socialiste que s'il agit de façon autonome, c'est-à-dire s'il trouve en lui-même à la fois la volonté et la conscience de la transformation nécessaire de la société. Le socialisme ne peut être ni le résultat fatal du développement historique, ni un viol de l'histoire par un parti de surhommes, ni l'application d'un programme découlant d'une théorie vraie en soi

— mais le déclenchement de l'activité libre des masses opprimées, déclenchement que le développement historique rend *possible*, et que l'action d'un parti basé sur *cette* théorie peut énormément *faciliter*.

Ces idées peuvent et doivent être concrétisées dans un programme socialiste, élaboré à partir de l'expérience positive et négative des révolutions ouvrières et de l'analyse des conditions réelles du monde moderne. Les éléments fondamentaux de ce programme sont (15):

— Tout le pouvoir appartient aux Conseils des travailleurs (Conseils des entreprises, des administrations de l'« Etat », des coopératives, des communes rurales). Ces conseils sont formés par des délégués de la base, élus et révocables à tout instant. Ils sont constamment responsables devant l'Assemblée générale de leurs mandants, qui se réunit régulièrement et fréquemment, et décide directement de toutes les questions importantes.

— La gestion de la production et de l'activité courante des entreprises et des administrations appartient aux travailleurs (ouvriers, employés, techniciens, fonctionnaires) qui les font fonctionner. L'organe de cette gestion est l'Assemblée d'atelier, de département, d'entreprise et le Conseil d'entreprise.

— La production et l'économie sont organisées d'après un plan d'ensemble, élaboré à partir des propositions des entreprises, discuté entre les représentants des Conseils, et soumis au vote de la population travailleuse (16).

– L'égalité complète des salaires, traitements, etc, est instaurée.

– L'éducation est complètement égale pour tous les enfants.

– L'Etat est supprimé, en tant qu'appareil de direction séparé et indépendant de la société. Ses administrations productives ou nécéssaires sont transformées en « entreprises » gérées par ceux qui y travaillent, sous · le contrôle des organismes du pouvoir des travailleurs.

– L'Armée et la police permanentes sont supprimées. Des milices des travailleurs sont constituées sous le contrôle des Conseils d'entreprise.

– Les fonctions nécéssaires d'un « gouvernement central » sont confiées à une Assemblée de représentants élus et révocables des Conseils. Dans tous les cas où c'est matériellement possible – infiniment plus étendus qu'on ne le pense d'habitude – *la démocratie directe* est instaurée, c'est-à-dire la décision majoritaire par tous les intéréssés (17).

Ces points concernent l'*organisation* de la société socialiste. Mais il est tout autant nécéssaire que les révolutionnaires se fassent une conception de l'*orientation* de cette société. Actuellement, en effet, les germes d'une conception nouvelle de l'homme et de la société – donc des valeurs que l'activité sociale doit poursuivre – contenus dans les œuvres de jeunesse de Marx et, sous une autre forme, dans les révolutions et les luttes ouvrières, sont complètement oubliés. Le mouvement dit « ouvrier » patauge dans le bourbier des valeurs capitalistes, et c'est devenu la fonction des grandes organisations « ouvrières » d'en imbiber le prolétariat. Tout se passe comme si le socialisme visait essentiellement un accroissement plus rapide de la production, pour procurer aux hommes des niveaux de consommation « toujours plus élevés » et des « loisirs », que le capitalisme serait incapable de fournir. En fait, le capitalisme les fournit, ce qui n'a nullement atténué ni la crise et la tension dans la société, ni sa décadence (18). Du reste, la démonstration la plus profonde du caractère capitaliste du régime russe se trouve dans le fait que Khrouchtchev est incapable de proposer à sa société d'autre idéal que les niveaux américains de consommation de beurre, la semaine de quarante heures et les vols dans l'espace.

La racine de la crise de toutes les sociétés contemporaines se trouve dans la crise du travail, dans l'aliénation de l'homme au cours de son activité première. Cette aliénation, symétrique à la division de la société en dirigeants et exécutants, est depuis longtemps incarnée dans la nature même des intruments de production, dans la technologie moderne. Celle-ci n'est pas le résultat d'un développement technique ou scientifique « neutre », mais fonction de la nature de classe de la société. Les machines qui existent actuellement, à Detroit, à Billancourt ou Stalingrad, n'ont aucune espèce de vérité supra-historique; elles sont le produit d'une sélection deux fois séculaire, en partie « spontanée », en partie consciente, qui a visé à subordonner le travail dans sa réalité quotidienne concrète à la domination du capital. Ces machines une fois posées, l'asservissement du travailleur et l'absurdité du travail en découlent rigoureusement. Une gestion ouvrière qui se superposerait à cet état technologique sans y toucher ne changerait rien à ce qui fait actuellement de l'homme travailleur un débris d'homme. La solution ne se trouve pas non plus dans l'augmentation des « loisirs » (bien que celle-ci soit évidemment nécéssaire). Elle se trouve dans la transformation du travail lui-même de façon qu'il puisse redevenir ou plus exactement devenir pour la première fois dans l'histoire une activité créatrice libre. Cela implique la restitution aux hommes de leur domination sur le processus matériel de production, et cela est impossible sans une transformation consciente de la technologie dans ce sens, que la science et la technique modernes rendent pour la première fois possible, et qui sera une des premières tâches de la société socialiste (19).

Nous ne voyons pas le socialisme comme un moyen pour élever les niveaux de consommation; cette élévation est plutôt le *panem et circenses* que cette société décomposée est tout juste capable de proposer à ses esclaves. Nous voyons dans le socialisme un moyen de redonner un sens à la vie des hommes, ou mieux une organisation de la société permettant aux hommes de définir eux-mêmes le sens qu'ils veulent donner à cette vie.

Le socialisme ne procède pas simplement d'un idéal moral d'amélioration de la société et de la condition humaine; sa source première est la lutte des travailleurs contre l'exploitation et la déshumanisation à laquelle ils sont soumis. Même si des « marxistes » myopes ne s'en aperçoivent pas, cette lutte en fait ne cesse jamais. Que les travailleurs forment des Conseils et prennent les armes pour revendiquer la gestion de la production et de la société, comme en Hongrie 1956 (20), ou qu'ils combattent par des grèves « sauvages » les conditions de travail et les méthodes de production dans l'usine capitaliste, comme en Angleterre et aux Etats-Unis depuis quinze ans (21), ou qu'ils mettent en avant des revendications anti-hiérarchiques, comme en 1955 à Nantes (22), ils font plus que simplement combattre l'exploitation; ils contestent les normes de la société établie, ils indiquent la voie d'un mouvement socialiste.

En même temps, cependant, le prolétariat est constamment soumis à l'influence de la société capitaliste dans laquelle il naît, à laquelle il participe, qu'il fait finalement fonctionner. La dégénérescence des organisations ouvrières – partis et syndicats – n'est finalement, dans son sens le plus profond, qu'un aspect de cette influence, de la pénétration des idées, des normes, des modèles d'organisation capitalistes dans le mouvement ouvrier. Nous en avons déjà donné plus haut un exemple à propos du parti bolchevique. Mais cette pénétration va infiniment plus loin qu'on ne le pense d'habitude ; la structure des organisations ouvrières a été presque toujours calquée sur des modèles capitalistes. Un syndicat ou un parti, social-démocrate ou « bol-

chevique », fonctionnent d'après le modèle
« parlementaire » qui implique dès le départ une
séparation radicale entre dirigeants et dirigés; la
fonction du parti révolutionnaire a été conçue
comme celle d'une direction du prolétariat séparée
de la classe elle-même; son programme, comme
un système de vérités découlant d'une théorie
« scientifique »; enfin, cette théorie révolutionnaire
elle-même aussi bien dans son contenu, que dans
la conception de sa fonction qui a prévalu, traduit
une influence profonde de la culture capitaliste (23).

S'il reste évident qu'une organisation
révolutionnaire est indispensable pour le
développement de la lutte du prolétariat et sa
victoire, et qu'il est urgent de la construire, il est
tout aussi évident à nos yeux que cette construction
ne saurait être entreprise qu'en tirant toutes les
leçons de l'expérience écoulée, que le prolétariat tire
déjà lui-même dès aujourd'hui à sa manière, lorsqu'il se refuse de plus en plus à « suivre » les grandes
organisations bureaucratisées. Ces leçons sont : que
l'organisation révolutionnaire n'est pas la direction
du prolétariat, mais un instrument de sa lutte; que
la théorie révolutionnaire ne peut trouver sa source
que dans l'expérience et l'action du prolétariat,
historique aussi bien que quotidienne, et que par
conséquent elle ne peut pas être élaborée par
une couche spécialisée d'intellectuels; que donc
aussi, une des tâches primordiales de l'organisation révolutionnaire est de réaliser en son sein
la fusion la plus large possible des intellectuels
et des ouvriers; qu'enfin, elle ne peut permettre

à la division entre dirigeants et exécutants de s'instaurer en son sein, et que par conséquent sa structure doit être inspirée par le type d'organisation que représente un Soviet ou un Conseil d'entreprise – autrement dit, que son fonctionnement et sa structure doivent être une préfiguration de la gestion ouvrière.

NOTES

(1) On ne peut pas s'empêcher de constater que, pour nombre d'intellectuels occidentaux désorientés, la revendication du droit de réviser, devenu une fin en soi, tend à couvrir l'absence de révision et surtout de positions nouvelles précises et cohérentes, et aboutit finalement à une attitude d'irresponsabilité.

(2) L'idéologie de la production, la subordination de toute l'orientation de la société aux fins de l'augmentation de la production – *même* si celle-ci est proclamée « moyen » pour accroître la consommation ou les loisirs – est l'idéologie capitaliste typique. La matérialité même de la production est capitaliste. La structure de classe de la société, la répartition des revenus, et même les valeurs ultimes de la société sont incarnées dans la production. Les objets produits ne sont pas « neutres », ne matérialisent pas des valeurs économiques supra-historiques ; ils portent la marque de la culture qui les a engendrés, concrètement aujourd'hui de la culture capitaliste. Il faut une bonne dose de crétinisme bourgeois pour voir dans l'augmentation de la production des automobiles, par exemple, un « progrès en soi ».

(3) « La démocratie directe, la « dictation propulsée du bas vers le haut », ...c'est un concept politique pompeux dont on habille l'Apocalypse... Comme le « pouvoir prolétarien », c'est un problème qui se présente comme solution, une question qui se donne pour réponse, un dépassement de l'histoire en idée... » « Il y a donc, en même temps qu'un progrès historique, un tassement, une déperdition, un piétinement de l'histoire, et, en même temps qu'une révolution permanente, une décadence permanente qui atteint la classe dirigeante à mesure qu'elle dirige et dure... » *Les aventures de la dialectique* (1955), pp. 292-3, 295 et, plus généralement, tout l'« Epilogue » (pp. 273 et sq.)

(4) « ...la raison qui fait que la dictature du prolétariat n'est à aucun moment apparue (comme exercice réel du pouvoir par la totalisation de la classe ouvrière), c'est que l'idée même en est absurde... » *Critique de la raison dialectique* (1960) p.630.

(5) *In defense of Marxism*, p.9 et ailleurs, et dans plusieurs articles de la période 1939-40. – On ne saurait en dire autant de ceux qui se réclament aujourd'hui de lui, et n'ont jamais tenté sérieusement d'expliquer comment la conception trotskiste traditionnelle de la bureaucratie pouvait se concilier avec la survie

et l'énorme extension géographique du régime bureaucratique, et avec le surgissement d'« États ouvriers » qui ont « dégénéré »... sans avoir jamais été ouvriers.

(6) V. sur cette question, et, plus généralement, sur l'analyse de l'économie et de la société russes : *RPR.* , et « L'exploitation des paysans sous le capitalisme bureaucratique », Vol. I, 1, p. 283 et suiv. – Sur les contradictions internes de l'économie bureaucratique, v. *RPB*, dans le présent volume, en particulier pp. 278 et suiv. – Sur la « destalinisation », ses forces motrices et ses perspectives, v. Claude Lefort, « Le totalitarisme sans Staline – L'URSS dans une nouvelle phase », *S ou B.*, n°19 (juillet 1956) ; R. Maille, « Les nouvelles réformes de Khrouchtchev », *ib.*, N°22 (juillet 1957). – Sur les pays bureaucratiques autres que la Russie v., « La bureaucratie yougoslave », dans le présent volume ; Hugo Bell, « Le stalinisme en Allemagne orientale », *S. ou B.*, N°7 (août 1950) et 8 (janvier 1951) ; P. Brune, « La lutte des classes en Chine bureaucratique », *ib.*, N°24 (mai 1958) ; du même, « La Chine à l'heure de la perfection totalitaire », *ib.*, N°29 (décembre 1959). – Sur les événements de 1953 et 1956 en Allemagne orientale, en Hongrie et en Pologne v. les nombreux articles publiés dans les Nos 13, 19, 20, 21, 22 et 23 de *Socialisme ou Barbarie*. En particulier, les N°s 20 et 21 sont consacrés presque intégralement à l'analyse de la révolution hongroise et des événements de Pologne.

(7) V. sur ces points les textes déjà cités sur la question russe. Ajoutons que le caractère profondément capitaliste de l'organisation économique et sociale de la bureaucratie est visible en tant que cette organisation n'est que l'extension à l'ensemble de la production et de l'économie de l'organisation capitaliste de l'entreprise. La « planification » bureaucratique de l'économie consiste à traiter les secteurs et entreprises comme sont traités les ateliers dans le planning de production d'une entreprise capitaliste, le *sujet* de la planification étant un appareil bureaucratique de direction séparé des exécutants et opposé à ceux-ci. Sur les contradictions et l'irrationalité fondamentale de cette planification v. *CS III*, en particulier p. 104-116.

(8) V. en particulier *RPR*, pp. 230 à 236.

(9) Il n'est pas possible de s'étendre ici sur la relation du régime bureaucratique avec l'évolution historique du capitalisme en général. En tant que la tendance dominante du capitalisme est la concentration des forces productives et que celle-ci n'atteint sa limite qu'avec l'étatisation intégrale de l'économie (qui a comme corollaire inévitable le remplacement du « marché » classique par le « plan » comme mode d'intégration des segments de l'économie), il est juste de voir dans la domination de la bureaucratie (qui « personnifie » comme classe le capital étatisé) l'étape ultime du développement du capitalisme.

C'est en ce sens que, sans méconnaître nullement les différences nombreuses et importantes qui séparent ce régime du capitalisme « privé » – comme le font les partisans d'une conception naïve du « capitalisme d'État » appliquée à l'URSS –, nous l'avons défini comme *capitalisme bureaucratique*. Mais il faut voir en même temps que l'évolution vers le capitalisme bureaucratique est le processus dominant l'ensemble du monde moderne. Dans les pays capitalistes occidentaux, c'est là le fruit organique de l'évolution capitaliste : concentration des forces productives et disparition ou limitation consécutive de la propriété privée comme fondement du pouvoir ; apparition au sein des grandes entreprises d'énormes appareils bureaucratiques de direction ; fusion croissante des monopoles et de l'État ; intervention toujours plus poussée de l'État dans l'économie et dans la vie sociale en général. Dans les pays arriérés le capitalisme bureaucratique apparaît actuellement, en l'absence d'un mouvement révolutionnaire international, comme la voie obligée de passage à des structures modernes (qui sont, bien entendu, des structures d'exploitation). – Sur les profondes transformations du capitalisme contemporain et les problèmes qu'elles posent du point de vue révolutionnaire, v. *MRCM.*

(10) V. *SB,* pp. 164 à 172.

(11) V. par exemple « La catastrophe imminente et les moyens de la conjurer ». Aussi l'article, écrit en mai 1918 et publié dans la *Pravda* de l'époque, « Enfantillage « de gauche » et mentalité petite-bourgeoise » (*Selected Works*, New York 1943, pp. 351-378, spécialement p. 364-5). Il faut d'ailleurs souligner que, bien que ces conceptions de Lénine peuvent paraître correspondre à l'« arriération » de la Russie, personne dans le mouvement socialiste occidental n'avait à l'époque une idée plus claire de ce que signifie la révolution socialiste sur le plan de la production et de l'économie.

(12) L'histoire de cette période est trop connue pour qu'il soit nécessaire d'y insister. Mais, sur sa très instructive répétition transposée et abrégée en Pologne après octobre 1956, v. l'article de Claude Lefort, « Retour de Pologne » cité plus haut, p. 371, et, dans le présent volume, « La voie polonaise de la bureaucratisation ».

(13) En ce sens, lorsque Lénine, en suivant Kautsky, parle du socialisme comme d'un produit de la culture scientifique et philosophique bourgeoise qui doit être introduite dans le prolétariat de l'extérieur, par les intellectuels petits-bourgeois (dans *Que faire ?),* il a finalement raison d'une façon inattendue : c'est effectivement une idéologie bourgeoise que, sous le nom de socialisme « scientifique », les intellectuels petits-bourgeois introduisent la plupart du temps dans le prolétariat.

(14) Il y a donc une *histoire,* au sens fort du terme, du

prolétariat, qui peut être saisie comme une dialectique de son expérience de la société et de sa propre action. A chaque nouvelle étape de son action, le prolétariat est obligé de dépasser les résultats objectivés de son action antérieure. Sur ce problème, que nous avons considéré dès le départ comme fondamental, v. *S.B.*, p. 156 à 175 ; Claude Lefort, « L'expérience prolétarienne » *S. ou B.*, Nº 11 (novembre 1952), (Maintenant in *Eléments...*, l. c., p. 34 à 58). V. aussi, « Sartre, le stalinisme et les ouvriers », *S. ou B.*, Nº 12 (août 1953), en particulier pp. 85 à 88.

(15) V. *CS* II, et D. Mothé, « L'usine et la gestion ouvrière », *S. ou B.* Nº 22 (v. plus haut, p 336, note 1).

(16) La technique moderne (cybernétique et recherche opérationnelle) permet de se retrouver dans le labyrinthe de la planification et montre définitivement que la bureaucratie est économiquement superflue. V., dans *CS II*, les chapitres sur « La gestion de l'économie » et « L'usine du plan ». L'idée centrale est que tout le travail « intermédiaire » de la planification peut désormais être lui-même industrialisé, et la population appelée à se prononcer *en connaissance de cause* sur les variables fondamentales du plan (quantité de travail à fournir, niveaux de consommation, répartition du surproduit entre accumulation et accroissement de la consommation, etc.).

(17) Ici aussi l'idée centrale est de mettre la technique au service de la démocratie. Les possibilités d'utilisation des *mass media* en ce sens sont immenses. D'autre part, le problème des « possibilités matérielles » de la démocratie est un problème de choix d'affectation de ressources. Dans une entreprise, où les dépenses occasionnées actuellement par la gestion bureaucratique (salaires de tout l'appareil qui a comme fonction la direction *du travail des autres*) sont par exemple 20 % du total des salaires, nous pensons que la gestion ouvrière pourra fonctionner avec des frais moindres – c'est-à-dire avec moins d'un cinquième du temps total du collectif des travailleurs consacré à la gestion. Mais même si cette gestion devait absorber 40 % de ce temps, il sera rationnel et même *économique*, du point de vue d'une société socialiste, de l'appliquer. Le même raisonnement s'applique à la gestion de la société globale.

(18) Nous ne voyons l'origine de la crise du capitalisme ni dans sa soi-disant « incapacité de développer les forces productives », ni dans son également soi-disant « incapacité d'élever les niveaux de consommation », mais dans le caractère contradictoire que prend sous le capitalisme l'activité fondamentale de l'homme, c'est-à-dire le travail. V. Ph. Guillaume, « Machinisme et prolétariat », in *S. ou B.*, Nº 7 (août 1950) ; *CS* I, II et III ; et *MCRM* I et II. C'est une des raisons pour lesquelles nous avons toujours attaché la plus grande importance à la description de la situation de l'ouvrier dans la

production par les ouvriers eux mêmes ; v. Paul Romano, « L'ouvrier américain », *S. ou B.*, N⁰ˢ 1 à 5-6 ; G. Vivier, « La vie en usine », *id.* N⁰ˢ 11, 12, 14, 15, 16 et 17 ; les textes de D. Mothé cités plus haut (p. 336, note 1). – Sur la situation de l'ouvrier contemporain hors de la production, voir D. Mothé, « Les ouvriers et la culture », *id.*, N⁰ 30 (avril 1960).

(19) Nous parlons ici de la transformation du travail parce qu'elle nous paraît le point central. Il va de soi qu'elle est indissociable d'une transformation profonde de tous les aspects de la vie sociale, qu'il s'agisse de la nature des objets de consommation, de l'éducation, des rapports de la population et de la culture, de la séparation de la ville et de campagne etc.

(20) V. les articles, récits et documents publiés dans les N⁰ˢ 20, 21 et 23 de *S. ou B.*

(21) V. les textes consacrés à ces luttes dans le N⁰ 18 de *S. ou B.* (janvier 1956) ; aussi, « Les grèves de l'automation en Angleterre », *id.*, N⁰ 19 (juillet 1956) ; S. Tensor, « Les grèves de mai, juin et juillet en Angleterre », *id.*, N⁰ 26 (novembre 1958).

(22) V. les textes s'y référant dans le N⁰ 18 de *S. ou B.* (janvier 1956).

(23) V. *PO I et II.*

L'ÉDUCATION SEXUELLE EN U.R.S.S. *

En 1959, on publiait à Moscou un livre rédigé par un éminent médecin, le docteur T.S. Atarov, « Médecin de mérite de la République socialiste russe », titre des plus enviés en URSS. Le livre, dont cent mille exemplaires furent imprimés et vendus en quelques jours, porte le titre ambitieux : *Les problèmes de l'éducation sexuelle.*

Après une introduction « marxiste » sur le sujet, comportant de longues citations de Marx et En-

(*) *S. ou B.,* N° 34 (mars 1963). Ecrit en collaboration avec Alain Girard.

gels sur l'esclavage de la femme dans la société bourgeoise, l'auteur déclare que la révolution russe a supprimé bien des maux dans ce domaine, entre autres la prostitution, pour laquelle, dit-il, « il n'existe plus aucune base sociale ». La monogamie a été conservée, mais possède un sens différent dans la société soviétique.

« Ce serait cependant une erreur de penser que la transition est complète... De nos jours, il subsiste de vieux restes idéologiques... » Bien des hommes, dit-il, trompent leurs femmes sans remords, bien des jeunes gens ont des relations pré-maritales sans se sentir coupables. Ce qui est encore plus grave, certains parmi les jeunes tendent à réduire leurs rapports avec le sexe opposé à une pure satisfaction de leurs besoins physiques, sans relations spirituelles ou morales.

Quelques-uns parmi ces « briseurs des lois » vont jusqu'à donner une expression « philosophique » à leur attitude. Ils affirment que la promiscuité dans laquelle ils s'engagent est un substitut inévitable de la prostitution du passé ; ils déclarent aussi que la vie en société demande une certaine liberté dans les questions sexuelles, la liberté étant « biologiquement naturelle », tandis que la monogamie refoule les impulsions de l'homme.

Cette attitude, affirme le Dr Atarov, est contraire aux idées de Lénine pour qui l'« amour libre » n'était pas du tout une solution dans une société socialiste bien organisée. Il est également faux, dit-il, que la licence sexuelle soit un substitut inévitable de la prostitution. Dans les pays bourgeois il y a aussi bien l'une que l'autre. Sous le socialisme, nul besoin de l'une ou de l'autre.

Dans le chapitre I, l'auteur s'efforce de trouver une solution heureuse et harmonieuse qui combinerait « la liberté et la discipline ». Et il parvient à ce critère, qu'« une conduite harmonieuse est réalisée quand les désirs personnels de l'individu coïncident avec les intérêts de la société en général » (il ne cite pas, toutefois, Immanuel Kant).

Au chapitre II, l'auteur insiste sur la différence entre puberté et maturité sexuelle et conseille les parents sur la manière d'aider les adolescents à passer ces années difficiles. A propos de la menstruation, il déclare qu'en aucun cas il ne sera introduit du coton ou de la gaze dans le vagin, comme le font à tort tant de femmes. Les organes externes doivent être lavés deux fois par jour avec de l'eau chaude bouillie.

Un autre problème complexe est celui de la masturbation. « Dans les conditions soviétiques la masturbation n'est plus le phénomène de masse qu'elle était par le passé, mais elle subsiste. » Divers facteurs la favorisent : des vêtements trop serrés dans les régions les plus basses peuvent éveiller la sensualité par une friction constante des organes génitaux. Autres causes de la masturbation : les mauvaises habitudes des garçons, telles que garder les mains dans les poches de leurs pantalons ou sous les couvertures, s'allonger sur le ventre ou se chatouiller mutuellement sous les bras ou sur la poitrine, etc. La constipation et une vessie pleine

tendent à favoriser la masturbation. La lecture de
livres excitants, la contemplation de la vie sexuelle
des animaux conduit aussi à la masturbation, comme
aussi la vie sédentaire, l'isolement de la collectivité
et, est-il besoin de le dire, l'alcool.

Pour le Dr Atarov il n'y a pas l'ombre d'un
doute que la masturbation ait un mauvais effet sur
le système nerveux. L'adolescent devient irritable,
apathique, se fatigue vite et est indifférent au travail
physique ou intellectuel. Aussi donne-t-il une série
de conseils pour combattre ce mal redoutable : repas
réguliers, exercice, marche, sport et culture physique,
en somme tout ce qui dévie l'attention de l'enfant des préoccupations sexuelles. Les habitudes de
sommeil sont très importantes à cet égard : un lit
dur est essentiel. Il est très important que l'enfant
ou l'adolescent ne puisse observer la vie sexuelle
des animaux et qu'on étouffe dans l'œuf toute
tendance de sa part à utiliser les gros mots.

Les parents devront veiller à éviter les mauvaises
influences des camarades d'école, des jeux excitants,
des livres et des films. Ils devraient eux-mêmes éviter
les gestes qui stimuleraient les organes génitaux
des enfants : les petits enfants en particulier ne
devraient pas être portés de manière que leurs
organes génitaux soient constamment frottés. Les
caresses sur la poitrine ou le ventre sont à proscrire,
car elles éveillent inévitablement la sensualité et les
parents qui les pratiquent font beaucoup de mal
à leurs enfants. Elles sont d'ailleurs l'indication d'un
niveau culturel très bas des parents.

De même, déclare le Dr Atarov, on devrait

interdire aux jeunes gens certaines activités : ils ne devraient pas être serveurs ou serveuses dans des cafés, restaurants ou bars. L'atmosphère de ces endroits, avec leurs allées et venues constantes de toutes sortes de gens est nuisible et encourage les jeunes à s'embarquer dans des relations prémaritales. Des jeunes personnes non mariées ne devraient pas travailler dans de tels lieux.

Au chapitre III, « L'éducation morale des jeunes », le Dr Atarov insiste encore sur la différence entre puberté et maturité sexuelle. Certains jeunes ne la comprennent pas, dit-il ; et, du moment qu'il y a désir sexuel, ils en viennent à la conclusion erronée que ce désir doit être satisfait, que la chasteté est mauvaise et contraire aux lois de la biologie. Cette vue fausse justifie à leurs yeux le début d'une vie sexuelle prématurée. La science médicale, dit le Dr Atarov, rejette complètement cette théorie. Aucune maladie n'a jamais été causée par la chasteté, qui est complètement inoffensive, non seulement pour les jeunes mais aussi pour les adultes. Les gens qui pratiquent la chasteté ne se plaignent jamais d'aucun malaise ; au contraire, ils sont pleins d'énergie et de pouvoir créateur. Inversement, la promiscuité sexuelle conduit souvent à une vieillesse prématurée et à l'impuissance.

Le chapitre IV est consacré aux relations extra-maritales que le Dr Atarov condamne sévèrement, en citant des cas à l'appui. En voici deux :

1) *Boris,* tourneur, 20 ans. N'a pas eu d'éducation secondaire. Lorsque, à 15 ans, il prit un travail d'usine ses parents « ne protestèrent pas » (sic !).

Boris était un bon ouvrier, bien considéré par ses chefs (re-sic). Mais sa vie privée était absolument désordonnée.

Une nuit au bal, il rencontra une jeune fille. Ils devinrent rapidement amis et, 2 ou 3 jours plus tard, l'« intimité » a eu lieu. Boris ne s'était même pas soucié de lui demander son nom, il avait pourtant été assez éloquent pour la persuader de se rendre à ses charmes. La liaison ne dura pas : en moins d'un mois, Boris abandonna la jeune fille.

Ce qu'on doit souligner dans cette triste histoire, d'après le Dr Atarov, n'est pas seulement l'attitude de Boris, mais la confiance illimitée de la jeune fille, qui ne sut pas résister aux avances insolentes de cette rencontre d'occasion. Les parents de la jeune fille et l'école qu'elle a fréquentée sont également responsables de ce qui est arrivé. Quant à Boris, son attitude ne lui apportera guère de joie. Il se condamne ainsi à la solitude. Il n'éprouvera jamais les joies d'une vie de famille, et finalement il contractera une maladie vénérienne (!).

2) *Pierre,* étudiant, 26 ans, vivait maritalement avec une jeune fille. Un jour de vacances il rencontra une autre jeune fille. Ils devinrent « intimes » sans connaître leurs prénoms respectifs. Revenu chez lui, il infecta la fille avec laquelle il vivait de façon permanente avec une maladie vénérienne contractée auprès de sa liaison de vacances. Cette attitude de Don Juan est dégoûtante. Malgré tout, Pierre est un excellent étudiant et ses camarades pensent de lui le plus grand bien.

Dans ce chapitre, on trouve encore la déclaration suivante :

« Quand une jeune personne pense à se marier, les parents ne doivent pas rester neutres. Le mariage soviétique n'est pas seulement une affaire individuelle, mais une affaire de la société et de l'Etat. Les gens qui considèrent le mariage comme un amusement temporaire commettent un crime contre la moralité socialiste. »

Dans le chapitre V, le Dr Atarov traite de problèmes particuliers, tel l'amour non partagé. « L'amour non partagé ne doit pas être considéré comme une tragédie vitale. Sous la société socialiste, dans laquelle le service public est la chose essentielle, et pourvu que le passionné ait assez de discipline intérieure, il doit pouvoir surmonter son malheur. Le *travail* et le soutien moral de ses camarades doit lui être de la plus grande aide. »

On ne peut mieux faire, en guise de conclusion que citer cette phrase du Dr Atarov, qui résume bien l'esprit de son livre :

« La loi ne peut pas s'occuper de tous les cas de conduite immorale, mais la pression de l'opinion publique doit continuer à jouer un rôle agissant dans la lutte contre toutes les formes de conduite immorale. »

Comment s'étonner que le plus clair de la production russe en matière littéraire soit une espèce de Paul Bourget (où le « socialisme » a pris la place du catholicisme), lorsque la morale sexuelle officielle, telle qu'elle apparaît à travers le livre du Dr Atarov, rappelle irrésistiblement les conseils d'éducation sexuelle que consignaient, dans des livres à l'usage des parents, les médecins bien pensants aux alentours de 1890 ? Tous les fétiches de la morale bourgeoise, plus généralement : de la morale des sociétés de classe patriarcales, toute l'idéologie réactionnaire pompeusement costumée sous le nom mystificateur de « science », tous les préjugés les plus arriérés et la mauvaise foi hypocrite d'une petite bourgeoisie puritaine, se retrouvent dans le livre d'Atarov. Si la morale est une « superstructure » dont le contenu serait déterminé sans ambiguïté par les « infrastructures », comment se fait-il que la superstructure morale de la société « socialiste », son idéologie sexuelle, soient identiquement pareilles à la morale sexuelle la plus rigoureusement bourgeoise, et bourgeoise du XIXe siècle ?

On ne veut pas ici traiter le sujet lui-même, qui est immense ; il serait d'ailleurs ingrat de le faire à partir des « idées » d'Atarov. Mais quelques remarques sur le fond sont indispensables, si l'on veut comprendre la signification *sociale* de la morale sexuelle qu'il exprime et sa fonction dans l'édifice de la société russe.

Atarov part de ce vieux sophisme, consistant à établir une distinction entre puberté et « maturité sexuelle » et à en tirer des conclusions complètement arbitraires. Cette argumentation, sorte de chantage à la science, traduit en même temps l'ignorance en matière de science, aussi bien de médecine que d'ethnologie. Le seul sens que peut avoir, du point de vue médical et physiologique, la distinction entre puberté et « maturité sexuelle », est celui-ci : la puberté entraîne la capacité sexuelle proprement dite, à savoir la capacité de copuler ; elle n'entraîne pas nécessairement la capacité de reproduction, c'est-à-dire l'aptitude d'être fécondée pour les filles et peut-être même l'aptitude de féconder pour les garçons, qui semble survenir dans la grande majorité des cas quelques années plus tard.

C'est donc d'une parfaite mauvaise foi que de créer une confusion entre « capacité sexuelle » et « capacité de reproduction ». Et c'est parfaitement arbitraire, du point de vue scientifique, que de justifier, comme le fait aussi bien Atarov que la morale sexuelle bourgeoise, l'interdiction des rapports sexuels infligée aux adolescents, par leur « immaturité » qui ne pourrait être, tout au plus, qu'une immaturité du point de vue de la reproduction. Mais si l'unique but et la seule « justification » des rapports sexuels était la reproduction, pourquoi ne pas les interdire alors aussi aux femmes après le retour d'âge ? Pourquoi ne pas les interdire, plus généralement, au genre humain tout entier, en dehors des deux, trois ou quatre fois nécessaires à la reproduction de l'espèce ? La fonction sexuelle chez l'être humain dépasse de très loin sa signification reproductive, comme le prouve le fait qu'un individu normalement constitué peut avoir et a des rapports sexuels des milliers de fois dans sa vie, tandis que quelques fois suffiraient pour assurer la fonction reproductive. Du reste, la discussion là-dessus a quelque chose d'intrinsèquement absurde :

si l'on voulait soutenir (en dépit de évidences les plus banales) que la puberté n'entraîne pas la capacité sexuelle, alors pourquoi prend-on la peine d'interdire quelque chose qui serait impossible ? On n'a jamais songé à interdire aux nourrissons le pilotage des avions. Tous les échafaudages pseudo-scientifiques sur la réalité ou non de la capacité sexuelle des adolescents ne visent qu'à camoufler ce fait : il faut *interdire* l'usage de leurs facultés sexuelles, tout particulièrement aux adolescents, mais même aux individus quels qu'ils soient, du moment qu'il se situerait en dehors du cadre imposé par la « société ».

Quelles justifications présente-t-on de cet inter-dit ? On dit souvent (et c'est aussi quelque chose qu'insinue la distinction entre « puberté » et « matu-rité ») qu'une libre activité sexuelle des adolescents aurait des résultats catastrophiques parce qu'elle aboutirait à la procréation d'enfants dont ces adolescents ne seraient pas en mesure, ni moralement, ni économiquement, d'assumer la responsabilité. Mais tout d'abord, comme il a été déjà dit, il est pratiquement certain que dans la grande majorité des cas, les rapports sexuels entre adolescents ne peuvent aboutir à la procréation. On connaît des tributs polynésiennes ou indiennes (1) chez lesquelles les adolescents traversent une phase de plusieurs années de libre commerce sexuel (où même les couples se forment de manière extrêmement transitoire et lâche) sans qu'il y ait des enfants, soit qu'il y ait impossibilité physiologique au sens où on l'a dit plus haut, soit que les filles, gardant encore cette connaissance de leur corps que l'homme occidental a perdu, évitent les rapports pendant les jours où elles sont fécondables. Et c'est lorsque cette phase est terminée que, en même temps qu'ils sont reconnus comme adultes par la tribu, jeunes hommes et jeunes filles contractent des mariages stables dans lesquels ils auront des enfants.

Ensuite, qu'est-ce qui empêche de fournir aux adolescents les moyens et les connaissances anti-conceptionnels sûrs qui existent ? Quoi d'autre, sinon la volonté de la société établie de réprimer leur activité sexuelle en brandissant la menace de l'enfant, comme autrefois (et encore maintenant, et Atarov ne s'en prive pas) celle des maladies vénériennes ?

Enfin, si pour *un* individu placé dans un cadre social donné qu'il ne peut modifier par ses simples désirs ou actes, la possibilité d'avoir un enfant se présente – que l'on soit adolescent ou même adulte – comme la menace d'une catastrophe, vu les conditions imposées par la société, on ne peut pas se placer sans plus au même point de vue lorsqu'on examine le problème à l'échelle générale. Pourquoi les adolescents devraient-ils supporter les charges économiques d'un enfant qui leur naî-trait ? Pourquoi devraient-ils être sans ressources économiques propres ? Pourquoi devraient-ils être élevés de façon qui les rende incapables d'assumer les responsabilités d'un enfant ou d'autre chose ? Nous ne disons pas qu'il faut que les adolescents fassent des enfants, mais simplement que discuter de ces problèmes sans mettre en question une seule fois les postulats de l'ordre établi est la marque irréfutable du philistinisme le plus achevé.

Tout aussi réactionnaires et anti-scientifiques, sous leur masque pseudo-scientifique, sont les idées du Dʳ Atarov sur la masturbation. Passons sur le ridicule qu'il y a à établir une relation de cause à effet entre la masturbation et les vêtements trop étroits, etc., relation directement empruntée à la sagesse sexologique des gouvernantes de 1880. Passons même sur le démenti qu'Atarov s'inflige lui-même par ce qu'il dit de l'étendue de la masturbation chez les adolescents, à ses thèses sur l'absence de « maturité sexuelle » : car qu'est-ce que la masturbation présuppose chez les adolescents sinon en premier lieu l'intensité du désir sexuel et la capacité de le satisfaire ? Et pourquoi ce désir se satisfait-il de cette façon ? Dans la grande majorité des cas, parce que les contraintes sociales, aussi bien extérieures qu'intérieures, empêchent qu'il soit satisfait de façon normale. C'est la même « morale » hypocrite qu'Atarov veut défendre, qui crée et multiplie de ses propres mains le « mal » qu'elle condamne et poursuit par ailleurs.

Mais ce qu'Atarov dit du caractère nuisible de la masturbation n'est pas simplement erroné, c'est positivement criminel. Car pour autant que la masturbation s'accompagne, chez les adolescents, d'effets nuisibles, ceux-ci ne proviennent pas de l'acte de masturbation lui-même, qui en lui-même n'a rien de nuisible et, pour autant qu'il permet à l'organisme de se débarrasser d'une tension qu'il ne peut décharger normalement, serait au contraire bénéfique. Ils proviennent du conflit qui existe, chez l'adolescent qui se masturbe, entre le besoin de satisfaire son désir par la seule voie qu'on lui laisse ouverte, et l'interdit social-« moral » pesant sur la masturbation, la culpabilité de s'y livrer, l'angoisse de castration qui résulte inéluctablement des mises en garde et des menances sur la déchéance physique et morale que provoquerait la masturbation (2) ; culpabilité et angoisse que les racontars de bonne femme que propage à son tour Atarov ne font évidemment que répandre et renforcer.

Tout ceci est évidemment relié aux hilarantes conceptions du Dr Atarov sur la chasteté, à peu près aussi impossibles à discuter sérieusement, que le seraient les théories physiques d'un autodidacte qui ne saurait rien ni de la physique moderne ni même de la physique classique. Car ce qu'Atarov en dit n'est pas seulement la marque d'une ignorance totale de la psychanalyse (3), mais encore au-dessous de la psychiatrie classique et même au-dessous du niveau d'un bon médecin de famille comme on en trouve dans Balzac. Rappelons la phrase de Charcot (citée par Freud) décrivant à un collègue le cas d'une femme qui souffrait de troubles graves et dont le mari était plus ou moins impuissant. Son collègue ne voyant pas la relation, Charcot s'exclama avec une grande vivacité : « Mais dans des cas pareils, c'est toujours la chose génitale ! toujours ! toujours ! toujours ! » Et un médecin viennois, Chrobak, avant l'apparition de la psychanalyse, en envoyant à Freud une patiente qui, mariée depuis dix-huit ans à un homme impuissant, et, encore vierge, souffrait de graves crises d'angoisse, lui écrivait en même temps : « Nous savons trop bien quelle est la seule ordonnance à prescrire dans ces cas, mais malheureusement nous ne pouvons la prescrire. C'est : *Penis normalis. Dosim. Repetatur* (4). »

Les cas ne se comptent pas, en thérapeutique psychanalytique, où la restauration à l'individu de la capacité de se masturber sans angoisse a entraîné la disparition de symptômes graves, de tics, etc. Mais en tout cas, la façon dont Atarov pose le problème des rapports entre la chasteté et la santé ou la créativité de l'individu est tellement lamentable qu'aucune discussion n'est possible à ce niveau. *Quelle* chasteté, de *qui*, à *quel* moment de son existence, dans *quel* contexte, pour *quoi* faire, avec *quelles* compensations et dérivations – en dehors de ces questions le problème n'a même pas de sens. Ce qu'en dit Atarov – que la chasteté augmente l'énergie et le pouvoir créateur – non seulement est faux du point de vue empirique (parmi les individus créateurs on rencontre aussi bien des chastes que des « débauchés », des « normaux » que des pervers sexuels, comme l'inspection la plus rapide de l'histoire peut en convaincre chacun), mais, ce qui est le plus comique, revient finalement à une caricature, grotesque à force de simplisme et de naïveté, de ce freudisme qu'il repousse par ailleurs : car cela implique que toute l'« énergie » de la libido non réalisée sexuellement se transformerait intégralement et sans perte en activité sublimée. Or ceci est en tout cas monstrueusement faux ; le problème des rapports entre libido réprimée et sublimation est infiniment plus compliqué et une « règle » générale de ce type n'a, à proprement parler, aucun sens.

De quoi s'agit-il, en somme, dans tout cela ? Il est clair que les arguments pseudo-scientifiques d'Atarov (comme de ses pareils en Occident) ne servent qu'à cacher une idéologie, une « morale » sexuelle qui, du point de vue d'une justification rationnelle, est parfaitement arbitraire.

Mais cette idéologie, arbitraire d'un point de vue scientifique, a des fonctions, une signification et une racine sociale bien précises. Identique à la morale répressive qui prédomine (ou plutôt, a prédominé) en Occident (5), elle vise, comme elle, à interdire aux individus l'exercice autonome (à savoir, conscient et se dirigeant soi-même) d'une de leurs activités les plus essentielles. Elle veut les priver de liberté et de responsabilité dans un domaine fondamental, et les obliger à se conformer à des normes imposées de l'extérieur et à la pression de l'« opinion publique », non à des critères forgés par chacun à partir de ses besoins et de son expérience. Elle est donc une morale d'oppression et d'aliénation. Elle est destinée à fabriquer en masse des individus pleins de conflits intérieurs et à structure caractérielle complémentaire, anthropologiquement, de la structure hiérarchique de la société : l'acceptation de normes irrationnelles du moment qu'elles sont sanctifiées par l'ordre établi, l'infantilisation devant les personnes qui incarnent, à l'échelle de la société, les images parentales, le rôle dominateur joué en compensation par presque tous les hommes dans leur famille et par quelques-uns dans leur petit milieu de travail ou autre. Nous reviendrons, dans un prochain article, sur ce problème fondamental et qui dépasse de loin les idées du Dr Atarov ou même la question sexuelle en URSS.

Disons seulement, pour conclure, que l'URSS offre le même visage de société d'oppression et d'aliénation, qu'on regarde son régime de travail dans les usines, sa structure politique ou sa morale sexuelle officielle.

NOTES

(1) Voir M. Mead, *Coming of Age in Samoa,* et Elwyn Verrier, *The Murias and their Gothul.*

(2) Nous parlons du cas le plus simple, le plus « normal ». En tout cas, il est vrai sans restriction que, dans la mesure où il y a des effets nuisibles, ceux-ci proviennent d'un conflit intériorisé par le sujet. Mais le conflit peut être plus compliqué ; par exemple, si dans les phantasmes dont s'accompagne toujours la masturbation s'expriment des « déviations » sexuelles du sujets par ailleurs fortement réprimées et censurées, le sujet se sent pour ainsi dire doublement culpabilisé par son acte de masturbation. Mais dans ce cas aussi il est évident qu'interdire la masturbation équivaut à peu près à casser le thermomètre : ce qu'il faut, c'est traiter la névrose sur le plan individuel, en éliminer ou réduire les causes sur le plan social. Sur tous ces problèmes, voir l'ouvrage fondamental de W. Reich, *La fonction de l'orgasme,* dont une traduction, très mauvaise mais qui a le mérite d'exister, a été publiée en France en 1952 *(L'Arche).*

(3) Encore récemment, un Traité de psychiatrie soviétique s'exprimait ainsi sur la psychanalyse : « Le freudisme n'a aucune valeur scientifique. Sa popularité doit être recherchée dans sa signification idéologique : il est profitable au système capitaliste. Seuls, les gens qui ont une compréhension superficielle de la psychiatrie clinique l'acceptent ».

(4) W. Reich, *l.c.,* p. 80-81.

(5) On sait qu'elle est en train de s'effondrer dans les pays industriels modernes, sans que la société établie puisse la remplacer par une autre. Cela fait surgir des problèmes essentiels d'un type nouveau, dont nous espérons pouvoir parler une autre fois.

TABLE DES MATIERES

Achevé d'imprimer en octobre 1979
sur les presses de l'Imprimerie Bussière
à Saint-Amand (Cher)

— N° d'édit. 597. — N° d'imp. 1909. —
Dépôt légal : 4e trimestre 1979.

Nouveau tirage, 1979